Надежда Плевицкая

Великая певица и агент разведки

В. Л. Стронгин

Надежда Плевицкая

Великая певица и агент разведки

Москва
«АСТ-ПРЕСС КНИГА»
2005

Надежда Плевицкая

Надежда Плевицкая

Л. В. Собинов

Ф. И. Шаляпин

А. М. Ремизов

С. В. Рахманинов

А. И. Деникин

П. Н. Врангель

Надежда Плевицкая

Я. А. Слащёв

А. П. Кутепов

Е. К. Миллер

Н. В. Скоблин

Надежда Плевицкая

Слева направо: А. В. Кривошеин,
П. Н. Врангель, П. Н. Шатилов

Надежда Плевицкая

Ф. Э. Дзержинский

Г. Г. Ягода

В. Р. Менжинский

М. Н. Тухачевский

Вальтер Кривицкий

Н. Я. Эйтингон

Вальтер Шелленберг

Йозеф Леппин

Игнас Рейс (Порецкий)

Надежда Плевицкая

Марина Цветаева

Сергей Эфрон

Анастасия Вяльцева

Наталия Тамара

Надежда Плевицкая

Постановленіе Центральнаго Исполнительнаго Комитета Союза Совѣтскихъ Соціалистическихъ Республикъ о персональной амнистіи и возстановленіи въ правахъ гражданства мнѣ объявлено.

Настоящее обязуюсь это особое распоряженіе хранить въ секретѣ 21/IX 31г. Берлин. Ген.-генералъ Н. Скобли...

Под числа

Настоящимъ обязуюсь передъ Рабоче-Крестьянской Красной Арміей Союза Совѣтскихъ Соціалистическихъ Республикъ выполнять все распоряженія связанныхъ со мной представителей развѣдки Красной Арміи безотносительно территоріи. За невыполненіе данного мною настоящаго обязательства отвѣчаю по военнымъ законамъ СССР.

Н. В. Скоблин

Ирина Ракша с мужем
Юрием

Надежда Плевицкая

Надежда
Плевицкая

Существует мнение, что подлинная история, даже искаженная и перевранная в угоду правящим политикам, рано или поздно предстает перед людьми в истинном виде. Мнение позитивное, но явно спорное. Кому-то из современных политиков выгодно поднять забытые исторические факты, кому-то лучше умолчать о них. И ничто из событий прошлого, в свое время умышленно скрытого, само по себе не выплывает наружу. Для этого требуется кропотливый труд историков, определенная гражданственность, неодолимое желание рассказать правду о том, что годами, иногда и веками, представлялось лживо и в субъективном ракурсе. Историк должен быть своего рода революционером, должен побороть в себе косность, чтобы изложить факты истории такими, какими они были на самом деле, а не в том виде, какими навязывались людям на протяжении порою весьма длительного времени. Он должен быть человеком честным, неравнодушным и храбрым.

Проще не ворошить историю, и незачем, как считают некоторые, повторять ошибки своих предшественников, а жить лучше одним днем, спокойно и благополучно. Но таких людей, как правило из представителей властных структур, намного меньше, чем тех, кто хочет знать историческую правду, кому она может помочь разобраться в хитросплетениях современности и в очередной раз не наступить на одни и те же грабли.

Понять, что толкало наших предшественников на те или иные поступки, кем они были и какими людьми — цель предлагаемой книги. Не будем дожидаться «ветра перемен» и сами перевернем страницы истории, упрятанной в спецхран.

Великая русская певица Надежда Васильевна Плевицкая, урожденная Винникова, написала две мемуарные книги: «Дежкин карагод» и «Мой путь с песней». Вторая книга посвящена «нежно любимому другу» М. Я. Эйтингону, на чьи деньги она была издана в Берлине и который сыграл немалую роль в трагической жизни актрисы. Об этом будет рассказано подробнее, когда подойдет время, а за помощь в издании книг певицы ему, конечно, должны быть благодарны потомки. Известный русский писатель-эмигрант Алексей Михайлович Ремизов очень высоко оценил книги Надежды Васильевны в рецензии, написанной в свойственной его творчеству форме притчи. Рецензия сама по себе представляет собой художественную ценность и несомненно создана адекватно тому, что значило пение Плевицкой в русском искусстве.

На долю и Ремизова, и Плевицкой выпало достаточно треволнений и потрясений, для того чтобы писатель, оторванный, как и певица, от родины, охарактеризовал свой жизненный путь одним выразительным словом: «Кувырком». И начался этот «кувырок» после октябрьского переворота. Когда в 1919 году умерла мать Ремизова, он не мог проводить ее, так как находился под арестом за причастность к партии эсеров, к ее левому крылу. Близкие и знакомые считали его едва ли не большевиком. Он занимал, как и большевики, ярко выраженную пораженческую позицию в затянувшейся войне с Германией. Однако, солидаризируясь с их антивоенными настроениями, он был возмущен их призывами к бойне гражданской, замечая, что взращенное на полях войны насилие все больше смыкается с насилием «революционной законности».

В эпопее «Взвихренная Русь» писатель приводит разговор со своим соратником по партии эсеров Ф. И. Щеколдиным:

> «Когда происходят такие исторические катастрофы, какой тут может быть счет с отдельным человеком! — на все мои перекорные рассуждения отвечал Щеколдин. — Ведь катастрофа-то для человека, а человека топчут!»

В мемуарах Плевицкой отсутствуют подобные высказывания политического характера. Она не раз говорила, что живет вне политики, но, как показала жизнь, ей не удалось избежать этого, и в книгах ее ощущается боль по ушедшей родине.

После Октября Ремизов остается в России, работает в театральном отделе Наркомпроса, его влияние чувствуется в ранних произведениях Леонида Леонова, Вячеслава Шишкова, Михаила Зощенко и других молодых писателей. Он не может принять «революционную законность», постепенно прозревает:

> «До чего все эти партии озверели: у каждой только своя правда, а в других партиях никакой, везде ложь. И сколько партий, столько и правд, и сколько правд, столько и лжей».

Среди наиболее ярких образов уходящей Руси у Ремизова особняком стоят народные песни, навеянные творчеством русских певиц, и прежде всего несравненной Надежды Васильевны Плевицкой. Поэтому он столь тепло откликнулся на ее воспоминания о жизни, еще не совершившей кувырок, не поставленной с ног на голову. Он и раньше в своих произведениях не скрывал любви к русской песне. В повести «Крестовые сестры» пишет: «Девочка пела под гармонью. Она пела какую-то фабричную песню, в которой шли вперемежку и стихи вроде: «Я опущусь на дно морское, я полечу за облака» — и из цыганских всяких троек и жгучих очей, и чувствительные слезинки и вдруг прорывало стариной старинной. Выговаривала она чисто, все можно было расслышать, каждое слово». Очень похоже описывали современники Плевицкой ее пение, некоторые песни она сказывала, каждое слово, произнесенное ею, звучало чисто, проникало в душу слушателей.

Ремизов продолжает: «Широким грудным альтом пела девочка, постукивая бубном. Степной ширью и морским раздольем упоена была песня...

Обступили музыкантов ребятишки, бросили свои дикие игры и заботы...

А девочка пела.

Персианин-массажист из бань тут же примостился, кружил белками.

А девочка пела... и, казалось, это земля пела, степь пела, море пело — ширь и раздолье, сердце земли. И было страшно, вот кончится песня, вот кончит петь девочка и уйдет. Не хотелось, чтобы она уходила».

Ремизов, которого многие коллеги и знакомые считали чудаком, «юродивым», далеким от реальной жизни человеком, еще в 1917 году предсказывал беды, которые потрясут родину. Летом 1921 года Ремизов покидает Россию, словно предвидя, что через год из России будут высланы около двухсот лучших представителей русской интеллигенции, в том числе очень близкий ему философ Николай Бердяев.

О том, куда уехать, у Ремизова вопросов тогда не возникало: «Они должны и они будут за границей в городе великих людей, в сердце Европы — Париже». Там одна из героинь Ремизова «найдет себе место на земле, подымется душою и улыбнется по-другому», и где-то там его друг, цирковой актер, «снова полезет на трапецию и будет огоньки пускать», и сам герой «танцуя, побеждать будет сердце Европы и найдет свою потерянную радость, свою любовь... И там, где-то в Париже, она сделается великой актрисой и мир сойдет на нее». Кто это — она? Не Плевицкая ли? Вряд ли другая актриса...

Не сразу, но и Плевицкая и Ремизов оказались в Париже. «Я — артистка, пою для всех, я вне политики», — утверждала Плевицкая. Ремизов тоже покинул эсеров, но это не спасло их от жизни «кувырком».

По всей видимости, именно Плевицкую описывает Ремизов в своей новелле «Dame де Noël» (Снегурочка, а буквально — Рождественская дама) в цикле рассказов «Бедовая доля». Она приходит к нему во сне: «На пороге стояла незнакомка: она была в белом, под покрывалом золотая корона на голове, и белый свет шлейфом падал у ее ног.

— Завтра Рождество, — сказала она.

Я отступил, давая дорогу.

— Ты меня не узнал?

— Первый раз вижу.

— Dame де Noël.

— Dame де Noël, — я подпрыгнул от радости, — и у нас будет елка, серебряный дождь, золотые орехи!»

Есть фотография Плевицкой в белом одеянии, с короной на голове. Известный театральный критик А. Кугель описывает ее в белом платье, облегавшем стройную фигуру: «Встреча с нею всегда была праздником для зрителей». Она приходит к автору во сне, напоминая о Рождестве с русской елкой, с ее атрибутами — серебристым конфетти, с орехами, одетыми в золотистую бумагу.

Смертельная тоска по родине, неодолимое желание хотя бы в конце жизни ступить ногой на родимую землю заставляют Ремизова, уже больного и полунищего, забытого писателя, несмотря на осуждение эмиграции, получить в 1946 году советский паспорт. Но вернуться на родину было не суждено. В 1957 году его похоронили на парижском кладбище. Сходная участь ожидала Плевицкую.

Похоже, и он, и она стали думать о возвращении на родину с тех пор, как только очутились за границей. Этим объясняются многие поступки Плевицкой. С мыслями об этом она начинает свои книги: «Небольшое, запущенное озеро в Медонском лесу, близ Парижа, — излюблено рыболовами. Они сидят вокруг него с удочками и часами, с ангельским терпением, ждут улова.

Никогда я не думала, что буду здесь, у озера, наблюдать, как французские граждане ловят рыбу, и вспоминать мое дорогое, мое невозвратное!..»

Это строчки из первой книги мемуаров Плевицкой. Во второй книге, написанной через несколько лет, чувства певицы обострены до предела, сделаны первые и горькие выводы о жизни кувырком: «На чужбине, в безмерной тоске по родине, осталась у меня одна радость: мои тихие думы о прошлом. О том дорогом прошлом, когда сияла несметными богатствами матушка Русь и лелеяла нас в просторах своих.

Далеко родимая земля, и наше счастье осталось там.

Грозная гроза прогремела, поднялся дикий, темный ветер и разметал нас по всему белому свету. Но унес с собою каждый странник светлый образ Руси, любовь к отечеству дальнему и благородную память о прошлом».

Кое-кто из современников сомневался в том, что эти книги написаны самой Плевицкой. Но достаточных оснований для этого они не нашли. Сохранились статьи и записки Надежды Васильевны, написанные на хорошем литературном уровне. Не исключено, что она кому-то из писателей показывала свои рукописи, тому же Ремизову, шла речь даже о Куприне, и кто-то из писателей подредактировал их, но искренность, с которой написаны книги, чистота и глубина чувств, наполняющие страницы, могут принадлежать только человеку, пережившему рассказанное им. После этого более понятной становится трагическая судьба уникальной певицы и всесторонне одаренной русской женщины.

Своеобразная рецензия Ремизова на ее книги является не обычным, трафаретным разбором содержания, даже не критическим эссе, а божественным панегириком всему творчеству певицы. Она и называется — «Венец».

Венец

В зимний вечер шел Христос и с ним апостол Петр. Просимым странником шел Христос с верным апостолом по земле. Огустевал морозный вечерний свет. Ночное зарево от печей и труб, как заря вечерняя, пожаром разливалось над белой (от берегового угля, нефти, кокса) — еще более снежной Невой.

Шел Христос с апостолом Петром по изгудованному призывными гудками тракту.

* * *

И услышал Петр: из дома пение на улицу. Приостановился. Там в окнах свечи поблескивали унывно, как пение. И вот в унывное пробил быстрый ключ — вознеслась рождественская песнь:

Христос рождается,
Христос на земле!

Обернулся Петр, хотел Христа позвать, войти вместе в дом, а Христа и нет.

— Господи, где же Ты?

А Христос — вон уже где!.. Мимо дома прошел Христос — слышал божественное пение и прошел. Петр вдогон.

Христос рождается,
Христос на земле!

С песней нагнал Петр Христа. И опять они шли, два странника по земле.

* * *

По дороге им попался дом. Там шумно, песня, и слышно — на голос подняли песню, там смех и огоньки.

— Под такой большой праздник бесстыжие пляшут!

И Петр ускорил шаги. И было ему — на горькую раздуму за весь народ: «Пропасть и беды пойдут, постигнет Божий гнев!»

И шел уныл и печален — жалкий слепой плач омрачал его душу. Вдруг спохватился, а Христа и нет.

— Господи, где же Ты?

А Христос — там! (или входил Он в тот дом и вышел?) Христос там, у того дома: и в ночи свет. Светит, как свет, венец на его голове.

Хотел Петр назад, но Христос сам уж шел к нему. И воззвал Петр к Христу:

— Я всюду пойду за Тобой, Господи! Открой мне: там Тебя величали, там Тебе молились, но Ты мимо прошел, а тут — забыли Твой праздник, песни поют, и Ты вошел к ним?

— О, Петр, мой верный апостол, те молениями меня молили и клятвами заклинали, но их черствое сердце было далеко, и мой свет не осиял их сердца, и хвала их негодна Богу, а людям постыла; а у этих — сердце их чисто и песни их святы, и я вошел к ним в дом. И вот венец сплетен из слов и песен — неувядаем, видать всем.

* * *

В Святой вечер шел Христос и с ним апостол Петр. И в ночи над белой Невой — над заревом от печей и труб сиял до небес венец — пусть эта весть пройдет по всей земле! — не из золота, не из жемчуга, а от всякого цвета и красна и бела, и от ветвей Божия Рая неувядаем венец от слов и песен чистого сердца.

А. Ремизов

К сожалению, великое творчество Надежды Плевицкой до сих пор не оценено. Возможно, потому, что многие современники справедливо хулили певицу за тот грех, что совершила она, оторвавшись от плетения своего чудесного венца, «от слов и песен чистого сердца», запутавшись в жизни кувырком, когда у нее сместились понятия добра и зла, что и осталось в памяти больше, чем пение, дарившее радость людям.

Некоторых моих коллег по перу более интересует детективная часть ее жизни, жизни советской супершпионки, однако как она пришла к этому греху, что обусловило затмение «чистого сердца», какие причины привели к нему, нельзя понять и прочувствовать без объективного и вдумчивого рассмотрения всей жизни Плевицкой — от Дежки, Надежды Васильевны Плевицкой, до лубянской шпионки по кличке «Фермерша».

Глава первая

❖ ⊱ ✦ ⊰ ❖

Шпионами не рождаются

Человек не выбирает место рождения и родителей и в большинстве случаев идет по их стопам.

Но бывают исключения, иногда поразительные. Казалось, что Надежде Плевицкой, урожденной Винниковой, появившейся на свет в крестьянской семье, уготована судьба отнюдь не артистическая. Певица так начинает свои мемуары: «Вспомнилось мне родное село Венниково...» Тут оговоримся. Пошла ли фамилия героини от названия села, где плели веники, что было обычным в те времена, или она со временем изменила свою фамилию для благозвучия — не известно и не столь важно. Ее самая талантливая последовательница — блестящая русская певица Лидия Русланова, став актрисой, изменила свою фамилию Лейкина на более «актерскую». Известно, что, очутившись за границей, Плевицкая была объявлена буржуйкой, но родные ее Винниковы — не пострадали.

Некоторые историки считают, что она была завербована советской разведкой еще в 1919 году. В этом можно усомниться, читая мемуары Плевицкой, изданные после 1929 года, написанные простодушно и чистосердечно, с трепетным отношением к монаршей семье, с горьким недовольством порывами «дикого ветра», унесшего и ее в изгнание.

Назовем год рождения певицы — 1884-й. Ее отец был николаевским солдатом, верно прослужившим царю-батюшке восемнадцать лет из положенных двадцати пяти. Будучи стрелком, он на учениях засорил порохом глаза, стал плохо видеть, и ему скосили срок пребывания в армии за «беспорочную кавалерскую службу».

Маленькая Надежда, прозванная в семье Дежкой, с упоением слушала рассказы отца про Крым, где проходила его служба, всхлипывала, когда мать вспоминала о том, что отца призвали в солдаты вскоре после их свадьбы, о том, как через год она поехала к нему в Феодосию, добиралась долго: от Курска до Одессы на лошадях, а потом на пароходе.

Глаза Дежки вспыхивали огнем любопытства при словах отца о чудесном городе, зеленым круглый год, где не бывает зимы, только дуют холодные ветра, куда весною, летом и ранней осенью съезжаются господа из разных городов, даже из столицы.

— А наши, курские, бывают? — спрашивала девочка.

— Лично не встречал, — признавался отец, — но, должно быть, приезжают. Чем курские плоше других? Богатый человек — он всюду богатый!

— А зачем они едут в эту Феодосию, в даль такую? — наивно вскидывала брови Дежка.

— Отдыхать! За зиму дома намаются, кто от безделья, кто от забот своих, а потеплеет — едут на курорт, к морю. Простор великий. Другого берега не видать. Даже в бинокль. Это трубка такая, из которой все видно на большое расстояние.

— Неужто за версту? — удивлялась девочка.

— Точно не знаю, — отвечал отец, — но наш прапорщик часто целил эту трубку на барышень, что гуляли по набережной, и притом почмекивал. Целил с горки, где был наш пост, метров этак на пятьдесят.

— Чудеса какие! — восторженно замечала Дежка. — А какие там отдыхают господа?

— Откуда мне знать? — вздыхал отец. — Мое дело на стрельбище из винтовки по мишеням палить и держать казарму в чистоте, порядок блюсть. А господ, хоть и без бинокля, я повидал. Приезжают пофорсить нарядами.

Дамы ходят в платьях до пят, с оголенными плечами. Их кавалеры в распахнутых жилетах и коротких брюках. В самый солнцепек у фонтана собираются, в тени. Сядут на скамейки, закроют глаза, словно уснувшие, но сумочки свои и кошельки крепко держат, чтобы не украли.

— Неужели на курорте воры водятся?! — изумлялась Дежка.

— А как же, — говорил отец, — специально приезжают, поживиться. Иная дама на солнце разомлеет, веером жару разгоняет, сумочку рядом на скамейку положит, а потом глянь — сумочки нету. Закричит, закудахчет, а вора след простыл. Его ничем от господина не отличишь.

— Спаси Господи! — испуганно произносила Дежка. — Никогда не думала, что среди господ воры встречаются!

— Бывают, — серьезно произносил отец, — из проигравшихся в карты, пропившихся. Кто стреляется, кто и подворовывает. Да... Слава Богу, они в конце концов попадают в кутузку. Туда им дорога. Я лично таких воров не встречал, видел хороших господ, не жалеющих денег на подмогу нашему брату-солдату. Говорят, среди них очень ученые есть, добрые и благородные.

— Точно, — подтверждала мать, — по лицу можно человека благородного отличить, по глазам чистым, где ум проглядывает. Знают они много. Не в пример нам. На то и господа!

«Почему не в пример?» — думала потом Дежка перед сном, укутав голову одеялом. Ей хотелось походить на свою ровесницу, на дочку Рышковых — владельцев местного имения, на аккуратно одетую девочку, часто читающую книжки. Дежку интересовала господская жизнь, хотелось знать столько же, сколько они, хотя у нее, как и у всех венниковских крестьян, были свои радости. Деревенские девушки с нетерпением ждали наступления жнитвы, «в такое время все село на поле». Можно показаться своей статью и ловкостью, силою в работе. «И как не показаться, когда рядом, на загоне, работают женихи и будущие свекрови, не ударить же перед ними лицом в грязь. Работящая девка — сокровище в доме».

Дежка завидовала старшим сестрам, на которых поглядывали женихи, и она, стараясь выглядеть постарше своих лет, поднимала меры с зерном или картошкой, в тринадцать лет взваливала на спину пятипудовые мешки. Родители боялись, что она надорвется, и отпускали ей подзатыльники.

«Разве я тогда знала, что буду петь, и готовилась стать «сокровищем в доме», — вспоминала Плевицкая.

Внимание Дежки привлекал Якушка — сын дяди Потапа Антоновича. Он вел себя несуразно, по словам матери, как «бес с хвостом». Вкатывался в избу, не мог посидеть чинно-смирно. Если поговорить было не с кем, он вслух разговаривал с лошадью: «Но, а Но, бросим, брат, пахать, давай покалякаем». Странно и весело вел себя Якушка и поэтому нравился Дежке. Кстати, он первый назвал ее Дежкой, славно и ласково, и с его легкой руки это имя закрепилось за ней. Своим поведением он вносил разнообразие в привычную сельскую жизнь.

— Якушка, откуда леший сорвался, уймись, дай старым поговорить, — увещевала его мать, а он уже завился вьюном около старших сестер, мешает им прясть, сыплет прибаутками. Но вот наступало время ужина. Рук не помывши, не помолясь Богу, за стол не садились, а за едой нужно сидеть спокойно и зубы не скалить. Если же, не дай Бог, кто «закон» осмелится обойти, то было и наказание: из кучи дров выбиралась отцом-матерью палка потолще со словами:

— Отваляю по чем попало.

Били со зверским лицом, но не очень сильно, боясь покалечить детей. «Преступления» сестер Венниковых заключались в гулянии дольше, чем разрешала мать. Она говорила: «Хорошая слава в коробке лежит, а дурная по дорожке бежит». И если сестры загуливались, заигрывались, на выгон из-за церкви выходила мать, шла медленно, будто прогуливалась, руки держала позади, прятала там палку, и первой ошарашивала старшую дочь — с нее спрос больше... Претерпев всенародный срам, дочери бегом спешили домой. Вестимо: строгая мать — честная дочь. И еще наказывались дети за «черное слово» — черт и особенно строго — за ложь.

Среди сестер и однолеток Дежка выделялась неуемным желанием учиться, походить на аккуратную и серьезную господскую дочь. Плевицкая признавалась: «...кроме матери, все у нас были малую толику грамотны. А если я умею немного читать и писать, то потому лишь, что горькими слезами выплакала у матери разрешение ходить в школу.

Рукава моего серенького платья были мокры от неутешных слез, так убедительно просила я мать отпускать меня в школу...

— Да кто же корову стеречь будет? — говорила мне мать. — К тому же ты молитвы-то знаешь, а замуж тебе не за лавочника идти, не за прилавком сидеть. Грамота тебе не нужна. Вот я и без грамоты, а до мильона считаю...

Но я думала иное и пуще мочила слезами рукавенки своего серенького затрапезного платья: грамоте учиться хотелось».

Мать была непреклонна, но Дежке помог случай. Как-то осталась она в избе одна, полезла с однолеткой Машуткой в погреб, где подружка опрокинула кубганы с молоком. Испугавшись, подружка убежала домой, а Дежку ожидало суровое наказание: «Розга ожгла, я кинулась в святой угол, где красуется вышитая пелена. Но святость меня не спасла. Мать наступает, я розгу ловлю, поймала, переломила и нечаянно поцарапала прутом лицо мамочки, до крови. Тогда, не помня себя, она схватила меня за волосы, да об стену, у меня в глазах потемнело. А мать, отойдя от гнева, через минуту уже плакала надо мной, и тут я ей рассказала, что во всей беде повинна Машутка. Мать мочила мне голову святой водой и шептала: «Что делает лукавый с человеком, и откуда такая злоба? Господи, спаси, помилуй!» Мать тут же рассыпалась в милостях: обещала мне купить новое пальто, шагреневые, со скрипом, полусапожки, назавтра взять меня с собой в Коренную Пустынь на богомолье, сшить козинетовый тулупчик, а на зиму пустить меня в школу. Первый раз была мать со мною так гневна, и первый раз я была так счастлива: «Буду, слава Те, Господи, в школе».

Коренная Пустынь находилась в восемнадцати верстах от Венникова, а Дежка дальше Мороскина Леса и Липовки, что были рядом, в полчаса ходу, не бывала, ее манили новые места, и волнение перед путешествием не позволило уснуть.

В Коренную собирались после обедни. В церковь все пришли нарядными. Мать говорила, что других дум, кроме молитвенных, в церкви быть не должно, отец одергивал Дежку, чтобы она не вертелась, а как тут устоишь, сегодня особенно хорошо пел хор, — а в хору Егор и Васютка; наши певцы — любимцы всей деревни: у одного альт звонкий и чистый, у другого дискант. А главное, они пели с «понятием».

Это воспоминание Плевицкой о детских годах, а сама она, будучи Дежкой, вряд ли разбиралась в альтах и дискантах и в том, что значит петь «с понятием». Но ей повезло — она родилась в песенном крае, где ценили хорошее пение.

Мать вразумляла дочку:

«Ты как свеча перед Богом должна в церкви стоять», а она сегодня на свечу не похожа: «...верчусь, в голове мысли грешные — хорошо бы шляпку такую, как на Рышковой барышне, и платье в сборках, как на Тане Морозовой. Шляпки из лопуха, что мы с Машуткой смастерили, совсем не годны».

«Хором руководит учитель Василий Гаврилович, помахивает белой тонкой рукой, не такой корявой, как у моего брата, и будит во мне честолюбивые замыслы: вот в эту зиму пойду учиться и, наверное, буду петь на клиросе, голос у меня не хуже, чем у Махерки Костиковой, которую все село хвалит».

Дежка завидует подруге и в лесу вступает с ней в соревнование — кто кого перепоет, вернее — перекричит. Поначалу пели, громче и громче, а потом перешли на крик, выпучивая глаза и надувая щеки. Махерка сдалась, уступив напору и силе голосовых связок Дежки.

Первое путешествие — новые открытия в неизвестной ей жизни, они поразили сознание девочки: и красота золотых куполов святой обители, и... вор с обличием барина. У матери не раз вытаскивали денежки на богомолье, и поэтому она держала в кармане арбузный нож острием вверх. На этот нож сильно накололся «богомольный» вор, и мать выговаривала ему, хотя он делал вид, что ее упреки к нему не относятся.

— Бесстыжие твои глаза, нашел где воровать — в храме Божием. Небось ручка-то болит, а еще барин!

Дежка долго не могла успокоиться, она «представляла себе вора всегда бедняком, а тут барин — брюки навыпуск. Ох, чудеса!»

После обедни люди сошли вниз, в часовню, к Святому колодцу, где им явился образ Знамения Божией Матери.

«В последний раз, в 1918 году, в родном селе была у меня всенощная перед образом... И вот теперь, когда я живу на чужбине, вдруг, точно Божия милость, появляется здесь, в Париже, родная святыня. И как припала я к ней — хлынули по мне трепетные волны воспоминаний, и чем дольше длится первое путешествие, тем видит больше чудес и дивится им».

— Мама, что там белеет большое?

— Это, Дежка, ворота московские. Поставили их, сказывают, когда к нам в Курск изволила государыня

Екатерина Великая жаловать. Вот в ворота те она, матушка, и въезжала.

Недалеко от ворот, у хмурого желтого здания, работали люди, все, как один, в сером, в серых шапках без козырьков.

— Кто, мам, такие? Чай, школьники?

— Нет, несчастные. Господь их ведает, за какие дела их сюда послали.

— А они не разбойники?

— Может, есть и разбойники. Арестанты они. Только несчастные.

А шляпки встречались одна наряднее другой, а над головой висели балконы без подпорок и напоминали серые гнезда ласточек.

В соборе Дежка молилась горячо и давала всяческие обеты — замуж не идти, отказаться от приданого и по примеру древних сподвижников удалиться от мира в пустынь. Но по дороге на ночевку в Девичий монастырь располагались лавочки с пряниками, и девочка забыла, что в подвижнической жизни надобно воздержание, и приставала к матери, чтобы она их купила. Просто глаза разбегались: разноцветные коврижки и белые коньки, карамель всякая в золотой бумаге.

В Девичьем монастыре мать Акулину Фроловну и дочку встретили приветливо, «...монастырский двор выстлан красным кирпичом, в елочку. У каждой кельи множество цветов. Монахини не ходили, а как бы скользили без шума. (Подобное передвижение через полвека было использовано балетмейстером Надеждиной в танцевальном ансамбле «Березка». — *В. С.*)

В церкви монахини стали полукругом перед Царскими вратами, а посреди матушка Милетина с морщинистым, но тонким лицом, прекрасная в своей черной мантии.

— Глас шестой. Господи возвах к Тебе, услыши мя.

«Я еле сдерживала слезы умиления... У большого образа Матери Божией играют разными огнями множество лампад. К этому образу чинно подходили и прикладывались богомольцы... Там стояла монахиня и вытирала со стекла следы поцелуев чистым полотенцем... Все сияло изумительной красотой. Меня охватил молитвенный восторг, я твердо решила уйти в монастырь...»

Вернувшись домой с богомолья, Дежка не рассталась с этой мыслью, в голове ее время от времени возникали образы кротких монахинь. Но до ухода в монастырь еще было далеко. Прошли праздники, закипела молотьба. Дежка любила ездить в поле с отцом, таскать там снопы и навивать возы, а в награду за это «возвращаться, сидя высоко на возу, и сбрасывать снопы на гумне».

С нетерпением она ожидала Покрова — начала учебы в школе, осенних свадеб, и в первую очередь — свадьбы Афоняки, старшего сына Потапа Антоныча. Афоняка вернулся из города «хорошо одетым, с деньгой... Невеста была сирота, Татьяна Абрамьевна, красивая девушка, работящая, а певунья — лучше не надо. Она пела песни, а не кричала, как обыкновенно в деревне девки кричат. Служила она с малых лет в горничных у Рышковой барышни.

Барыня Татьяну любила и наделила хорошим приданым. Татьяна и Афанасий — пара чудесная».

Немало лет прошло с того времени, а Плевицкая до удивления точно и с любовью описывает эту свадьбу, ее ритуал, свадебные песни — а их немало, и запомнить, казалось, нелегко, а она в памяти сохранила. Сама потом была невестой и, видимо увлеченная свадебным действом, забывала о зароке уйти в монастырь. Дома жилось хорошо.

«На Покров у крестьянина всего полная чаша... О богатых и говорить нечего, но даже у таких небогатых, как мы, к Покрову всего вдоволь... Закрома полны, пшено, крупы, на балках висят копченые гуси, окорока, в бочках солонина и сало, кадки капусты, огурцов, яблок, груш. Все тяжким трудом приобретено, зато благодать: зимою семья благоденствует».

Тем не менее Дежка «подрабатывала», охотно бегала на чугунку, на станцию железной дороги, продавала там пирожки пассажирам поездов. В награду за успешную торговлю получала от дочери дьякона пирожок и копейку в придачу, и хотя страшилась черного чудовища — поезда, но каждый день одолевала три версты до станции и три обратно — там было много любопытного и разных господ.

И вот наступает один из самых торжественных моментов в жизни Дежки. «Повязана моя голова беленьким с желтой каемкой платком, а по тому случаю, что тулупчик мой еще не готов, нарядили меня в материно козинетовое полупальточко. Помолились Богу, и я степенно и важно вышла на улицу: впервые, кажется, не вприпрыжку. Около школы толпились мальчики и девочки... Раздался голос: «По местам!» И в просторном белом классе утихло: на пороге стоял учитель Василий Гаврилович... Мужики его любили:

«Умный наш Василий Гаврилович, добрая душа, честности непомерной, настоящий барин, даром что бедный, а все село по милости его грамоту знает.

Он показал первоклашкам первую букву — «А», просил сказать ее всем разом, но вышло нескладно... Вот я и учусь... Мне все дается, только палочки, овалы и полуовалы дурно выходят, как ни стараюсь. Не одолею их, верно, до самой смерти».

Навек она запомнила урок, когда учитель принес потертую скрипку и раздал старшим ноты, «впервые я увидела урок пения». (Кстати, на столь высоком уровне не преподается пение в школах до сих пор. — *В. С.*)

Быстро пролетели четыре года. Дежке тринадцать лет. В избе на стене висит похвальный лист об окончании трехлетнего сельского училища. «Много радости доставила эта бумажка моим родителям и мне». Дежка мечтала попасть в хор, петь на клиросе, но этому не суждено было сбыться: в хоре пели только мальчики. Мысль уйти в монастырь, познать новую жизнь, казавшуюся ей загадочной и интересной, не покидала ее, что не мешало ей быть первой «среди подраставших игрух и плясух. Даже мать, сама любившая попеть-поплясать, иногда говаривала:

«Да уймись ты, угомону на тебя нет. Вас с Якушкой женить, вот бы пара была!»

Семнадцатого сентября день рождения и ангела Дежки. Она запомнила его на всю жизнь — в этот день сильно захворал отец. Вскоре оправился. Мать вылечила его настоем трав, которые собирала в мае. Поехал отец на мельницу, верст за восемь от села. Выехал здоровым, только покашливал. Остался ночевать у мельника, ночью захотел пить, пошел к ручью и холодной водой застудил и без того не очень здоровые легкие. Напился, не перекрестясь наклонкой, и считал, что за это его наказал Бог. Отец, слабея, благославлял всех, последней — Дежку.

«Глаза его были мутны, он еле шевелил засохшими от жары губами. Немного тяжелых вздохов — и отца не стало... я от потрясения занемогла. Улетела веселость моя».

После того как похоронили отца, прошло всего несколько дней, и Дежка стала просить мать отвезти ее в монастырь. Мать опустила голову, но перечить дочери не стала:

— Видно, уж Господь направил тебя на путь праведный, истинный.

Глава вторая

Побег из монастыря

Мать привезла Дежку в Девичий монастырь, туда, где они побывали четыре года назад, поручила заботу о дочери матушке Милетине, которая была уже сорок лет монастырской, и матушке Конкордии с двадцатилетним стажем. Монастырь существовал, как бы сейчас сказали, на самоокупаемости. Матушки тяжелым трудом сколотили себе небольшое состояние и выстроили келью в четыре покоя. Монахини, за исключением слишком престарелых, жили на свои средства, и каждая по своим способностям и труду имела свой достаток. Дежке средства для жизни доставляли из дома. Ей предстояло прожить в монастыре не менее трех лет, неся послушание, потом внести вклад триста рублей, и лишь после этого ее должны были одеть в черные одежды и совершить постриг в монашеский чин.

Монастырь был расположен в городе Курске, на Сергиевской улице, вблизи от базара и трактиров, и по воскресным дням сюда долетал уличный и торговый гам, который Дежка старалась не замечать. Ей нравились монастырские уставы, благостная тишина. Тоскуя по отцу, она часто заходила в часовню ставить заупокойные свечи. Ведь за упокой его душеньки и отпросилась она в монастырь. Ей казалось, что в обители все свято и нет тут места грешному. Внимание Дежки привлекала келейница Поля, жившая в монастыре уже шесть лет. Она, как объяснили Дежке, была сиротой, к рукоделию не способной и не могла набрать деньги на вклад. Ходила в цветной одеже и исполняла при старушках черную работу. Однажды, расплакавшись, призналась Дежке, что вносила деньги по частям, к четвертому году собрала положенную сумму, отдала ее матушке Конкордии.

— Хорошо, — сказала Дежка, — почему же не прошла постриг?

В ответ Поля разрыдалась и, с трудом прерывая всхлипывания, поклялась Богом, что деньги отдала сполна, но матушка Конкордия то ли запамятовала это, то ли еще по каким причинам считает, что за Полей водится должок в двести рублей.

— А что матушка Милетина? — поинтересовалась Дежка.

— Верит сестре. Не мне же. Не видать мне обительских уз! — залилась слезами Поля. — Сирота я. Некому за меня заступиться! Господи помилуй!

Дежка увидела, как строго и сурово обходятся матушки с Полей, и догадалась, что им выгодно держать на тяжелой и унизительной черной работе безропотную девушку, и заменить ее некем. И выходит, что обречена она на такую участь до последних дней своей жизни и не помогает ей Бог, сколько она к нему ни обращалась.

Минул год, другой. Матушки поговаривали о том, чтобы одеть Дежку в черные одежды, после чего она сможет петь на клиросе. Но Дежка не спешила пройти постриг, хотя мать приготовила для этого необходимые три сотни. Девушка присматривалась к молодым монахиням. Каждое утро они подходили попарно прикладываться к кресту, повертывались к матушке игуменье лицом, кланялись ей низко, касаясь рукой земли, а вечером после молитвы прислушивались к шуму за монастырской стеной и после условного мужского посвиста то одна из них, то другая тихо исчезали в темноте.

«Мне шел тогда шестнадцатый... И зачем я выросла, лучше бы так и остаться мне маленькой Дежкой, чем узнать, что и тут, за высокой стеной, среди тихой молитвы копошится темный грех, укутанный, спрятанный. Лукава ты, жизнь, бес полуденный... А может, оттого, что больно глазаста я стала и душа забунтовала, что судьба звала меня в даль иную...»

Перед Пасхой Дежку почти ежедневно посылали в город продавать писанки и вербочки с яркими цветиками. Она с радостью выходила на площадь. Ее смятение заметила матушка Милетина:

— Что ты, паучок, приутих?

Дежка молчала, чтобы не огорчить старушек, не нарушить их святой покой: они не должны были узнать, что задумал паучок.

В те годы на пасхальную неделю в Курск обычно приезжал цирк. Огромный балаган (шапито) раскидывали на Георгиевской площади. Рядом располагались разные чудеса: паноптикум, панорама, показывающая кораблекрушение, живую Клеопатру, кукольный театрик, шантан с оголенными девицами, зверинец... Народ валил сюда посмотреть на это и погулять.

В один из пасхальных дней Дежку отпустили из монастыря в гости к сестре Дуняше, которая служила в красильне. Дежка упросила сестру пойти с ней на гулянье.

— А можно? Тебе? — подозрительно заметила Дуняша. — Разрешается?

— Ага, — небрежно вымолвила Дежка, желание которой увидеть чудеса пересилило монастырский запрет на занятие греховными действиями.

Сестра каталась с ней на карусели, вместе осмотрели зверинец. Раздался звонок, зазывающий публику в цирк. На подмостках появился клоун и стал уговаривать людей поскорее купить билеты на представление, чтобы успеть к его началу. Из балагана на подмостки выбежала красивая девочка в красном с блестками костюме и села на шпагат. Затем, лихо пританцовывая по подмосткам, прошлись боярин и боярыня в ярких нарядах.

— Гулять так гулять! — сказала Дежка. — Пойдем в цирк!

— Что ты? — усомнилась Дуняша. — Аль тебе дозволено?

На мгновение Дежка задумалась, представляя, что ей будет потом стыдно смотреть в глаза матушкам, но неведомая сила преодолела стыд, монастырские условности. Сестры взяли билеты и уселись на скамью.

Сначала на сцене разместился хор бояр. Пели и танцевали. Затем на манеж выскочила девочка в красном платьице. Она быстро бегала по натянутой проволоке, совершила на ней несколько кувырков.

— И я могла бы так, учеба только нужна, — заметила Дежка, не отрывая лихорадочного взгляда от акробатки.

Затем вылетела на сером коне наездница, ловкая, быстрая.

«Хоть и грешно такой голой при народе на коне прыгать, — подумала Дежка, — а я так тоже могла бы. Не сразу, а поучилась, могла бы. Уж если всюду грех, и в миру, и в обители, — уж лучше на миру жить. Уйду в балаган и стану акробаткой!»

Узнав о ее решении, Дуняша перепугалась и сказала сестре, чтобы она не молола вздор, а той всю ночь виделась девочка в красном и наездница на сером коне. Дежка ворочалась в кровати, голова ее горела от кощунственных мыслей, и она едва не разбудила сестру, у которой осталась ночевать.

Наутро пошла к директору балагана, попросилась в цирк.

— Чем обязан? — окинул он взглядом девушку с благочестивым лицом, бледным от волнения.

— Хочу... У вас... Вас... В цирке... Учиться... На акробатку, — еле проговорила она, не в силах унять стук сердца.

— Ну что же? Можно, — к удивлению Дежки, сразу согласился он, не поинтересовавшись, откуда она, кто ее родители, взял за руку и повел к девочке, выступавшей в красном одеянии, оказавшейся его дочерью.

Звали ее Лелей. Невдалеке стояли клоун и его жена наездница. В обычном платье она выглядела не столь красиво, как на лошади. В номерах гостиницы пахло керосином и колбасой с чесноком. Леля показала Дежке комнату, где она будет жить, если пойдет в балаган. Сестры не было дома, когда Дежка связала в узелок вещи и никем не замеченная ушла на площадь.

Леля уже упражнялась на проволоке, а для Дежки положили на пол толстый канат и дали в руки длинную палку для баланса. Сказали, что, когда она привыкнет к канату, его натянут повыше, а потом заменят проволокой.

Неожиданно странная тоска сжала сердце Дежки. Она испугалась, подумав о том, что будет с мамой, когда она узнает об уходе дочки из монастыря, как на это отреагируют монахини. Добавил страха клоун. Он подсел к Дежке после репетиции, дышал на нее винным перегаром и говорил любезности, не подходящие для женатого человека. От выпившего клоуна Дежка сбежала в комнату Лели. Вдруг слышит — кто-то внизу, у входа, спрашивает Надежду Винникову. Кто бы это мог быть? Никто не знает, где она. Дверь открывается, на пороге стоит ее мать, растерянная, заплаканная:

— Так вот ты где! И за что наказал меня Господь? Ишь что вздумала: из святой обители да в арфянки! Что тебя, лукавый, что ли, осетовал?

Дежка, напуганная клоуном, молча собирала вещи в узелок. Мать и на улице причитала, ругалась, а Дежка, вновь повинуясь неведомой силе, отстала от нее, нырнула в чьи-то ворота, — настолько ей не хотелось возвращаться в монастырь. Выглянула, а мать идет сгорбившись, убитая, жалкая, голова дрожит. И тут заныло сердце у Дежки: «Да что же я делаю с мамочкой, милой моей, ненаглядной?!» Выбежала из ворот, обняла ее и в слезах обещала ехать домой, в деревню, куда угодно, только не в монастырь. Мать нахмурилась:

— Чего это с тобою?

Дежка прижалась к ней:

— Будь спокойна, мамочка! Я Бога не потеряла. Бог крепок в моей душе. Как ты меня отыскала?

— Дуня спохватилась, что ты пропала. Мне передала через ехавшего в село кума Афанасия, наказала тут же ехать в город. Кто-то сказал, что видел тебя у балагана. Один из ахтеров указал, что, кажется, тут есть такая девочка, Надежда. Сколько я перемучилась, глаза проплакала.

Мать опять заголосила. Дежка от стыда обхватила голову руками и разрыдалась. Мать слезы вытерла и стала ее успокаивать:

— Не реви, Дежка, вот поживем в деревне до июля, а там тетка Аксинья едет в Киев на богомолье, я тебя с ней отправлю, поклонишься святым угодникам, а заодно побываешь у сестры Наденьки, она уже три месяца в Киеве, где ее муж служит в солдатах.

И тут почувствовала Дежка, что слезы на ее щеках высыхают, а в голове мелькает шальная мысль:

«Вот хорошо — в Киев. Там, верно, тоже есть балаганы — уйду в балаган». Подумала про себя, а вслух прошептала, чтобы не слышала мать: «Лукава ты, жизнь, бес полуденный».

Мать устроила Дежку в услужение к курскому миллионеру купцу Гладкову, через его экономку Ксению Ивановну, тихую скромную женщину, старую деву. Мать пожаловалась ей на то, что дочка отбилась от рук и стала такая настырная, что сбежала в ахтерки. Ксения Ивановна приставила Дежку в услужение к хозяйской дочери Наденьке, барышне — одногодке с Дежкой. Барышня приветила ее, брала с собою, когда ехала в экипаже раздавать пособия беднякам.

— Вот бы мне так же, такою же доброй быть, такие же иметь деньжища! — мечтала Дежка.

Хозяин дома Николай Васильевич Гладков человек был неплохой, но, проходя мимо Дежки, обязательно щипал ее.

— Барин, а щиплется, неужели все они таковы? — дивилась Дежка. Летом у Гладковых на даче она, купаясь в речке, сильно простудилась. Опасаясь дифтерита, ее отправили в больницу, где она через неделю выздоровела. К купцу не вернулась, поехала домой, в деревню. Ехала с радостью, но не без волнения, чего-то ей не хватало в жизни.

— Бог дал, ты приехала, поживи, порадуйся свету Божьему! — сказала ей мать. — Подруги твои невестятся, и тебе пора.

Пришел к Дежке свататься Сергей Егорыч, человек молодой, тихий и вежливый, хороший гармонист, непьющий, из разорившихся помещиков, «ни барин, ни мужик». Матери нравился.

— Ягорыч человек неплохой, — говорила она дочери, — и женишок — чести приписать.

— Сама выходи за него, а я не пойду! — наотрез и грубовато отказалась Дежка, возмущенная перспективой быть сокровищем в доме, остаться до конца дней своих в деревне. «В голове неотступно стояло — «балаган». Других театров я не знала», — потом вспоминала Плевицкая.

В конце июля тетка Аксинья собралась в Киев и, как обещала, взяла с собою Дежку. Мать было уже раздумала отпускать ее, но дочь упросила. Накануне отъезда мать присела на постель Дежки и тихо заплакала, сказав напутствие:

— Ты молода, Дежка, несмышлена. Пуще всего на свете бойся ребят. Они изверги лукавые, и обмануть девушку, обвести — это у них, разбойников, за милую душу. А как посмеются над девушкой, так и бросят, а она тут и гибнет. Бойся, не попадайся им в лапы, а то и глазки твои потускнеют, и голосок пропадет...

Дежка с Аксиньей расположились в вагоне третьего класса. Тетка уснула, а к Дежке подсели какие-то щеголи в суконных парах и стали перед нею рассыпаться в любезностях. Может, они были и хорошими парнями, но Дежка разбудила тетку, пусть она разбирается с ними, очень не хотела, чтобы глазки ее потускнели и голос пропал. Вскоре она уснула.

Лишь с высоты лет, став Надеждой Васильевной Плевицкой, с болью в душе вспоминала:

«Со станции Винниково, что теперь Орешно, впервые я пустилась в долгое путешествие. Поезд тронулся, мать заплакала. Я бодрилась, но недолго. Замелькали знакомые избы, показался над высокими тополями зеленый купол колокольни, сверкнул золотой крест, проплыли вытрешки на выгоне, и отошло в светлую даль родное село... Гадала ли я, думала, что над озером, во Франции, в Медонском лесу буду я вспоминать село Винниково, и песни вокруг, и тихое бормотание прялок в зимние вечера. Далеко меня занесла лукавая жизнь. А как оглянусь в золотистый дым прошедших лет, так и вижу себя скорой на ногу Дежкой в узеньком затрапезном платьице, что по румяной зорьке гоняется в коноплях за пострелятами воробьями. Вижу, как носится Дежка-игрунья в горячем волнении карагодов, — от солнца, от пляски льют вишневый блеск шелка полушалок, паневы да кички кипят огненной водой... С обрыва видна дальняя даль: синеют леса святорусские, дым деревень, песни, проселки-дороги, хлеба. Вот облака-паруса осветило кротким румянцем, — заря, моя зорюшка, нежная, алая, свет тишайший над Русью. Поднять бы к ней руки, запеть, позвать бы дальнюю даль».

Прекрасные строчки из воспоминаний Плевицкой, эта чудесная проза навеяна незабываемым детством, нежной и прелестной русской природой, чуткими и добрыми отцом да матерью, святой Русью, еще не разметенной дикими ветрами, еще с непростой, но милой жизнью, не пошедшей кувырком. Далек путь, забросивший Дежку в Медонский лес под Парижем, начинается ее первое большое путешествие к песне.

Киев. Шантан. Выбор пути

Киев произвел на Дежку ни с чем не сравнимое впечатление, настолько он показался ей красивым, необъятным и бесконечным. Всем увиденным восхищалась тетка Аксинья. Узрела у шляпного магазинчика вывеску в виде огромного цилиндра — и таращит глаза:

— Неужели здесь такие головы есть?

Заметила у обувного магазина большущую галошу — и остановилась как вкопанная:

— Ну и великаны живут здесь!

Наудивлявшись причудам большого города, тетка с Дежкой сходили в Лавру, помолились святым угодникам.

— Не зря приехали, хотя и странные в Киеве люди, — вздохнула тетка Аксинья и отбыла домой, а Дежка осталась у сестры Наденьки, которая познакомила ее с племянницей хозяйки расположенной неподалеку прачечной. Звали девушку Надей. Она была с Дежкой однолеткой. Они быстро подружились. Надя похвасталась приезжей девушке, что у нее есть знакомые студенты и артисты из сада «Аркадия», и если захочет, то в любое время может пойти туда и взять с собой Дежку.

— Студенты! Артисты! — воскликнула Дежка и посмотрела на Надю, как на земное божество, способное запросто сотворить чудо. — Сад! Музыка! Пойдем, Надя!

И буквально через день в обществе приятных и щеголеватых студентов девушки появились в саду. Гирлянды разноцветных фонариков, нарядная толпа, движущаяся по аллеям, громкая музыка военного оркестра поразили Дежку.

Она от удивления открыла рот, но, увидев насмешливые взгляды студентов, сомкнула губы. В какой-то момент Дежка почувствовала себя неуютно в толпе гуляющих, заметив, что из женщин она одна в косынке, а остальные в шляпках. Дежка забыла об этом, когда взвился занавес и на сцене появилось тридцать дам в черных строгих платьях с белыми воротничками.

— Ба! Красавицы наши! Краснолицые! — не смогла сдержать восторг Дежка.

Дамы стали полукругом и запели под лихой марш:

«Шлет вам привет
Красоток наш букет,
Собрались мы сюда
Пропеть вам, господа.
Но не осудите,
Просим снисходить,
А, впрочем, может быть,
Сумеем угодить.
Нам грусть-тоска — все нипочем,
Мы веселимся и поем.
Упрек людской — лишь звук пустой,
Довольны мы своей судьбой».

«Еще бы, чего им гневаться на судьбу, таким красивым и веселым», — решила Дежка. Позавидовала им и была поражена, когда проведший девушек в сад артист Волощенко неожиданно заметил, что если им понравился хор, если захотят, то они могут поступить туда. «Еще бы не понравился, еще бы не хотеть», — подумала Дежка и спросила у Волощенко:

— А когда можно?

— Завтра, — последовал ответ, — завтра я познакомлю вас с хозяйкой.

Хозяйка хора, Александра Владимировна Липкина, высокая, гордая женщина, добродушно встретила девушек, понравилась им и сразу повела деловой разговор, предложила прийти завтра за формой — черными и белыми платьями, за авансом и только потом попробовать голоса.

— А вдруг мой голос не подойдет? — тревожно произнесла Дежка.

— Отдашь аванс, только и всего, — сказала Надя, но не успокоила подругу.

— Все-таки нехорошо брать незаработанное, Бог осудит, — испуганно вымолвила Дежка.

— Вот увидишь, не осудит. Я его проверяла. Он важными делами занят, — загадочно призналась Надя. — К тому же ты не крадешь. Тебе дают. Дают — бери. Бьют — беги, — засмеялась подружка, — и не надо говорить Александре Владимировне, что тайком из дома уходим, а то не возьмет.

На другой день Дежка и Надя пришли в зимний зал «Аркадия» на свою первую репетицию. За пианино сидел Лев Борисович Липкин, вокруг него стоял хор, разучивали «Марш-пророк».

— А ну, две Надежды, покажите, какие у вас голоса, — призывно произнес Липкин.

Липкин сыграл вступление, Дежка дрожащим голосом взяла ноту.

— Смелее! — скомандовал Липкин.

Дежка удивилась, что у нее вдруг пропала робость, она стала смелее.

— Ого! Хорошо! — похвалил ее Липкин и обратился к сидящей в уголке сцены даме в черном платье: — Люба, спой свое соло. Пусть Надя послушает. Она сможет спеть с тобою контральтовую партию в «Пророке».

Люба откашлялась, словно прочищала горло, и вдруг рявкнула: «Мой покровитель, дай утешение. Сердце уныло в горьком томлении, кровь вся застыла от упоения...»

Она фальшивила, тем не менее Дежка съежилась от испуга — у Любы был не голос, а голосище. Липкин рассердился:

— Фальшь, фальшь! Ну, дуб ты этакий, повтори еще, а ты, Надежда, слушай, запоминай.

Люба пропела снова. Дежке дали написанные слова, мотив она запомнила и, к удовольствию Льва Борисовича, пропела соло без ошибок.

— Вот и прекрасно! Теперь Люба не собьется! Так... Хорошо. Иди сюда, вторая Надежда. Послушаем тебя.

Дежкина подруга старалась, как могла, даже покраснела от натуги.

— Ну что же, — вздохнул Липкин, — на нет и суда нет, нет у тебя, девушка, голоса. Теперь попробуйте себя в танцах.

Девушки перешли в другой конец сцены, где репетировали танцы. Руководительницу тоже звали Надеждой, по фамилии Астрадамцева. Скромно одетая бледная женщина встретила их приветливо:

— Ну, тезки, покажите ваши таланты. Вот ты, станцуй гопака, — обратилась она к Наде. Та вскинула головку и бодро начала танец. Астрадамцева одобрительно кивала головой. А Дежку гопак смутил. Па, которое просила исполнить ее Астрадамцева, называлось у них в Винниково «через ножку», и делали его только парни, а девушки никогда не прыгали и двигались плавно. Но Дежку заставили прыгать «через ножку». Астрадамцева покрикивала на Дежку, чтобы она не держала руки перед носом, а отбрасывала их широко. Дежка махнула руками направо, налево, что было сил. Все засмеялись, а Астрадамцева отскочила в сторону:

— Ну, ты, деревня, чуть мне зубы не вышибла... Но характер у тебя есть, толк выйдет.

Девушек приняли в хор и положили им жалованье восемнадцать рублей в месяц на всем готовом.

Дежка отвлекала себя от мыслей о доме, о том, что там происходит после ее бегства. Новизна жизни захватила девушку. Хор делился на семейных, на скромных одиноких учениц, на хористок и на дам, располагавших собою, как им заблагорассудится. Последние вели себя независимо, отлучались, когда хотели, и как они проводили свое свободное время, можно было только догадываться. Учениц в хоре было шесть, все подростки, в том числе и Дежка. Их обучали для работы в капелле, держали в ежовых рукавицах, без сопровождения не выпускали в город, после программы кормили ужином и потом гнали спать, хотя программа кончалась в два ночи и по ресторанному времени это было рано.

И вот для Дежки настал день официального выхода на сцену. Черное платье, модная прическа не придавали уверенности. Она стояла крайней справа и боялась от волнения свалиться в оркестровую яму. Ободрял лишь спокойный взгляд Льва Борисовича. И случилось чудо: Люба вступила вовремя, не отстала и Дежка. Липкин улыбался из-за пианино, дебют состоялся и прошел хорошо. Но вскоре после удачного дебюта Дежка расстроилась, узнав, что труппа едет на две недели в Курск, а затем по Волге в Царицын. Дежка призналась Александре Владимировне, что бежала из дома, боится ехать в Курск, а из хора, к которому привыкла, уходить не хочет.

— Решай сама, Надежда, — сказала Александра Владимировна. — Лучше, конечно, в жизни поступать в согласии с родителями, но бывают случаи исключительные. Как подсказывает сердце, так и поступай.

Покидать хор не хотелось. Очень не хотелось. Подружка посоветовала Дежке поехать в Курск, но на улице не показываться до самого отъезда в Царицын. На том и порешили. Дежка не без волнения и страха села в поезд, проснулась посреди ночи — ее разбудил нарастающий звон курских колоколов. Наступало утро. Звонили к ранней. Трепетно забилось сердце. Захотелось побежать по полям, мимо деревенского храма, прямо в родную избу, броситься к маме, обнять ее и прошептать: «Мама, я здесь», заглянуть в знакомые уголки и помолиться у креста на отцовой могиле. Мысли эти внесли страстное смятение в сердце. Дежка подумала, что ей повезло с ранним приездом в родной город. Путь хора лежал в гостиницу «Европейская», которую сестра Дуня называла непристойным местом. Переезд туда прошел благополучно.

Кроме репетиций, Дежка никуда не выходила. Упорно работала над голосом. Ей пророчили успешную карьеру капеллистки. Но ее все-таки неудержимо тянуло пройтись по Московской улице, заглянуть в монастырь, откуда она удрала, увидеть матушек Милетину и Конкордию, узнать, как там живет келейница Поля, удалось ли ей пройти постриг.

Надя посоветовала ей надеть шляпу с большими полями и густую вуаль, то и другое одолжить у взрослых хористок. Так она и поступила. Посмотрелась в зеркало и сама себя не узнала. Осталась довольна маскировкой. Поднялись с подругой в гору к Московской улице, миновали дом, где жила сестра. Но когда возвращались обратно, из ворот дома выбежала Дуня, мельком взглянула на Дежку, даже задела ее плечом, затем остановилась, словно что-то вспомнив, заглянула под поля шляпки и побледнела:

— Ах! Вот ты где! А ну, барышня, пожалуйте-ка домой!

Схватила Дежку за руку и повела за собой. Дежка растерялась, а Дуню ударил озноб, задрожала, видимо считала, что ведет за собой погибшее создание. Привела Дежку на кухню, сорвала с нее шляпку, бросила на пол и строго крикнула:

— Сиди! Сиди, окаянная!

Бегом побежала к хозяину, наверное, чтобы отпроситься у него домой и отвести туда сестру.

Дежка решила действовать. Выскочила из кухни во двор, оттуда на улицу, крикнула извозчика, сунула ему рубль:

— Гони, что есть духа, в «Европейскую»!

Извозчик не удивился, что ему много заплатили, раз «барышня» из «Европейской». Домчал быстро, погони не было. Дежка немного пришла в себя, но швейцару наказала:

— Если будут спрашивать Винникову, то скажи, что такой нет.

— Слушаюсь, — понимающе подмигнул швейцар.

После этого Дежка больше на улице не появлялась, а с Надей поссорилась, не могла ей простить, что она бросила подругу в момент ее встречи с сестрой.

Приближался отъезд в Царицын. Однажды Дежка беспечно спустилась по лестнице гостиницы вниз, напевая только что разученную песенку, и вдруг поскользнулась, едва не покатившись по лестнице, — в дверях гостиницы стояла Дунечка и с укором, зло смотрела на нее, казалось, что готова была даже побить.

— Зайди, Дуня, — растерянно пролепетала Дежка.

— Я в этот, в этот... ополоумела ты, непутевая. Сама выйди. Мать плачет. Сейчас же иди сюда!

Дежка вышла на улицу. Увидела мать, сгорбившуюся, жалкую. По ее исхудавшему лицу текли слезы. Прослезилась и Дуня.

— Мамочка, ну пойдем ко мне. Я покажу тебе, где живу, — молила Дежка маму, но та не слушала ее, упрекала, и слезы катились по ее морщинистому лицу.

— И в кого ты уродилась? Глаза бы мои не глядели, в каком ты месте оказалась. И как тебя земля носит?!

— Пойдем, мама, посмотри, как я живу! — из последних сил попросила ее дочь.

— Ну пойдем, — решилась мать. — А ты, Дуняша?

— Я не пойду.

Дежка повела маму в комнату Александры Владимировны. Там у образов горела лампада. Бабушка в белом чепце сидела в кресле и тихо играла с внучкой. Мать этого не ожидала. Помолилась на образа и огляделась:

— Ой, да тут старушка — божий дар и лампадочка, знать, не совсем Бога забыли, — милостиво посмотрела мать на Дежку.

Вошла Александра Владимировна и окончательно покорила мать:

— Акулина Фроловна, ваша Дежка с талантом. Послушная девушка. Мы ее вымуштруем, и она станет хорошей артисткой.

— Добрая вы женщина и, чую, справедливая. Да что с Дежкой поделаешь? Все равно убежит. Видишь, какая востроглазая. Вот пойду с батюшкой да наставницами посоветуюсь. Уж очень большой грех быть ахтеркой, но, видно, с Богом-то везде можно жить. А ты, Дежка, что скажешь: можно тут жить и душу не загубить?

— Можно, мама. Можно сохранить себя везде, это зависит от самого человека, поверь, мама!

Мать долго сидела, присматривалась к хозяйке дочери и наконец успокоилась:

— Ну вот что, Александра Владимировна, бери ты ее да бей посильнее, если слушаться не будет. Вот перед Богом отдаю тебе Дежку. — Благословила дочь и заплакала. — Слава Богу, что хоть нашлась, а то ночи не спала, все думала, где непутевая моя дочь. Теперь вижу — не пропадет!

У Дежки успокоилось сердце, гора свалилась с плеч.

— Дозволь, мама, поехать в Царицын!

— Поезжай, дочка, во святой час, со молитовкой!

В день отъезда она и Дуня пришли на вокзал провожать «ахтершу».

— Ходила я к матушке Милетине, советовалась, — сказала мать, — и она мне ответила, что всякому свое на роду написано. Пусть Дежка идет по своему пути — и Бог ей в помощь. Жалела, что ты к ней не зашла.

— Передай матушке Милетине мой послушный поклон и прощальный привет, — сказала Дежка, обнимая мать, потом Дуню, потом они втроем обнялись и стояли так долго, словно встретились в последний раз. Уже перед отходом поезда мать поспешила к Александре Владимировне, что-то говорила ей и кланялась. Отошла грустная, но со спокойным лицом, что вселило спокойствие и в душу Дежки, чего ей так долго не хватало. Теперь можно было полностью отдаваться работе, ни о чем не мучаясь, не страдая. Начиналась для Дежки совсем новая жизнь.

В Царицыне она впервые увидела Александру Владимировну на сцене. Она просто и задушевно пела русские песни. Публика встречала ее любовно, а Дежка слушала с восторгом и думала, что хорошо радоваться и горевать наедине с песней, но еще лучше стоять вот так, как она, «перед толпой и рассказывать людям про горькую долю-долюшку горемычную, про то, как «гулюшка-голубок, сизы перья горкунок» подслушал тоску девичью, что отдают за постылого. А то завести людей во зеленый сад, где «поют-рыдают» соловушки, а то позвать в хороводы, в карагоды веселые. Вот если бы я могла стоять на месте Александры Владимировны. Я слушала ее песни, а сама горела».

Эти строчки, да и многие другие взяты из мемуаров Плевицкой. Нету свидетелей ее детства и юности. И никто лучше нее о них не расскажет, тем более что Бог наградил ее всесторонним талантом, в том числе и умением ладно слагать одно слово к другому, одну строчку к другой, вкладывая в писание чистую душу. Еще не пошла жизнь кувырком, еще не задули дикие ветры, еще не вспыхнула смертоносная война с врагом России, еще пелось легко и привольно.

Александра Владимировна не била Дежку, как наказывала ее мать, да особенно и не за что было, но держала в железных руках, вредного и опасного времяпрепровождения не допускала, а когда девушка заболела волжской лихорадкой, то ухаживала за ней, как родная мать.

С высоты прожитых лет, пусть и немногих, Плевицкая замечала:

«Обыкновенно принято думать, что в кафешантане много темной мерзости, а добра и света ни капли нет. Я не могу защищать увеселительных мест, там много зла. Но должна сказать, что встречала и там совершенно чистых, хороших людей, и никакая грязь их не касалась».

Плевицкая рассказывает о кафешантанных девушках с исковерканными судьбами, даже среди кончавших институты: «Одна такая девушка, бледная красавица, когда приходила к ней мать, благообразная и почтенная с виду дама, просила, рыдая, матери к ней не пускать... Потом мы узнали, что благообразная родительница продала ее девичью чистоту какому-то старику. А солистка нашего хора была вдова, с двумя детьми. Она блестяще окончила Петербургскую консерваторию, а служила в кабаке, потому что боялась большой сцены и не решалась петь в опере. Вот и носила эта чудная мать презрительную кличку «кафешантанная певичка». Сорок человек было нас, и я не ошибусь, если скажу, что больше половины хора были честные труженики и скромные люди, а остальным, правда, все было трын-трава. Но нас, кафешантанных, конечно, валили в одну кучу...

Кабак — что и говорить — скользкий путь, круты повороты, крепко держись, а не то смотри — упадешь».

Разумеется, Дежка не могла анализировать путь, который выбрала. О нем рассуждает Надежда Васильевна:

«Я теперь вижу, что лукавая жизнь угораздила меня прыгать необычайно: из деревни в монастырь, из монастыря — в шантан. Но разве тянуло меня туда чувство дурное? Когда шла в монастырь, желала правды чистой, но почувствовала там, что совершенной чистоты — правды нет. Душа взбунтовалась и кинулась прочь. Балаган сверкнул внезапным блеском, и почуяла душа правду иную, высшую правду — красоту, пусть маленькую, неказистую, убогую, но для меня новую и невиданную.

Вот и шантан. Видела я там хорошее и дурное, бывало мутно и тяжко на душе — ох как, — но «прыгать-то было некуда. Дежка ведь еле умела читать и писать, учиться не на что. А тут петь учили. И скажу еще, что простое наставление матери стало мне посохом, на который я крепко опиралась».

А может, ошибалась и Дежка, и Надежда Васильевна, не она выбирала путь, а он — путь в искусство, к народной песне — нашел свою избранницу и неуклонно вел через радости и горести, через нескончаемый труд, и она была не в силах уйти от того, что было ей предназначено судьбою, но, оговоримся, до тех пор, пока не пошла жизнь кувырком и не оборвался славный путь певицы, когда иные чувства, отнюдь не творческие, возобладали в ее душе. А пока Дежка прислушивается к заветам матери, остерегается попасть в лапы коварных людей, ей и «голосок» нужен, да и «глазки» хотелось, чтобы блестели.

Глава четвертая

❖━━━❖⊰❀⊱❖━━━❖

Причуды любви. Замужество.
Первая ступенька к славе

Дежка помирилась с Надей, но прежнего доверия к ней не испытывала, не могла забыть, как она убежала от нее в Курске, оставила наедине с рассерженной сестрой, а сколько слов говорила о вечной дружбе между ними, что они никогда не расстанутся, что готова ради подруги на любые испытания, а на деле первого испытания не выдержала, и не самого строгого. После этого Дежка стала осторожно относиться к людям, обещавшим богатства несметные, доставить ей луну с небес и вещавшим об этом громко, даже истерично, научилась чувствовать фальшь в людях, даже по их глазам, в которых, если внимательно приглядеться, проступала ложь. Внимательнее стала выбирать друзей. Надя почти целый день была рядом с ней, и находиться с ней в постоянной неприязни было трудно. Девушки помирились, после чего Надя стала доверять ей сердечные тайны.

— А у тебя что с кавалером, который весь вечер с тебя глаз не сводит? — приставала она к Дежке.

— Он не с меня не сводит глаз, а с моих ножек, — грустно улыбалась Дежка.

— Важно, что богач. Цыганам большие деньги отваливает. Мог бы тебя озолотить! — внушала подружке Надя.

— Неприятный он, глаза мутные, глазеет, а ничего не говорит, даже записку не передал, — вздыхала Дежка.

— Ты же на записки не отвечаешь. Все об этом знают, и он тоже.

— Если бы любил, то хотя бы написал.

— Стесняется.

— А цыганам бросать деньги смелости хватает? И вообще, не хочу о нем ничего слышать, — заканчивала разговор Дежка. — Не в деньгах счастье!

— Это само собой, — соглашалась Надя, — с любимым рай в шалаше. А у моего кавалера дом трехэтажный! Смотрела комнаты — сбилась со счету. Два парохода! Трактиры в Саратове! Глазищами сверкает. Любит меня без ума!

— Это ты так считаешь? — спрашивала Дежка.

— Нет, он говорит, говорит, что со мною готов пойти на край света!

— А в церковь? Венчаться?

— Что? В церковь? Я его об этом не спрашивала, — растерянно смотрела на Дежку Надя и уходила в невеселые думы. После этого она два вечера исчезала из гостиницы, а на третий собрала вещи в узелки и сбежала, не попрощавшись с хозяйкой.

— Ты хоть напиши, что и как, — попросила ее Дежка.

— Ладно. Прощай! — бросила ей напоследок Надя и навсегда исчезла из ее жизни.

Заводить новую подругу не захотелось. И тут приехал в Царицын хор Славянского. Дежка могла слушать его пение бесконечно, а сам Славянский казался ей славным богатырем из древней бывальщины, какие рассказывали ей в детстве. Тогда она впервые задумалась о загадке русской песни, мысли о которой высказала позднее:

«Русская песня — простор русских небес, тоска степей, удаль ветра. Русская песня не знает рабства. Заставьте русскую душу излагать чувства по четвертям, тогда ей удержу нет. И нет такого музыканта, который мог бы записать музыку русской души: нотной бумаги, нотных знаков не хватает. Несметные сокровища там таятся — только ключ знать, чтобы отворить сокровищницу. «Ключ от песни недалешенько зарыт, в сердце русское пусть каждый постучит...» Да, видимо, не каждому откроется русское сердце, только тому, у кого такое же сердце — доброе, благородное, умное и сильное, что любую беду переживет, от любой радости не ослабнет, не размягчает, а, наоборот, станет еще сильнее».

Не пришли бы в голову эти мысли, если бы она не услышала хор Славянского. На его концерте она обо всем мирском забывала, и казалось ей, что не песни обычные она слышала, а молитвы о добре, посланные Богом людям, о том, как горе и беду пережить с Божьей помощью. Но, увы, недолго общалась она с этим божественным хором, уехал он из Царицына, где их хор оставался еще год.

Ближе к зиме хор стал собираться на зиму в Киев, на гастроли в «Аркадию», но тут приключилось несчастье. Исчезла из хора Александра Владимировна. Украли ее. Одни говорили, что обольстил ее богатый перс и увез с собою в Баку. Кто-то говорил, что она сама его окрутила, поскольку понравился он ей до смерти. Не могла совладать со своими чувствами Александра Владимировна и покинула хор, сцену, мужа... Хористки сошлись на том, что все это причуды любви, которые не поддаются ни закону, ни разуму. Дежка испугалась, что бы с нею не приключилась такая причуда, после чего пропадет голосок и блеск в глазах.

Лев Борисович, горячо любивший жену, ходил как помешанный, хотел покончить жизнь самоубийством, но у него нашли под подушкой револьвер и бросили его в воду. После этого хозяин сник, стал часто ходить в церковь, смирился с судьбой. Все его жалели, и Дежка тоже, ведь он ее принял в хор, обучил азам пения. Раз в месяц он стоял на причале, ожидая парохода из Баку, надеялся, что вернется Александра Владимировна. Но о ней не было ни слуху ни духу, как и о Наде. «Выходит, что любовь бывает обманная, горькая», — думала Дежка, видя, что Лев Борисович прямо с причала уныло бредет в трактир.

С трудом, без особой радости, потеряв ведущую солистку, хор перебрался в Киев.

Новая дирекция сада «Аркадия» решила устроить открытие на широкую ногу, взбодрить приунывших хористов, показать будущим зрителям, что хор благоденствует.

После молебна в заново отремонтированном двусветном зале состоялся парадный обед для артистов и служащих. Господин директор «Аркадии» Васька Шкорупелов, бывший официант, разбогатевший, по слухам, после неслыханного по сумме и сошедшего ему с рук обсчета упившихся купчиков, обратился к лакеям с целой речью:

— Смотрить мини, охфицианты, шоб мини було усе в порядке, шоб с господами почище, с посудою поинтэлэгенте...

«Чтоб с посудою почище, чтоб с господами поинтеллигентнее», — хотела подсказать ему Дежка, но этому помешал громкий смех присутствовавших.

Открыли сад торжественно, но в хоре не хватало яркой солистки, ее задушевных песен. Зрители это сразу почувствовали. Сборы стали падать. Лев Борисович запил окончательно, и к концу сезона хор развалился.

— Не волнуйтесь, что-нибудь придумаем, — сказал он ученицам своей капеллы и сдержал слово — устроил их в польскую балетную труппу Штейна, которая приехала на гастроли в театр «Шато-де-Флер».

Дежка радовалась, что поступила в хорошую труппу. Там были танцовщицы и танцоры Варшавского правительственного театра: прима-балерина Завадская, уже немолодая женщина, но отличная танцовщица; танцовщицы на первых ролях Згличинская, Топарена, танцоры Бохенкевич, Устинский и Плевицкий. Балетмейстером был Ваньковский. В афише говорилось, что некоторые балеты поставлены уже тогда знаменитым Вацлавом Нижинским.

Достаточных знаний и навыков балета у учениц не было, и их ставили в последние ряды кордебалета.

Дежка стремилась продвинуться вперед, быть ближе к зрителям, и занималась с особым усердием, но стать на носки ей долгое время не удавалось. С девушками из бывшего хора Липкина занимался Эдмунд Мячиславович Плевицкий. Ему нравились настойчивость и трудолюбие, которые проявляли женщины. Неважно зная русский язык, он зачастую объяснялся жестами, становился в позы, которые должны были принять девушки, показывал им движения.

— Пани Надежда, — обращался он к Дежке, — встаньте рядом с пани Ольгой и так зачинайте с левой ноги, раз, два, три... Добре! Добре!

Дежка изо всех сил старалась понравиться пану Эдмунду. Иногда оставалась после занятий и одна в пустом классе повторяла движения, заданные балетмейстером. Это не ускользало от его внимания. Он говорил: «Добре, добре, пани!» — и вскоре переставил Дежку во второй ряд группы. Распорядился, чтобы ей увеличили жалованье. Дежка была благодарна ему от всего сердца и смотрела на него с обожанием. Он ей нравился — статный, гибкий, умный, скромный. После занятий с девушками репетировал свои роли, старые, которые он знал наизусть, что удивило Дежку. Она однажды поинтересовалась у него:

— Пан Эдмунд, вы столько много репетируете одно и то же. Зачем?

— Как сказать по-русски, — замялся он и показал на свою талию, ноги, — чтобы, чтобы они были рабочими...

— Гибкими, чтобы не закостенели! — догадалась Дежка.

— Ага! Ага! — закивал он головой.

— Небось тяжело? — понимающе заметила Дежка. — До устали репетируете. До боли в суставах.

— Без труда не выловишь и рыбку из пруда, — произнес он с акцентом русскую пословицу, чем ошеломил Дежку. Через год он уже вполне сносно говорил по-русски.

Дежка после своего выступления не уходила в гостиницу и ждала, когда закончит танцевать пан Эдмунд. Ей было интересно, что он будет делать потом, встретится ли с кем-нибудь, пойдет ли в ресторан. Пан Эдмунд аккуратно складывал в чемоданчик трико, тапочки и направлялся в гостиницу, хотя друзья не раз зазывали его пойти прогуляться с дамами, ожидавшими их на выходе из театра. Дежка возненавидела этих дам в одеждах ярких цветов, напомаженных, развязных, часто хохочущих без повода; они бесцеремонно хватали своих кавалеров под руку, прижимались к ним. Дежку удивляло, что родители этих девиц отпускали их на прогулки едва ли не в ночное время. Она вспоминала свою маму, и волна нежности к ней переполняла ее душу. «Какова мать, такова и дочь», — вспоминала она деревенскую поговорку и больше не сердилась на мать, простила ей наказания палкой за поздние возвращения домой. Дежка издали наблюдала за паном Эдмундом, стараясь, чтобы он не заметил этого, но однажды он увидел ее, и они вместе пошли в гостиницу. Разговор не клеился, Дежка нервничала и неожиданно для себя вымолвила:

— Знаете, пан Эдмунд, я буду сокровищем в доме. Так считает вся наша деревня!

— Ого! — вскинул брови пан Эдмунд. — Сокровищем? Бриллиантом?

— Да, — подтвердила Дежка, — но не в ювелирном магазине, а дома, дома...

— Значит, будешь ценной женой. Я правильно понял? — улыбнулся пан Эдмунд.

Дежка покраснела и утвердительно кивнула головой.

— Добре! Добре! — вымолвил пан Эдмунд, остановил продавщицу цветов, выбрал букет гвоздик и церемонно преподнес Дежке.

— Мне? — удивилась она, поскольку ей первый раз мужчина дарил цветы. И на следующий вечер они шли в гостиницу вместе, и в последующие дни. Расставались у входа в его номер. Он на прощание целовал ей руку, иногда чмокал в щечку, но больших вольностей себе не позволял. Это и смущало и радовало Дежку. Сбылась мечта ее детства — за ней ухаживал барин, настоящий барин, а не какой-нибудь прощелыга, не щеголеватый парень-сердцеед и обманщик, об опасности встречи с которым остерегала ее мать. В сердце Дежки вспыхнуло небывалое доселе чувство, ей хотелось не расставаться с паном Эдмундом ни на час, ни на минуту. Она репетировала до позднего вечера, до того, пока за ней не заходил пан Эдмунд, и они чинно шествовали в гостиницу. Успехи себя не заставили ждать. Дежка танцевала в дивертисменте «Оберек», «Матлот», «Соло», и, словно в награду за это, пан Эдмунд подарил ей большой букет ярких гвоздик и, став перед ней на колено, просил стать его сокровищем.

— Женою, что ли? — уточнила Дежка, зардевшись от счастья. — Я согласна. Но должна испросить благословения матушки. Так у нас положено. Я напишу ей письмо.

— Я буду ждать, — покорно опустил голову пан Эдмунд.

В письме Дежка описала матери жениха, сказала, что он учитель танцев, и не простых, а балетных, что он сам солист балета, и даже попыталась объяснить, что такое балет, не очень надеясь, что мать поймет это.

«И главное, мамочка, — писала она, — он не только выглядит, как барин, он в поведении, в манерах и в душе истинный барин. И любит меня. Серьезно. Просил моей руки и ждет твоего согласия на наш брак. Ответь скорее и, если будет оказия, пошли письмо с нарочным. *Твоя Надежда*».

В мемуарах Плевицкая кратко осветила этот немаловажный эпизод в своей жизни:

«Благословение мать дала, и вскоре я уже была не Надя Винникова, а Надежда Плевицкая. Мы много работали, и все шло хорошо, но в одну неудачную поездку по украинским городам наш директор Штейн прогорел и тайком скрылся, не заплатив жалованья... На наше счастье, в Киев приехала труппа Манкевича, и мы с мужем поступили туда, муж — на должность балетмейстера».

Дежка спросила у него:

— Что же ты, больше не будешь танцевать?

— Не знаю, — лениво отозвался он.

Дежка удивилась его безразличию к дальнейшей творческой судьбе. Она не представляла свою жизнь без пения. Временно работала танцовщицей, чтобы остаться в искусстве, а потом пела в хоре лапотников Манкевича и с его труппой впервые попала в Санкт-Петербург. Выступали на Крестовском острове, в знаменитом тогда загородном ресторане. Зимой туда мчались ковровые тройки, переливались бубенцы, для «гостей дорогих» на днища саней были постланы ковры, ими же укрывались ноги гостей, от сильного морозного ветра прятавших лица в собольи воротники. Зал обычно был переполнен, сияли глаза гостей, мелькали холеные барские лица. Программа была очень разнообразной, выступали пять хоров: цыганский, русский, венгерский, малороссийский и лапотники Манкевича.

В праздники молодожены Плевицкие ходили в Мариинский театр на балет и оперу. Надежду более манила опера, ее играли и в Народном доме, по ценам на билеты более доступном. Театр был для Надежды и отдыхом и школой. Она была, пожалуй, самой внимательной и старательной ученицей. Брала у оперных певцов то, что могло ей пригодиться для исполнения русских песен. «Чего-то в них не хватает? — однажды подумала Надежда. — Драматизма, что есть в опере, что является в них стержнем действия! — осенило ее. — Немало имеется приметных и горемычных русских песен, их поют в деревнях, а со сцены звучат только развлекательные. Почему? Наверное, певцы, впрочем, как и она, боятся вызвать серьезной песней недовольство публики, пришедшей в ресторан развлекаться. Страшно спеть горемычную песню перед столиками, уставленными шампанским и водкой, перед захмелевшими богачами, тискающими своих шалых подружек. Но ведь многие из слушателей сами родом из деревни, знакомы с этими песнями, многие сами пережили то, о чем в них поется, неужели эти песни не проникнут в их сердца, не захватят их души своей правдивостью и драматичностью? Вдруг гости озлобятся? Не в настроении будут слушать о горемычной жизни, засвистят, начнут топать ногами, бить кулаками об стол. Стало страшно от этих мыслей, и Надежда сразу отбросила желание петь грустные песни весь вечер. Ресторан — не опера, не обстановка для восприятия серьезного. Но одну такую песню можно исполнить после веселых и удалых, именно после них. Не теперь, конечно, а когда она наберет известность, когда у нее появится свой зритель. Она чувствовала, что это время приближается. Они с мужем уже пять лет прослужили в труппе Манкевича, и Надежда Плевицкая стала там премьершей. Сам Манкевич, в прошлом оперный певец, считал, что лучше других у нее получаются народные песни.

— Не идет тебе цыганщина, голубушка, хотя и пользуется успехом, — не раз говорил он. — У тебя и стать, и душа, и голос русские. Пой народные песни. Они — твой конек и унесут тебя далече, помянешь меня.

Плевицкую уже давно приглашали в Москву, в «Яр», но одну, без мужа. Она долго колебалась, но все-таки приняла приглашение. «Яр» — новая ступень в карьере. Узнав о ее отъезде, муж не расстроился, не потребовал у нее объяснений.

— Поезжай, Надюша, — сказал он, — пусть тебя узнает Москва. А я буду ждать тебя, пробавляться картишками. Оставь мне немного деньжат. Для затравки. А потом я выиграю, обязательно.

Она знала, что он проиграется, как бывало не раз прежде, но деньги ему оставила. Для времяпровождения.

— Добавь, — попросил он, пересчитав ассигнации, — ты там больше будешь получать. Не скупись, милая. А я о тебе каждый день вспоминать буду, молить Бога о твоем здоровье и успехе. Я ведь не какой-нибудь пьяница!

Эдмунд действительно не пил, но она тогда не понимала, что увлечение азартными играми чем-то сродни пьянству, разлагает человека и в конце концов скажется на их семейных отношениях. Эдмунд после казино всегда возвращался домой малость нервным, но абсолютно трезвым, ничем ее не обижал. В театры они ходили вместе, дружно и весело встречали праздники. Была хорошая, примерная семья. О другой Дежка никогда прежде не мечтала, хотя не было в мужниной любви к ней той страсти, о которой ей рассказывали замужние подруги, какую она видела в кино, о чем читала в романах. Порой ей хотелось растормошить его, впиться своими губами в его губы, отдаться бешеной страсти, но он уже слегка посапывал, а иногда во сне бредил карточной игрой. Она вздыхала и, взбив подушку, успокаивала себя тем, что в основном сбылось то, о чем она мечтала, — муж всегда рядом с нею. Культурный, обаятельный, обходительный. На зависть многим женщинам. Чего ей еще надо? Успокаивалась и засыпала.

Ангажемент в Москву предложил ей сам директор «Яра» Судаков, чинный и строгий купец. При встрече с Плевицкой он вежливо поклонился ей:

— С приездом в Москву-матушку. Как добрались?

— Хорошо.

— Слава Богу. Не обижайтесь, но я всех вновь приезжих артистов предупреждаю, что в моем заведении никакого неприличия быть не должно. Московские купцы привозят сюда своих жен, своих, — подчеркнул он. — У нас давние обычаи, и нарушать их никому не позволено. Да-с. У вас, извините, на платье большое декольте? Не смущайтесь, я спрашиваю о важной вещи. Поете вы неплохо, мне сказывали, а насчет вашего декольте я в неведении. Так большое или нет?

— Самое скромное, — успокоила Плевицкая Судакова, и он сразу подобрел.

— Пойте, милая, на здоровье, радуйте москвичей, не пожалеете. Москва отзывчивая и хлебосольная.

Дебют Плевицкой в Москве прошел удачно. Об этом она написала мужу:

> «Не могу судить — заслуженно или незаслуженно, но успех был. Москвичи меня полюбили, а я полюбила москвичей».

Судаков был в восторге от гастролей Плевицкой:

— Ну, что я вам говорил? Каковы москвичи! Какова Москва! Но «Яр» — это еще не вся Москва. Вам ее еще покорять и покорять, если сударыня этого захочет. А вы способны... Я предполагаю, я чувствую...

— Сударыня захочет, — с улыбкой ответила Плевицкая, тогда еще не представляя, о какой Москве идет разговор.

— В любом случае двери моего «Яра» для вас всегда открыты! — радостно заключил Судаков. И тут же подписал с ней новый контракт на зиму.

Глава пятая

Нижегородская ярмарка. Знаковая встреча с Собиновым

На осень Плевицкая подписала контракт на гастроли в Нижний Новгород, петь на ярмарке, самой крупной в России. Она не знала, что в то же время в Большом ярмарочном театре будет работать знаменитый тенор Леонид Витальевич Собинов. Он даже не слышал о Плевицкой, потому что принадлежал к высококультурной театральной Москве, о которой ей намекал Судаков. Собинов родился тоже в провинции, в Ярославле, 26 мая 1872 года, в полумещанской-полукупеческой семье. Дед получил фамилию Собинов с ударением на первое «о», потому что жил «собинно», то есть особенно от других, на незаселенном берегу реки. Леонид Витальевич фамилию не менял, лишь итальянские антрепренеры на первых порах в афишах указывали его фамилию на местный лад: «Собини» или «Соббони».

В церковном хоре не пел, по дворам не ходил, но любил петь в пивных и на бульваре, где придется, при всяком удобном и неудобном случае, о чем написал в автобиографии. Сохранилось его письмо жене Елизавете Михайловне Садовской о пребывании в Нижнем Новгороде на ярмарке в том же, 1909, году, когда туда приехала Плевицкая. Он выступал в антрепризе Николая Николаевича Фигнера, бывшего оперного певца; она заключила контракт с антрепренером Наумовым. Жил по адресу: Нижний Новгород, Театральная площадь, «Московское подворье».

Для большего понимания тех давних событий укажем, что Собинов отправил письмо из Нижнего Садовской, с которой познакомился на ее даче на Большой Башиловке (это не станция железной дороги, а улица, она и сейчас существует. На углу этой улицы и Ленинградского шоссе располагался «Яр», а сейчас находится гостиница «Советская». — *В. С.*).

Елизавета Михайловна принадлежала к известной фамилии артистов Малого театра, родоначальником которой был Пров Садовский. Любовь ее и Леонида Витальевича была бурной и крепкой, о чем свидетельствует их обширная переписка. Но счастье прихотливо и не вечно. У Собинова неожиданно вспыхивает бурный роман с молоденькой и очень красивой балериной Большого театра Верочкой Каралли, которая впоследствии в своих воспоминаниях рассказывает о встрече на ярмарке мужа с Плевицкой, разумеется, основываясь на описаниях своего мужа. Эти воспоминания и дают возможность установить истинный ход событий после знакомства великого тенора с начинающей, но очень способной русской певицей.

Но сначала ознакомимся с письмом Собинова Садовской: «Если ты думаешь, что Нижегородская ярмарка это что-то очень веселое, бесшабашное, как все ярмарки, только в большом масштабе, то ты ошибаешься. Ярмарка — это прежде всего постоянные здания в виде приземистых бесконечных каменных домов, где торгуют всем, чем можно торговать, только с разницей, что торгуют полтора месяца в году, на миллионы. Очень много трактиров, по вечерам подозрительно освещенных. Много отвратительных гостиниц. В одной из подобных живу я. Ярмарочного веселья, о котором так много слышал, нигде не видел. По словам же Фигнера, одних «девиц», приехавших на гастроли, зарегистрировано более двух тысяч. Очевидно, мерами администрации все это загнано в щели и ютится по «номерам» гостиниц. Я все-таки намерен повидать, где и как веселятся на ярмарке... В «Московском подворье» имею комнату вроде той, какая у меня была в студенческие годы. Удобств никаких. Даже шкапа не полагается. Развесил костюмы по стенкам. Зато против театра... Театр (Большой оперный) с виду неказист. Но само зрительное зало очень мило и просторно... Продажей билетов, я, говоря искренне, не удовлетворен. Публика кругом неподходящая... Редко встречается цивилизованная шляпа. Утешаю себя тем, что тут же, чуть ли не в том же номере жил и Шаляпин».

Между великими певцами существовала некоторая конкуренция, выливавшаяся порой в ссоры, в конце концов заканчивавшиеся миром. Шаляпин писал Собинову письма, делился опытом своих гастролей в Италии, звал его по-дружески Ленькой. Тем не менее Собинов относился более ревниво к успехам Шаляпина, чем тот к его славе. И билеты на концерты Собинова шли по ценам «вяльцевских»*, но всегда уступали «шаляпинским». К тому же позднее, в 1915 году, на концерте в Одессе успех Собинова намного превзошла участница того же концерта поэтесса и певица Иза Яковлевна Кремер. Собинов исполнил «Свадьбу» Даргомыжского, романс Вильгельма из оперы «Миньон» Тома, романсы Чайковского и другие, но сенсацией вечера стал не он, а Иза Кремер. Об этом написали многие газеты. Подобных провалов у Шаляпина не было. В дальнейшем пути этих корифеев русской сцены разошлись окончательно.

Вернемся в Нижний Новгород. Осень 1909 года. Судя по письму Собинова, Шаляпин на ярмарке отсутствует. И недалеко от гостиницы, где жил Собинов, творит свой первый и настоящий актерский подвиг Надежда Плевицкая. Она выходила на сцену последней среди участников программы, в половине первого ночи.

---

* Анастасия Дмитриевна Вяльцева (1871—1913) — артистка эстрады и оперетты, исполнительница цыганских романсов.

«В зале обычно шумели. Но когда на занавес выбрасывали аншлаг с моим именем, зал смолкал. И было страшно мне, когда я выходила на сцену: передо мною стояли столы, за которыми вокруг бутылок теснились люди. Бутылок множество, и выпито, вероятно, немало, а в зале такая страшная тишина. Чего притихли? Ведь только что передо мной талантливая артистка, красавица, пела очень веселые игривые песни, и в зале было шумно. А я хочу петь совсем невеселую песню. И они про то знают и ждут. У зеркальных стен, опустив салфетки, стоят, не шевелясь, лакеи, а если кто шевельнется, все посмотрят, зашикают. Такое внимание я не себе приписывала, а русской песне. Я только касалась тех тихих струн, которые у каждого человека светло звучат, когда их затронешь...»

Удивительно точное и глубокое по мысли открытие совершила Надежда Плевицкая, еще будучи молодой, не слишком опытной певицей. Природа наградила ее не только артистичностью и проникновенным красивым голосом, но и незаурядным умом. Интересно, и весьма, описание случая, который произошел у нее со зрителями на ярмарке в Нижнем:

«Помню, как-то за первым столом, у самой сцены, сидел старый купец, борода в серебре, а с ним другой, помоложе. Когда я запела «Тихо тащится лошадка, по пути бредет, гроб рогожею покрытый на санях везет...», старик смотрел-смотрел на меня и вдруг, точно рассердясь, отвернулся. Молодой что-то ему зашептал, сконфузился. Я подумала, что не нравится старому купцу моя песня, он пришел сюда веселиться, а слышит печаль. Но купец повернул снова к сцене лицо, и я увидела, как по широкой бороде, по серебру, текут обильные слезы. Он за то рассердился, что не мог удержаться — на людях показал себя слабым.

Заканчивала я, помню еще, свой номер «Ухарь-Купец». После слов «а девичью совесть вином залила», под бурный темп махнув рукой, уходила я за кулисы в горестной пляске, и вдруг слышу из публики, среди рукоплесканий:

— Народная печальница плясать не смеет!

Видно, кто-то не понял моей пляски, а я пляской-то и выражала русскую душу: вот поплачется, надрывается русский, да вдруг как хватит кулаком, шапкой оземь — да в пляс».

Прав был человек, наградивший Плевицкую высочайшим званием «народной печальницы», и права была певица, отражавшая в своих песнях и другую сторону души русской — молодецкую удаль, противостоящую бедам и горю. Эти два направления привели ее творчество к неповторимости, к уникальности, свойственной великим певицам.

В одной из московских газет за 1915 год помещен карандашный портрет Плевицкой. На губах ее улыбка, а в больших выразительных глазах безысходная тоска. Это рисунок А. Койранского, а под ним текст:

«Сейчас в большую моду входит Н. Плевицкая, гастролировавшая в театре «Буфф» и получившая имя певицы народной удали и народного горя. Карьера ее удивительна. Прожила несколько лет в монастыре. Потянуло на сцену. Вышла за артиста балета. Стала танцевать и петь в кафешантанах, опереттах. Выступала с Собиновым и одна... В «Буфф» среди сверкания люстр пела гостям русские и цыганские песни... Какой прекрасный, гибкий, выразительный голос. Ее слушали, восторгались... И вдруг запела как-то старую-старую, забытую народную песню. Про похороны крестьянки. Все стихли, обернулись... В чем дело? Какая дерзость... Откуда в «Буфф» гроб? Люди пришли для смеха, для забавы. Все застыли. Что-то жуткое рождалось в ее исполнении. Сжимало сердце. Наивно и жутко. Наивно, как жизнь, и жутко, как смерть...»

Подобное позволяли себе в искусстве лишь единичные певцы. В более позднее время Лидия Русланова, Леонид Утесов, исполняя песню «Раскинулось море широко», о гибели корабельного кочегара от непосильного труда: «Напрасно старушка ждет сына домой. Ей скажут — она зарыдает...» И тоже, как и Плевицкая, они имели большой успех у зрителей. Я, будучи известным гастролером в жанре сатиры, объездившим, и не раз, почти всю страну, читал в середине концерта драматический номер «Монолог Моны Лизы», кстати, отмеченный премией на международном литературном конкурсе в Югославии (конкурс памяти Радоя Дамяновича); он вызывал в зале более бурные аплодисменты, большие, чем после самого смешного номера. К сожалению, об этом забыли, и возможно умышленно, современные певцы и юмористы, нанизывающие в своих программах один шлягер на другой, забывают, что юмор — оборотная сторона трагедии, что веселые песни возникают как обусловленный жизнью противовес событиям горестным, о которых умалчивать — значит показывать свою слабость и узость взглядов. Плевицкая своим творчеством заглянула в будущее эстрадного искусства, которое для массы артистов еще не наступило. Не всякому из них выпала честь петь в одном концерте с таким великим мастером оперы, как Леонид Витальевич Собинов. Плевицкой выпала такая удача, и она ее заслужила:

«Когда я пела в ресторане Наумова, в Нижегородском оперном театре гастролировал Собинов. Раз пришел к Наумову ужинать».

Еще в своем письме Садовской Леонид Витальевич обещал разузнать, где и как веселится ярмарка. И естественно, что вечер он проводит в ресторане с концертной развлекательной программой.

«Во время моего выхода он, как видно, наблюдал публику, а потом зашел ко мне, познакомился и сказал:
— Заставить смолкнуть такую аудиторию может только талант. Вы — талант.
Всякий поймет мое радостное волнение, когда я услышала из уст большого художника, которым гордилась Россия, такие лестные для себя слова. А Леонид Вита-

льевич оказал мне и еще большую честь: он пригласил меня петь в своем концерте, который устраивал с благотворительной целью в оперном театре. Распрощавшись со мной, Собинов ушел. Он не знал, верно, тогда, что благодаря ему выросли у меня сильные крылья. На другой день мне доложили, что меня желает видеть Собинов. Я была чрезвычайно польщена. Помню, он принес букет чайных роз и подтвердил приглашение на завтрашний концерт».

Надежда Васильевна вышла к нему, волнуясь и не зная цели его прихода. Думала, что он вчера погорячился и пришел отменить приглашение. Но букет прекрасных роз в его руках сразу освободил ее от плохих мыслей. Он улыбался, нежно и радостно, почтенно вручил букет. Она хотела благодарно поклониться ему, но он предугадал ее намерение, взял за плечи:

— Что вы? Разве так можно? Мы коллеги. Вы так милы. Я жду завтрашнего концерта. Не сомневаюсь в его успехе.

— А я сомневаюсь в своем успехе, — покраснела она, — я еще никогда не пела в оперном театре. Первый раз... Очень волнуюсь...

— Это объяснимо, — улыбнулся он, — у каждого артиста что-то бывает в первый раз. Пройдемте, — сказал он, взял под руку и повел в свой номер. — Здесь в прошлую ярмарку жил Шаляпин. Представляю, как он нервничал, терпя элементарные неудобства. Я стараюсь на них не обращать внимания. Ведь я начинал петь где придется, куда приглашали. Куда? В благотворительные концерты. Желаете расскажу?

— С удовольствием, — завороженная обаянием великого тенора, пролепетала Плевицкая.

— Помню, в 1893 году был какой-то ученический концерт. Я выступал вместе с Кусевицким. Он уже тогда виртуозно играл на контрабасе, проявлял способности к дирижерству. После нашего концерта один из юмористических журналов поместил приветственную рецензию, где было сказано, что мы подаем надежды, но, должно быть, из нас, как по обыкновению в России, ничего не выйдет. Смешно? Правда?

— Смешно, но неправда, — не согласилась Плевицкая. — Вышло...

— А это уже зависело не от России, а от нас, — заметил Собинов. — После университета я поступил в Московское военное училище, но мне было разрешено заниматься в филармонии. Я этим часто пользовался, чтобы прогулять занятия, а в филармонии появлялся редко и ненадолго: уж очень пахли казармой шинель и сапоги. Будучи юнкером, выступал в офицерском собрании на Ходынке. Пел соло. Мне было приказано выйти на сцену строго по-военному, никаких поклонов. Я пел, стоя по стойке «смирно», а закончив соло, развернулся, как по команде «назад кругом!», и ушел за кулисы, чеканя шаг. Зал долго не мог успокоиться от смеха. Вам не надоели мои байки? — обратился Собинов к певице.

— Что вы! Рассказывайте! Так забавно! — искренне вымолвила она.

— Бросив военное учение, поступил в адвокатуру Федора Николаевича Плевако, помощником присяжного поверенного. Но все-таки изредка выступал в благотворительных концертах. На одном мне впервые в жизни подарили лавровый венок. Я повесил его у себя на стене. Как-то один из моих клиентов — крестьянин, которому я писал какое-то прошение, подошел к этому венку с красными листами, стал рассматривать его и грустно спросил: «Это что же, после покойничка остался?»

Однажды благотворительный концерт был устроен дома у Плевако. Там я был представлен Марии Николаевне Ермоловой. Прослушав меня, она спросила: «Не собираетесь ли вы петь в Большом театре?» Спросила у меня, у любителя, и тут я задумался над своей дальнейшей судьбой. Вас, Наденька, ждут большие концертные залы. Поверьте мне. Вы чрезвычайно талантливы и милы. — Он притянул ее к себе, и она с удовольствием устроилась на его коленях, ее губы потянулись к его губам, слились в долгом поцелуе. С ним она забыла обо всем, чего ей не удавалось прежде.

Уже во Франции, в июле 1924 года, Плевицкая вспоминает о том, что было тогда в Нижнем Новгороде.

«Шутка ли, первый раз петь в Большом театре, да еще с Собиновым? Я глубоко волновалась, надела лучший туалет, какой у меня только был, с трепетом вошла в театр. В концерте участвовали Собинов, Фигнер, Ренэ Фигнер, еще оперные певцы, и я между ними — совершенное своенравие и музыкальное беззаконие. Занавес взвился. Вышел Леонид Витальевич. Рассказывать не приходится, как он пел и зал дрожал от рукоплесканий. После него пел дуэт оперных певцов, за дуэтом вышла я. Сначала я так трепетала, что чуть не падала, но после первой песни рукоплескания сблизили меня с публикой.

Я совсем перестала волноваться, и захотелось мне рассказать песню простую: печальную...

Мой огромный успех доставил Собинову большое удовольствие. Я видела, как он радостно потирал руки, а его глаза сияли.

Наутро в местной газете было написано, что кафешантанная певица тоже как-то попала среди артистов. Леонид Витальевич ездил в редакцию, сказал несколько неприятных слов писавшему и дал понять, что он, Собинов, тоже что-нибудь да понимает в искусстве.

Я не была знакома с Леонидом Витальевичем раньше, и Нижний — мое первое знакомство с ним.

Кто имеет удовольствие лично знать Собинова, тому известно, сколько в нем благородной простоты большого артиста и хорошего человека.

Благодарна я ему и поныне, что он поставил меня рядом с собою на почетные подмостки Большого театра в тысяча девятьсот девятом году».

Заметим, что Плевицкая подчеркивает год знакомства, хотя, если судить по рецензии 1915 года, выступали они вместе и потом. Один концерт не мог убедить всех антрепренеров в перерождении кафешантанной певицы в актрису высокой сценической культуры. Пришлось Плевицкой немало поработать, чтобы «отмыться» от шелухи ресторанной эстрады, и помощь в этом Собинова, поставившего ее рядом с собой на сцене, несомненна и велика. И Собинов, и Плевицкая были людьми семейными и афишировать свою близость не собирались, и, наверное, Леонид Витальевич вообще не был способен на длительное увлечение, чего он не скрывал в своих автобиографических заметках: «Я не ищу славы Дон-Жуана и никогда им не буду. Я просто слишком живой и темпераментный человек, чтобы не откликаться и не реагировать на то, что делается вокруг меня... Правда, я избалован успехом, а потому и падок на него, это уже слабость, но я никогда не закрываю глаза перед действительностью, и черное в моих глазах никогда не будет белым — это уже сила. Вечная неизменная любовь не мирится с моей натурой, но преданность человеку остается всегда».

Надежда Васильевна Плевицкая благодарна Леониду Витальевичу за «преданность», помогшую ей завоевать всенародную популярность. А боль разлуки — это ее личная беда, это не попадает даже в ее мемуары. Любители искусства наверняка поговаривали, особенно после первых их совместных концертов, о «странном» объединении на сцене великого оперного певца, всемирно известного тенора, и бывшей кафешантанной певички, пусть даже очень способной, пусть даже вышедшей, и успешно, за границы ресторанной эстрады. И чтобы успокоить ревность своей новой жены — очаровательной балерины Большого театра Верочки Каралли, Собинов излагает историю знакомства с Плевицкой несколько иначе.

Вот как ее пересказывает со слов мужа в своих воспоминаниях о нем Вера Алексеевна Каралли: «В обращении с людьми Собинов был на редкость прост, ласков, мил, приветлив. Всякого он хотел ободрить, помочь ему, если в этом была нужда, выдвинуть. Вспоминается случай с Надеждой Васильевной Плевицкой. Осенью, кажется, 1909 года Леонид Витальевич поехал в Нижний Новгород, на ярмарку, где у него был концерт. Вечером они вместе пошли в какой-то ресторанчик, где пела свои русские песни Н. В. Плевицкая, а ее муж исполнял русские пляски. И Шаляпин, и Собинов, услышав Плевицкую, были так поражены ее необыкновенным пением, что пригласили ее с мужем к ним за стол. Она сказала, что поет где придется и как придется, а иногда и вовсе сидит без работы. Собинов тут же сказал ей, чтобы она, как только кончит работу в Нижнем, сейчас же приезжала в Москву. Когда он вернулся в Москву, то всем с таким восхищением рассказывал о певице, что почва для ее выступлений была уже подготовлена. А по приезду Плевицкой пригласил ее к нам домой спеть для друзей, преимущественно музыкантов, и о ней, конечно, заговорили. Затем он помог устроить ей концерт, который прошел с громадным успехом...»

В этой истории есть ряд неточностей, видимо вполне умышленных: не было тогда в Нижнем на ярмарке ни Шаляпина, ни мужа Плевицкой. Зато последние строчки воспоминаний Веры Каралли о Плевицкой не вызывают никаких сомнений: «Она стала популярнейшей исполнительницей русских народных песен в России».

И был еще один концерт Собинова и Плевицкой в Нижнем, уже после окончания ярмарки. Певцов пригласил к себе на обед самый богатый человек в городе, купец 1-й гильдии Николай Александрович Бугров. Это о нем писала Плевицкая в своих воспоминаниях: «Борода в серебре». Сидел он за первым рядом, у самой сцены, на самых дорогих местах. Своим пением певица растрогала его до слез. Он любил показать людям свою силу, богатство, но пригласил Рахманинова и Плевицкую из истинного уважения к ним. Об этом мало кто знал в городе, и это выступление Рахманинова не вошло в его хронограф, список концертов. Бугров потчевал гостей самыми лучшими русскими блюдами, потом встал с рюмкой, доверху наполненной водкой, и обратился к гостям:

— Видите — рука моя не дрожит, хотя мне уже семьдесят восемь, с одного удара полено рублю пополам, а на вашем концерте не мог сдержать слез, сами полились, из души моей. Еще никто столь глубоко в мою душу не заходил. Точно. Ведь я родом из крестьян, и вы, Надежда Васильевна, напомнили мне кончину матушки моей, царство ей небесное. Как в песне вашей — «тихо тащится лошадка», все так было... И голос ваш стал скорбным, под стать моему состоянию. Я сначала удивился, как это вы в мою жизнь заглянули, а потом стал печалиться вместе с вами. Впервые со мной такое приключилось. Леонида свет Витальевича не раз слышал, восторгался и прочее. Голос небесный, поет чистым ангелом, божественная благодать, и вдруг вы, Надежда Васильевна, закручинились, а та же благодать. Меня отец учил, пусть земля будет ему пухом, — носи, Николка, вещи из одного сундука, то есть подбирай одежду себе подходящую, качественную, чтобы тебе всегда соответствовала. И слушая вас, дорогие гости мои, скажу, что разное вы пели — оперу и песни наши, а мне казалось, что все они из одного музыкального сундука, одного качества и силы воздействия на душу человеческую. Может, говорю путано, но, надеюсь, вы поймете, о чем мой сказ. Спасибо, что приехали к нам на ярмарку, спасибо людям торговым, что вас привезли. Иные из них думают, что купцу только бойкая разгульная песня нужна, кордебалеты с голыми ногами, верчения женщинами задами, прости меня Бог, а о душе нашей мало кто думает, о том, чтобы ее уважить. Благородством и добротой человеческой. Низко вам кланяюсь, Леонид Витальевич и Надежда Васильевна, от всего славного новгородского купечества. Будьте здоровы! — осушил Бугров одним глотком рюмку и не крякнул, постыдился нарушить слух гостей милых.

Концерта как такового, по существу, не было. Надежда Васильевна в честь гостя спела его любимую песню: «Шумел, горел пожар московский», а Собинов решился на экспромт и без аккомпанемента, обратившись к Плевицкой, задорно пропел никому доселе неизвестный романс:

> *Ох, не лги ты,*
> *Даром глазок не жги,*
> *Вороватая!..*
> *Лучше спой про свое*
> *Про девичье житье*
> *Распроклятое!..*
> *Как в зеленом саду*
> *Соловей на беду*
> *Раз истомную*
> *Песню пел-распевал,*
> *С милым спать не давал*
> *Ночку темную!*

За столом сидело несколько человек, а когда началось пение, комната наполнилась людьми и прозвучали их громкие аплодисменты.

— Я их специально созвал, чтобы вас послушали. Когда еще придется, — объяснил Бугров появление в комнате своей челяди. — Я с приказчиков начинал. Продавал колбасу и с обеих сторон ножом обрубал заветренную часть. По большому куску снимал. Хозяин увидел и поблагодарил: «Молодец! Не скупишься. О людях заботишься. Они заботу увидят и оценят. Люди все замечают, они умнее, чем кое-кто из нас думает». И прибавил мне жалованье. Вы тоже поете для людей, не жалея ни чувств своих, ни голоса! Спасибо вам человеческое!

После этих слов к Собинову и Плевицкой подошли две девицы в расписных русских платьях, с подносами, на которых лежали большие хохломские шкатулки, а в них крупные ассигнации.

— Благодарствуйте, гости дорогие! — снова поднял рюмку Бугров. — Доброго вам пути. Приезжайте! Всегда будем вам рады!

Надежда Васильевна ни разу еще не держала в руках таких больших денег.

— Это мне?!

— Тебе, тебе, Наденька! — заметил ее смущение Собинов. — Разве не заслужила? Заслужила! Видит Бог!

— А чей вы романс пели?

— Гречанинова. Музыка красивая, я ведь своим музыкальным развитием обязан романсам. Отличная школа для певца. И люди любят, когда слова и музыка сливаются, выходит гармония, которая в жизни редко случается.

Через три года, в 1912 году, друг композитора Бородина Владимир Васильевич Дианин, издававший «Нижегородские музыкальные новости», писал в них о Плевицкой:

«Еще будучи девочкой 13—14 лет, она выступала в капеллах малороссийских и цыганских. Выйдя в 19 лет замуж за балетмейстера Варшавских театров, она посвятила себя исключительно хореографическому искусству и выступала вместе с мужем в характерных танцах. А до этого мы уже видели госпожу Плевицкую в качестве исполнительницы цыганских романсов на сценах варьете, а затем и как исполнительницу русской бытовой песни, в коей она и выступила впервые перед многочисленной публикой в Большом ярмарочном центре в концерте знаменитого артиста Собинова. В настоящее время госпожа Плевицкая окончательно покинула кафешантанную сцену и сделалась исключительно исполнительницей русской песни и всегда имеет не только шумный, но и колоссальный успех. Ее выступление вызвало взрыв энтузиазма у любителей песни Нижнего Новгорода. Здесь начался триумфальный взлет успеха певицы».

Эту рецензию Надежда Васильевна сохранила и потом показала матери.

— Это о ком? — спросила Акулина Фроловна. — Госпожа, госпожа... Кто это?

— Дочь твоя, — улыбнулась Плевицкая. — Не сомневайся, мамочка. Дочь твоя. Видит Бог!

Глава шестая

От Винниковой до Плевицкой

Долго не могла осознать Дежка, что из простой крестьянки она превратилась в известную певицу Надежду Плевицкую. Иногда на душе становилось страшно, когда она вспоминала случаи, способные повести ее судьбу в сторону от русской песни, даже вообще далеко от сцены. Да прояви мать большую волю и насильно выдай ее замуж хотя бы за разорившегося, но не пьющего полубарина, полумужика, да испугай ее за отступничество от служения Богу матушка Милетина — и по сей день зажигала бы она лампады в монастыре. Мало ли было других причин, если и не уводящих ее от сцены, то оставивших ее там, к примеру балериной кордебалета, не умеющей даже вставать на носки, или незаметной хористкой, терявшей работу при роспуске или сокращении хора... Ведь еще совсем недавно, три года назад, она провалилась, играя несвойственную себе роль.

Об этом уже в наши дни вспоминал старейший русский конферансье Алексей Григорьевич Алексеев, доживший почти до ста лет, несмотря на то что отсидел немалый срок в сталинском лагере. Он любил русские песни, вел концерты последовательницы Плевицкой — выдающейся русской певицы Лидии Руслановой, которой рассказывал о Надежде Васильевне, и в том числе о таком эпизоде из ее жизни: «В 1906 году огромный успех горьковского «На дне» откликнулся эстраде... спекулятивно: какой-то постановщик куплетов состряпал музыкальную мозаику из жизни босяков. Муж Плевицкой, балетмейстер, поставил эту музыкальную, с позволения сказать, пьесу на летней площадке, а сама Плевицкая, еще никому тогда не известная, играла и пела Настю. Почему она согласилась участвовать в этом безвкусном спектакле — можно только предполагать. То ли по неопытности, то ли под давлением мужа-постановщика. Был тогда в моде романс: «Не тронь меня, ведь я могу воспламениться». В устах Насти он имел другое содержание: «Не тронь меня, испачкать можешь ты последний мой наряд». А наряд состоял... из лохмотьев. Романс звучал пародийно. Позднее, после революции, на эстраду выплыл «рваный жанр». Некоторые артисты, как бы отражая жизнь обносившегося и голодного народа, выходили на эстраду в виде оборванцев. Но в 1906 году, когда возник эстрадный вариант «На дне», народ жил бедновато, особенно опустившийся люмпен, но не до такой степени утрированной нищеты и оборванности.

Плевицкая-Настя поправляла свои лохмотья, сквозь которые проглядывало нежное тело, но это не спасало положение. Кто-то в зале нагловато улыбался, кто-то слушал вполуха, кто-то вообще сидел спиной к сцене. Но вот после спектакля начинался объявленный в афише дивертисмент, Плевицкая запела народные песни, зазвучала ее любимая: «Ехал на ярмарку ухарь-купец», и зрители притихли, замерли, заслушались».

Надежда Васильевна не вспоминала и не разбирала этот случай так подробно, как Алексеев, но вывод тогда сделала один: ей удаются лучше всего русские песни, потому что она родом из народа, понимает и чувствует его душу. Злой газетный рецензент написал тогда:

> «Игравшая вульгарно роль Насти некто Плевицкая при пристрастии к таким ролям сама рискует оказаться «на дне». Казалось, что в дивертисменте русские

песни пела совсем другая актриса — думающая и трепетная, действительно «воспламенившая» зал».

Надежда Васильевна вспомнила улыбку и слова Собинова: «Наденька, я вас понимаю, вы желаете показать и печаль и удаль русской души. Пусть пьяный мужик, чтобы забыться от горя, бросает шапку на землю и пускается в пляс. Поверьте, что вам плясать не обязательно. Зритель вызовет вас на бис и без этого. Представьте себе, что Шаляпин в образе Ивана Сусанина в трагический для своего героя момент притопнет и разбросает в сторону руки. Не можете представить. И я тоже. «Тихо тащится лошадка...» звучит у вас столь трогательно, что зритель становится вашим. Пойте ему после этого веселые песни, даже шуточные, — не страшно. Он вас уже принял, полюбил. Поверьте, Наденька, пляска для вас вовсе не обязательна, она не нужна вам, поверьте».

Надежда Васильевна хотела поспорить с Леонидом Витальевичем, внутренне не соглашаясь с ним, но промолчала, хватило выдержки, а утром, проснувшись, на светлую голову безоговорочно согласилась с его мнением. И потом не раз благодарно вспоминала его наставления, раскрывая газеты с рецензиями на свои концерты, особенно ценила рецензию в газете «Голос Одессы». В этом городе часто выступала Иза Кремер, с неимоверным успехом пела романсы и цыганские песни, пела выразительно, не переигрывая, иногда подключая тонкую иронию. Билеты на ее концерты по цене равнялись «собиновским». Плевицкая недотянула до их уровня, да это вообще никогда не волновало ее, она имела от администратора оговоренную сумму, но заполучить отличную рецензию в Одессе, повидавшей самых выдающихся артистов, было престижно и лестно:

«Богата наша матушка Русь талантами — своеобразными, сильными, могучими. И таким талантом является Надежда Васильевна Плевицкая. Она передает нам скорбь, муки, слезы народных напевов, она обнажает народную душу, щемит ее. Это, скорее, певица-кобзарь, бьющая безжалостно по нашим сердцам и срывающая наши благодарные слезы».

Звездная болезнь счастливо обошла Надежду Васильевну, и не сама по себе, хотя «вирусы» в виде восхвалений подбрасывала часто, а потому что была бессильна против умной женщины, понимающей, что в ее жанре, или близком к нему, блистают Анастасия Вяльцева, Наталья Тамара, Иза Кремер, Вера Панина, у каждой из которых в творчестве есть своеобразие, есть чему поучиться. И не популярность у люмпенов, у невежественных слоев народа определяет талант певца, а успех у народа — у крепкого мужика, сознательного рабочего и главное — у людей европейской культуры, благоговевших перед великими Шаляпиным и Собиновым, перед высшей формой вокала — оперным искусством, перед постановками Ла Скала и Гранд Опера. Нет, Надежда Васильевна отнюдь не принижала значение своего искусства, завоевывая признание самых культурных людей страны. И конечно, она радовалась, когда к ней обращался опытный импресарио, приглашал устроить гастроли.

Работа импресарио тех лет в корне отличалась от действий современных акул шоу-бизнеса. Современных интересуют только сборы, лишь финансовый успех, они стараются «раскрутить» артистов, способных собирать дворцы спорта и стадионы. Они даже называют их небрежно и презрительно — «обезьянами», не замечая, что в погоне за сборами эти артисты, как правило, деградируют и умышленно подбирают репертуар, рассчитанный на самый низкий вкус зрителей, уже в своей массе оболваненных плохим искусством. На телевидении даже появился эстрадный проект «Фабрика звезд», где с помощью телеэкрана производство звезд эстрады поставлено на поток. Может ли при таком потоке в тепличных условиях родиться звезда-личность, не похожая, не подражающая уже апробированным собирателям больших залов? Увы, мы уже давно живем в стране, где плохое искусство пустило глубокие корни, потому что есть люди, которым оно нужно. Тем более пример Плевицкой-певицы, достигавшей успеха трудом и способностями, актуален сейчас, как никогда прежде. И ее рассказ о пути к успеху ценен. Она вспоминала:

«Началом моих длинных и частых путешествий был 1909 год, когда, после моих гастролей в Нижнем, была я приглашена в Ялту, в летний театр к Зону».

Иван Сергеевич Зон, потомственный московский антрепренер, позднее (с 1913 года) содержатель театра «Буфф», куда он часто приглашал Плевицкую, начал знакомство с нею в Ялте в 1910 году. Плевицкая была польщена его приглашением:

«Стоял золотой сентябрьский день. Я вышла с вокзала в Севастополе, и уже через час по ослепительно белому шоссе автомобиль мчал меня в Ялту. Молодой, крылатой была тогда моя душа, и казалось, вот вырвется из груди и улетит в солнечную даль... Автомобиль летит, и встречный ветер весело шумит. Что жизнь прекрасна, прекрасна... Благословенный край. Воздух напоен дыханием моря и буксуса. Среди темных кипарисов высятся прекрасные белые дворцы. Неумолкаем нежный звон цикад... В ту осень в Ливадии пребывала государева семья, и кажется, вся знать съехалась в Ялту... Я стояла на набережной, прислонясь спиной к железной решетке, слушала близкий плеск волн и глядела на праздничную и нарядную толпу, тесно плывущую мимо».

Надежда Васильевна вспоминала рассказы отца про военную службу в Крыму, о курортниках, отдыхающих там, людях необыкновенных и недоступных. Дежка даже не мечтала когда-нибудь увидеть их, а теперь сама одна из них. «Но вот со стороны Ливадии послышался частый рассыпчатый топот иноходца, и мимо нас промчался весь в золоте седой татарин. Его появ-

ление возвещало, что едет царь. Экипаж, в котором си-
дел государь, приближался, а за ним катилась восторженная волна могучего ура».

Надежде Васильевне вспоминалась большая с голубым глянцем лубочная картина на стене в ее винниковской избе. На картине была изображена семья императора Александра III. Однажды вечером отец тревожно сказал:

— Зажигай, мать, лампаду, помолимся Господу за спасение царской семьи.

На сельском сходе известили о злом умысле на царскую жизнь в Борках и о том, как царь-богатырь один поднял вагон и вынес из под него свою младшую дочь.

Протолкавшись сквозь толпу, Надежда Васильевна «увидела хорошее, ласковое, знакомое по портретам лицо государя». Его провожали в Италию, а она стояла в толпе и утирала слезы. «Мурашки побежали у меня по телу и к горлу подступили нечаянные слезы, от волны человеческих голосов, выражающих любовь: ура-а-а!»

Уехал царь, стало грустно, и вдруг, как по мановению волшебной палочки, всплакнула природа. Сухая и прекрасная ялтинская осень сменилась на дождливую. Испугавшись похолодания, «бархатная» публика постепенно, но уверенно растекалась из Ялты.

Иван Сергеевич Зон был обескуражен — в его казино резко сократилось количество посетителей.

— Надежда Васильевна, дорогая, извините, — растерянно произнес он, — я не смогу вам заплатить обещанные деньги, даже половину, нету зрителей. Я вынужден закрыть казино как концертную площадку. Вы сами видите — по набережной уже не течет толпа, вьется людской ручеек. Мы опоздали на пару недель. Даже если вернется хорошая погода, то народ обратно не приедет, сами понимаете. И нам с вами ждать у моря хорошей погоды просто бессмысленно. Не обессудьте, дорогая!

Плевицкая решила уехать из Ялты, но неожиданно этому воспротивился супруг. Он все вечера пропадал у игорного стола.

— Пойми, Надя, отдыхающие смываются, остаются самые азартные игроки. Они специально приезжают в Ялту осенью, со всей страны и из заграницы, чтобы сразиться друг с другом. Это бывает раз в году. Я чувствую, что выиграю. Они в азарте теряют голову, рискуют, а я спокойный, выдержанный... Я выиграю. Вот увидишь!

— Наверное, уже не увижу никогда, — вздохнула Плевицкая.

— Умоляю, останемся, останемся, Наденька, хотя бы на пару недель, у тебя же октябрь свободен от концертов.

— Я могу их устроить по дороге в Москву. А не выступать артисту целый месяц противопоказано, ты же знаешь, я могу потерять форму.

— Репетируй, Надя. Я договорюсь с Зоном. Он предоставит тебе рояль для репетиций.

— А кто будет платить Зареме? Он дорогой аккомпаниатор... Терять я его не могу.

— Придумай что-нибудь, Надя! — Муж обхватил руками голову.

— Постараюсь, Эдмунд, — тихо и обреченно вымолвила Плевицкая. Она уже не любила его, как прежде, и не была уверена, что вообще любила его когда-нибудь. Он ей нравился — внешне интересный, обходительный, способный танцор и балетмейстер. Она уважала его, гордилась тем, что у нее культурный муж, человек искусства. Мать считала, что дочери повезло, муж непьющий, некурящий, с ним не стыдно показаться хоть где, хоть кому, обращается к теще по имени и отчеству: «Милая Акулина Фроловна», другими словами — заграничный мужик. Дочь соглашалась с матерью.

— Да, муж у меня хороший! — сначала восторженно говорила она, но, заметив, что он репетирует без энтузиазма и ленится лишний раз повторить танец, а после того, как признался ей, что ему легче поставить известный танец, чем исполнить его, резко убавила восторги. И потом, его непомерное увлечение картами... Если бы он с таким же пылом занимался творчеством... Она не бранила его, даже, наоборот, жалела, говорила ему добрые, нежные слова, надеясь увидеть таким, каким он был перед свадьбой — полон энергии и надежд, шутил, что в жизни у него одна надежда — жена. Но, к сожалению, вышло не так. Его даже не тянуло на сцену. Он по-прежнему был обходителен, заботлив, искренне просил в письмах к матери всегда передавать привет от него, ни одного грубого слова она от него никогда не слышала. Лишь однажды он занервничал, даже выругался, кажется по-польски, когда она напомнила ему, что им пора иметь ребенка.

— Неужели ты не понимаешь, Надя, что ребенок лишит тебя работы, пусть на время, но какое — самое важное для карьеры. Ты можешь располнеть, стать толстой бабой, черт возьми!

Она не стала спорить с ним, она была покорной женой, «сокровищем в доме» — в полном смысле этого слова, иначе откуда бы у мужа были деньги для игры. Он приходил домой поздно, расстроенный от очередного проигрыша, ложился рядом, гасил свет и поворачивался к ней спиной, показывая этим, что устал, что ему сейчас не до любви. Наступало утро. Он извинялся перед ней за позднее возвращение домой, за проигранные деньги, которые ей достаются нелегко, и он это понимает, играл вчера последний раз.

— Вчера ты играл последний раз, — однажды заметила она. — Но сегодня... Сегодня — не вчера.

— А ты у меня остроумная, — улыбнулся он, поощрительно чмокнул ее в щечку, и она простила его, как прощала всегда.

— Ладно, я подумаю, что сделать, чтобы задержаться в Ялте, — сказала она, направляясь к двери, не оборачиваясь, но зная, что он посылает ей вдогонку воздушный поцелуй.

В городе работала одна зимняя площадка — городской театр, позднее Театр имени Чехова, с удобным залом на триста пятьдесят мест, с уютными ложами. Мне посчастливилось выступать в этом театре, и я удивился, что ни в фойе, нигде здесь не было указано, что сцена этого театра видела Шаляпина, Собинова, Плевицкую... Надежда Васильевна вспоминала:

«В городском театре тогда играла украинская труппа Глазуненко. Актеры были хорошие, но сборы неважные... Второй раз в жизни набралась я смелости предложить свои услуги. Первый раз было в Курске, когда я просилась в балаган. Глазуненко замахал на меня руками:

— Что вы, что вы, я не могу расплатиться с артистами и ничего вам предложить определенного не в состоянии. К тому же я вас мало знаю.

Я похвасталась, что москвичи по «Яру» меня знают, а москвичей сейчас в Ялте много.

Глазуненко предложил мне выступать на процентах без риска и без всякого контракта, обещая мне двадцать процентов с чистой прибыли. Я согласилась».

Уговорить остаться в Ялте и рискнуть ничего не заработать, или весьма мало, аккомпаниатора Александра Михайловича Зарему Плевицкой удалось легко. Ему нравилась Ялта, подходил ее климат. Зарема-Розенвассер, человек добрый, смиренный и верующий, ходил в синагогу, расположенную на улице, параллельной набережной, в небольшом красивом здании, сохранившемся по сей день и ныне отданном коммерческой фирме.

Александр Михайлович, на редкость одаренный пианист, верил в звезду Плевицкой и, как человек, хорошо знавший русские песни, понимал, что Плевицкая создана для их исполнения. Он сам написал песню «Шумел, горел пожар московский», и видел, что ни одна другая певица не может спеть эту песню столь проникновенно, как его гастролерша.

Надежда Васильевна благодарила судьбу за то, что она свела ее с прекрасным пианистом и добрым человеком. Они не расставались долгие годы, пока их не разлучила жизнь.

Зарема никогда не подводил Надежду Васильевну, выходил на сцену. Перед концертом они нередко обменивались шутливыми колкостями. Александр Михайлович первым сказал ей, что в городе объявлены два ее концерта, в которых она будет петь после оперы «Запорожец за Дунаем». В день концерта у подъезда было необычно много автомобилей и экипажей, «стало быть, публика пришла на меня, — вспоминала Плевицкая. — Господи, помоги мне не провалиться! — молилась я... Мы с Заремой от волнения раза три поссорились:

— Эх, Рубинштейн! — язвила я.

— Ух, ведьма! — огрызался он.

Но, посмотрев друг на друга, мы рассмеялись».

Артист может сыграть тысячи концертов, но лишь не более десятка из них остаются в его памяти, наверное, самые успешные и интересные. Остался в памяти Плевицкой и тот первый концерт в Ялте перед самой избранной публикой, когда рядом не было поддерживающего ее реноме Собинова и его ободряющего взгляда.

«После третьего звонка, когда занавес, шурша, поднялся вверх, я перекрестилась и вышла на ярко освещенную сцену. За мной тянулся длинный шлейф моего розового платья. А пол-то грязный, а платье-то дорогое, но Бог с ним, с платьем, — унять бы только дрожь в коленях. А в зале темно, не вижу никого, и лишь пугающе поблескивают из тьмы на меня стекла биноклей... Кому я буду петь, с кем беседу поведу, кому буду рассказывать, не этим же страшным стеклам, мерцающим в потемках. Я должна видеть лица и глаза тех, кто меня слушает. Но с первым аккордом мой страх улегся, а потом, как всегда, я захмелела в песнях. По моему знаку зал осветили... Успех был полный, понапрасну я так волновалась. А на другое утро прочла я в «Ялтинском Вестнике» первую обо мне серьезную статью: «Жизнь или искусство». Неизвестный автор удивил меня тем, как почувствовал каждую мою песню. Будто душу мою навестил».

Утром Надежда Васильевна прогуливалась с мужем по набережной. В прошлый вечер он просадил меньше обычного и был в неплохом настроении.

— Как прошел концерт? — поинтересовался он.

— Если тебя волнует сбор, то вчера был аншлаг.

Проходящая мимо них солидная модная пара приостановилась.

— Смотри — Плевицкая! — воскликнула дама в платье с оборками, а ее кавалер улыбнулся и приветливо приподнял шляпу.

— Значит был успех! — заключил Эдмунд. — Забудь о том, что ты когда-то была Винниковой. Теперь отныне ты для всех Плевицкая!

Глава седьмая

По восходящей — до новых успехов, до пения царю

После второго концерта, тоже прошедшего с аншлагом, за кулисы к Плевицкой пожаловал командир конвоя его величества князь Юрий Иванович Трубецкой и передал ей приглашение министра двора барона Фредерикса выступить у него. Приглашение было лестным, и Плевицкая с радостью приняла его.

Баронесса Фредерикс, маленького роста, в сером шелку и с гирляндой бриллиантов, прикрывавшей ее зоб, искренне и любезно встретила певицу. Не менее внимателен был к ней и барон, барственный старец с величественной бородой. Тем не менее Плевицкая почувствовала в них что-то нерусское, а что — объяснить не смогла. Наверное, ее смутила их плохая и картавая русская речь, разговоры между собой на французском языке. Одна из дам, с очень русской фамилией, путая русский и французский языки, стала расспрашивать ее об услышанной песне:

— Что такое куделька, что это — батожа?

Услышав объяснение, дама вскинула лорнет, осматривая певицу с головы до ног.

— Charmant! Вы очень милы! — И поплыла по залу.

Плевицкая спросила у стоящего рядом князя Юрия Ивановича:

— Разве эта дама нерусская?

— Она русская, но дура, — тихо и кратко ответил князь.

К концу вечера первые впечатления о мнимой нерусскости придворной знати были рассеяны милыми беседами с графинями Шуваловой и Бенкендорф, а дворцовый комендант Дедюлин покорил Плевицкую внешностью «хорошего русского солдата и искренней прямотой беседы».

— Мне жаль, что государя нет в Ливадии. Он, видимо, пожелал бы послушать вас. Он так любит народную песню, — сказал Дедюлин, «и почему-то печаль дрогнула в его голосе, черные глаза наполнились слезами». Наверное, предчувствие надвигающейся грозы на страну овладело им. И не случайно свое воспоминание о том вечере Плевицкая закончила такими словами: «В белом зале у барона Фредерикса я встретила тогда много хороших друзей, с которыми меня разлучила только грозная гроза, ветер дикий и темный».

Вернувшись в гостиницу, Плевицкая застала мужа в номере.

— Ты сегодня не пошел в казино?

— Надоело, каждый день одно и то же. Пусть казино отдохнет от меня, а я от него.

— Ты знаешь, Эдмунд, я сегодня пела для лучшего петербургского общества, и оно приняло меня, бывшую крестьянку, но оставшуюся с крестьянской душой.

— Забудь об этом, я тебе говорил, что ты теперь Плевицкая, известная певица, — улыбнулся муж.

— Хорошо, — задорно посмотрела на него жена, — давай отметим мой сегодняшний успех, откроем шампанское!

— Ладно, — нехотя согласился муж, — по бокальчику выпьем — и спать, у меня от усталости буквально слипаются глаза.

Плевицкая хотела послать за шампанским, но раздумала, глядя на зевающего мужа. Кольнуло сердце: «Он охладел ко мне. Окончательно. Ну что же, буду работать...»

Слух об успехе на приеме у барона Фредерикса, концерты в Ялтинском театре при полных сборах подняли престиж Плевицкой в среде импресарио. Она отказалась вернуться в «Яр» к Судакову, тот поначалу рассердился, попытался описать за неустойку ее имущество, даже прислал к ней судебного пристава, а потом, узнав, что объявлен ее концерт в Большом зале консерватории, и поняв, что ей уготована другая от кафешантана дорога, пригласил к себе в «Яр» и, как вспоминает Плевицкая, «под пение цыган пил со мною из моих парчовых туфель мировую».

Плевицкая благодарна своим импресарио. Первым был «маленький и пузатенький В. В. Семенов, с белым кукольным лицом. Еще в Крыму он заключил договор со мною на десять концертов. С каждого я получала 300 рублей». По сравнению с первой ставкой в хоре — 18 рублей — прибавка была значительной, но когда сборы на круг стали давать по пяти тысяч рублей, а Семенов не повысил гонорар, Плевицкая заключила контракт с Владимиром Даниловичем Резниковым, бывшим драматическим актером, известным в России устроителем концертов Собинова. Наверное, Леонид Витальевич подсказал своему импресарио, что Плевицкую ждет блестящее будущее, потому что ее песня проникает в душу любого русского человека, будь он простой крестьянин или аристократ. Плевицкая редко встречалась с Собиновым, но его «преданность» ощущала. Резников предложил ей сорок концертов с гарантией: десять в столицах по две с половиной тысячи рублей за каждый, десять по тысяче и двадцать по восемьсот. Годовой заработок для артиста по тем временам баснословный. К певице пришел достаток. Она живет в Москве, на Большой Дмитриевке, в меблированных комнатах Ванечки Морозова, рядом с другими известными артистами. Но высокие гонорары не вскружили голову молодой певице. Она призналась Эдмунду:

— Я не жадна до денег. Только успех в концертах искренне радует меня.

— Знаю, — кивнул он и выжидательно посмотрел на жену.

Она достала кошелек и выдала ему большую сумму денег.

— Спасибо, Надежда Васильевна, благодарствую, — льстиво улыбнулся он, а ее смутил не его униженный вид, огорчило обращение к себе по имени и отчеству, как к знакомому человеку, но далеко не родному и близкому. Он закрыл дверь, не попрощавшись, и несколько дней не появлялся в доме. Надежда Васильевна попробовала не замечать его отсутствия, но вечерами все-таки прислушивалась — вернулся он из казино или нет. Она понимала, что любовь их ушла навсегда, если и была, но привычка заботиться о муже у нее осталась. Его устраивало такое положение, и он не думал официально разводиться с женою. Иногда случайно, но они еще появлялись на людях вместе, не давая поводов для разного рода слухов и сплетен.

Мало кто из современников Плевицкой знал, что у нее поэтическая душа. Люди не представляли, что у бывшей крестьянки может быть талант художника. Вот как она поэтично и своеобразно описывает в своих мемуарах московское мартовское утро: «Падал хлопьями тихий снег, ложился мягким пуховиком за окном, на подоконник, причудливо и пышно нарядил деревья, и все стало серебристым и светлым. Снег колдует над Москвой, и впрямь стала Москва словно Серебряная царевна в своем покое нежном!»

Лирическое настроение Плевицкой нарушает горничная Маша, смотрит на хозяйку ошалевшими глазами:

— Просит приема московский губернатор Джунковский!

— Милости прошу, — не без волнения, но с достоинством встретила губернатора Плевицкая.

— Я спешил к вам, Надежда Васильевна, прямо с парада, — проговорил Джунковский. — Я приехал с большой просьбой, по поручению моего друга, командира Сводного его величества полка, генерала Комарова. Он звонил мне утром и просил, чтобы я передал вам приглашение полка приехать завтра в Царское Село петь на полковом празднике в присутствии государя императора.

— Кто же от такого приглашения отказывается, — сказала Плевицкая. — Только как быть с моим завтрашним концертом? Ведь это мой первый большой концерт в Москве, да и билеты распроданы.

— С вашего позволения, я беру все это на себя, — уверенно вымолвил гость. — Я переговорю с импресарио, а в газетах объявим, что по случаю вашего отъезда в Царское концерт переносится на послезавтра. Вам оставлено место в курьерском. Желаю успеха! — улыбнулся Джунковский и распрощался.

С трепетом садилась Плевицкая в придворную карету, которая вызывала невольное волнение у городовых и околоточных Царского Села. Завидя издали карету, они охорашивались и, когда карета проезжала мимо них, вытягивались в струнку. Плевицкая понимала, что почет отдается карете, а не ей, но ощущала детское чувство гордости.

> «Через несколько мгновений я увижу близко государя, своего Царя. Если глазами не разгляжу, то сердцем почувствую. Оно не обманет, сердце, оно скажет, каков наш батюшка Царь».

О семействе Романовых, трагической судьбе Николая II, его жены и детей написано немало. Они канонизированы Русской православной церковью, как святые мученики, хотя невинно убиенных было в те годы многие сотни тысяч, чьи жизни были оборваны, унесены, по определению Плевицкой, «темным диким ветром». Трудно не согласиться с очевидицей событий тех лет писательницей Ниной Берберовой, считающей, что царь

> «был главным виновником всего, который дал России опоздать к парламентскому строю на сто лет, тот, который не дал возможности кадетам и социалистам выучиться ответственному ремеслу государственной власти или хотя бы ремеслу оппозиции — кто вел страну от позора к позору...»

Николай II, безусловно, знаковая фигура в истории России. Поэтому, подробно описав встречу с царем, Плевицкая внесла свою скромную лепту в воссоздание истории страны. Заметки ее весьма интересны и приводятся с небольшими сокращениями:

«И вот распахнулась дверь и я оказалась перед государем... Я поклонилась низко и посмотрела прямо Ему в лицо и встретила тихий свет лучистых глаз. Государь будто догадывался о моем волнении, приветил меня своим взглядом. Словно чудо случилось, страх мой прошел, я вдруг успокоилась. По наружности государь не был величественным, и сидящие рядом генералы и сановники казались гораздо представительнее... А все же, если бы я никогда раньше не видела государя, выйди я в эту гостиную и спроси меня — «узнай, кто из них Царь?» — я бы не колеблясь указала на скромную особу Его Величества. Из глаз его лучился прекрасный свет царской души, величественной простотой своей и покоряющей скромностью.

Я пела много. Государь был слушатель внимательный и чуткий. Он справлялся через В. А. Комарова, может быть я утомилась.

— Нет, не чувствую я усталости, я слишком счастлива, — отвечала я.

Выбор песен был предоставлен мне, и я пела то, что было мне по душе. Спела я и песню революционную про мужика-горемыку, который попал в Сибирь за недоимки.

Никто замечания мне не делал.

А песни-то про горюшко горькое, про долю мужицкую, кому же и петь-рассказывать, как не Царю своему Батюшке? Он слушал меня, и я видела в царских глазах свет печальный.

Пела я и про радости, шутила в песнях, и царь смеялся. Он шутку понимал простую, крестьянскую, незатейную.

Я пела государю и про московского ямщика:

Вот тройка борзая несется,
Ровно из лука стрела,
И в поле песня раздается,
Прощай, родимая Москва!
Не вечно все на белом свете.
Судьбина вдаль влечет меня.
Прощай, жена, прощайте, дети,
Бог знает, возвращусь ли я?
Вот тройка стала, пар клубится,
Ямщик утер рукой глаза,
И вдруг на грудь ему скатилась
Из глаз жемчужная слеза.

После моего ямщика государь сказал:

— От этой песни у меня сдавило горло.

Во время перерыва В. А. Комаров сказал, что мне поручают поднести государю заздравную чару...

Помню, как дрожали мои затянутые в перчатки руки, на которых я несла золотой кубок. Государь встал. Я пела ему:

Солнышко красное, просим выпить,
Светлый Царь.
Так певали с чаркою деды наши встарь!
Ура, ура грянем-те, солдаты,
Да здравствует русский, родимый Государь!

Государь, приняв чару, медленно осушил ее и глубоко мне поклонился.

— Спасибо вам, Надежда Васильевна. Я слушал вас сегодня с большим удовольствием. Мне говорили, что вы никогда не учились петь. И не учитесь. Оставайтесь такою, как вы есть. Я много слышал ученых соловьев, но они пели для уха, а вы поете для сердца. Самая простая песня в вашей передаче становится значительной и проникает вот сюда.

Государь слегка улыбнулся и прижал руку к сердцу... Он направился к выходу, чуть прихрамывая, отчего походка его казалась застенчивой. Его окружили тесным кольцом офицеры, будто расстаться с ним не могли».

С высоты лет, прожитых после встречи с царем, Плевицкая грустно замечает: «Где же вы — те, кто любил его, где те, кто бежал в зимнюю стужу за царскими санями по белой улице Царского Села? Или вы все сложили свои молодые головы на поле тяжких сражений за отечество? Иначе не оставили бы государя одного в дни грозной грозы...»

В своих мемуарах Плевицкая не произносит слово «революция», его заменяют «дикий темный ветер» и «грозная гроза». Но тогда, в начале века, в 1910 году, юная певица была далека от политики, и когда слышала о партии кадетов, то была уверена, что идет речь об окончивших кадетский корпус. Когда она стала одним из порывов этого самого «дикого темного ветра»? Судя по мемуарам, где она осуждает столь опасное явление политической погоды, под воздействием которой ее жизнь пойдет кувырком, случилось это ближе к концу двадцатых годов, хотя некоторые историки утверждают, что порыв этого ветра подхватил ее еще до выхода книг с благодарным посвящением «нежно любимому другу М. Я. Эйтингону».

Впрочем, для истории культуры важно определить уникальность таланта Плевицкой, ее влияние на развитие жанра русской песни, и не менее интересно другое — проследить разрушительное действие «грозной грозы», оказываемое на талант. Ведь одаренность — не только богатство одного человека, но и достояние человечества, а то, что Плевицкая была выдающейся певицей, показала жизнь.

Глава восьмая

* ❦ *

Большой зал Консерватории. Шаляпин

Это концертное помещение — святая святых филармонического искусства. И когда недавно, в конце девяностых, Большой зал консерватории откупил для своего вечера эстрадный певец, возмущению поклонников серьезной музыки не было предела. В начале двадцатого века здесь играли величайшие музыканты, пели только оперные певцы. Концерт исполнительницы народных песен Надежды Васильевны Плевицкой, пожалуй, был первым в этом зале. Возможно, в этом ей снова поспособствовало мнение Леонида Витальевича Собинова, но молва о Плевицкой как об актрисе высокой культуры, глубоких чувств, талантливой и взыскательной, стала устойчивой. Каждая песня, исполненная ею, сопровождалась бурной овацией слушателей. К ее ногам охапками летели букеты цветов. Побывавший на ее концерте Сергей Саввич Мамонтов, известный театральный критик, сын выдающегося деятеля русского искусства Саввы Ивановича Мамонтова, помогавшего в творчестве самому Шаляпину, драматург, режиссер, скульптор, крупный промышленник, меценат, основавший в 1885 году Русскую частную оперу в Москве, писал о Надежде Васильевне: «Плевицкая не кончала ни консерватории, ни филармонии, дыхание у нее не развито, голос на диафрагме не поставлен, общее музыкальное образование более чем скудное, а между тем она... увлекает самую взыскательную публику так, как это редко удается даже певцам, награжденным золотыми медалями... Когда госпожа Плевицкая появляется на эстраде, вы видите перед собою простую, даже некрасивую русскую женщину, не умеющую как следует носить своего концертного туалета. Она исподлобья недоверчиво смотрит на публику и заметно волнуется. Но вот прозвучали первые аккорды рояля — и певица преображается: глаза загораются огнем, лицо становится вдохновенным, красивым, появляется своеобразная грация движений и с эстрады слышится захватывающая повесть бесхитростной русской души» («Русское слово», 1 апреля 1910 г., № 74).

Эта рецензия возвещает о появлении на Руси своеобразной и самобытной народной певицы. По сути рецензия совпадает с характеристикой певицы Николая II: «Я много слышал ученых соловьев. Они пели для уха, а вы поете для сердца». Сергей Мамонтов заметил и не забыл сказать, что после концерта, возбужденная успехом, она выглядит красивой. Искренность и красота ее души отражаются на лице, обаяние с которого сходит лишь при нервозности или неприятностях.

На выходе из подъезда Большого зала консерватории ее ожидала тысячная толпа и так приветствовала ее, так теснилась, стараясь приблизиться к певице, что студенты устроили вокруг нее живую цепь. У двери автомобиля стоял московский градоначальник Андрианов и говорил ей что-то приятное, что-то радостное кричали побежавшие за автомобилем студенты. Опомнилась она только в курьерском поезде, мчавшем ее в Петербург. Купе дышало цветами. От озноба, случавшегося у нее после большого душевного подъема, стучали зубы, горничная без умолку тараторила об «ужасном» московском успехе. «Сон не шел ко мне, в голове звенели колокола, и сердце ширилось от благодарной любви ко всем людям, ко всему миру, за то, что нежданно и незаслуженно — сама не знаю за что — полюбили люди мое художество, мои крестьянские песни».

Мирно стучали колеса поезда, и неожиданно к радости в сердце певицы стала примешиваться грусть. Она смотрела на сидящую напротив горничную, которая вздрагивала всякий раз на стыках рельс, и начинало казаться, что Маша случайно забрела в это купе, здесь должен находиться совсем другой человек, любимый ею, сопереживающий ее успеху, и не как Маша, ошалевшая до «ужасти» от него и принимавшая славу хозяйки не только на ее, но и на свой счет: «Вчера у нас был ужасть какой денек». Маша вдруг проснулась, вздрогнула:

— Где мы?!

— В поезде, Машенька, едем в Петербург, завтра у нас с тобой первый концерт там, в Тенишевском зале.

— Ой! — вскрикнула Маша. — Сколько бриллиантов и мехов в зале будет! Ужасть! — заключила она и вновь, прислонив голову к дивану, моментально задремала, а Надежда Васильевна вернулась к своим невеселым мыслям. Неужели она не заслужила счастья? Полного? Именно сейчас, когда к ней приходило народное признание, хотелось разделить радость его с любимым человеком. С кем? С мужем? — вздохнула она. Иногда ей казалось, что ему вообще не нужна женщина, ему бы только выглядеть в глазах людей женатым человеком. Или она настолько некрасива, что не волнует его как женщина. Но и других женщин у него не было. Оживился лишь однажды, когда для постановки балета из Варшавы приехал Вацлав Фомич Нижинский. Странным он ей показался — суровое аскетичное лицо, говорит только по делу, не улыбается, но когда показывает балетное па, когда взлетает на сцене, то глаза у него светятся, словно зажглись от Божьего огня. Они с Эдмундом однажды заперлись в номере, надолго, среди балерин поползли дурные слухи, и она готова была им поверить. Потом узнала о свадьбе Нижинского и успокоилась. Эдмунд сказал ей, что Вацлав — гений танца, а человек далеко не простой, со сложным характером, нервный, вспыльчивый, спорит с самим Фокиным! Слышала? Самый известный постановщик и выдумщик балетов!

— Нет, — призналась Надежда, — а что такое гений?

— Ну, к примеру — ты, — коряво улыбнулся Эдмунд.

— Не шути так, — обиделась она, — я не спорю ни с кем, ты же знаешь, я всегда тебя слушалась, когда ты ставил балет. Хорошее было время... Ты за мной ухаживал...

Эдмунд поморщился и перевел разговор в прежнее русло:

— Гений, как правило, человек, многим не понятный. Он опережает свое время в искусстве.

Надежда Васильевна глубоко ощутила эти слова лишь позднее, прочитав впечатление о Нижинском художника Бенуа в письме великому импресарио Дягилеву, организатору незабываемых «Русских сезонов» в Париже: «Всю ночь... я бредил Вацлавом и видел его блаженно скорбную «умирающую» улыбку, его вовсе не мутные, очень зрячие, но все же совсем потусторонние глаза. И каким-то странным образом это ужасное видение возбуждало во мне не жалость, а зависть».

— Гений — это человек, которому завидуют его самые талантливые коллеги, — определила она тогда, а в поезде, несущем ее в Петербург, старалась выбросить мысли о неудачном браке, но показалась себе настолько несчастной, что на реснице ощутила слезу. Просидев в оцепенении несколько минут, она решительным движением смахнула слезу: «Я — не гений. И, чтобы хорошо петь завтра, должна немедленно уснуть», — приказала себе и вскоре погрузилась в сон.

Маша оказалась права, предвещая шикарную публику в Тенишевском зале. Он «блистал в тот вечер диадемами, эполетами, дорогими мехами. Князь Трубецкой, командир Конвоя его величества, отечески позаботился о моем концерте и превратил его в большое событие петербургского дня», — вспоминала Плевицкая.

В ту зиму Сергей Саввич Мамонтов познакомил ее с Шаляпиным, у него дома. Это чудесное событие навсегда осталось в ее памяти. До различных мелочей: «Не забуду просторный светлый покой великого певца, светлую парчовую мебель, ослепительную скатерть на широком столе и рояль, покрытую светлым дорогим покрывалом. За той роялью Федор Иванович в первый же вечер разучил со мною песню — «Помню, я еще молодушкой была». Кроме меня у Шаляпина в тот вечер были С. С. Мамонтов и знаменитый художник Коровин, который носил после тифа черную шелковую ермолку».

Коровин рассказывал историю своего первого знакомства с Шаляпиным, который выслушивал ее то одобрительно, то с удивлением, а иногда и с усмешкой.

«Вспоминаю Нижний Новгород, — начал Константин Алексеевич. — Там достраивалась Всероссийская выставка. Я находился в павильоне Крайнего Севера. Строился он по моему проекту, и, чтобы не ударить в грязь лицом, я красил его стены, но неудачным сероватым цветом.

— А я в чем виноват? — удивился Шаляпин.

— Ты? В том, что не обратил на это внимание. Тебя привлек живой тюлень, привезенный с Ледовитого океана и сидящий в оцинкованном ящике с водой.

— Не помню, — нахмурился Шаляпин.

— А я помню, — мотнул головой Коровин. — Заходит в павильон худой и высокий молодой человек, блондин со светлыми ресницами, в длинном сюртуке. Ты?

— Вроде я. А что? — спросил Шаляпин.

— Тут тюлень высунулся из воды, а ты в упор посмотрел на него и сказал тюленю: «Ты же замечательный человек. Можно я тебя поглажу?»

— А тюлень что? Разрешил?

— Я разрешил. Ты нагнулся к тюленю, а он блеснул ластами и окатил тебя водой. Помнишь?

— Тюленя помню, а тебя вроде там не было. С тюленем я разобрался. Ну, пошутил человек. Прыснул на меня водичкой. С кем чего не бывает...

— Нет, — сказал Коровин, — ты растерялся, обидчиво посмотрел на тюленя. Чтобы сгладить инцидент, к тебе подбежал подрядчик Бабушкин и говорит: «Дозвольте просить вас на открытие. Вот сбоку открылся ресторан-с. Буфет и все прочее».

— Пойдемте, — говорю я тебе.

— Куда? — делаешь ты вид, что не понимаешь.

— Да в ресторан! Вот открылся!

— Отлично! — спохватываешься ты. — Мое место у буфета! Твое выражение?

— А чье еще? Мое. Любимое! — улыбнулся Шаляпин, — значит, все, что ты говорил, правда, — и засмеялся, а потом сказал серьезно: — Люблю Волгу. Народ особенный на Волге. Не сквалыжники. Везде как-то жизнь для денег, а на Волге деньги для жизни. Если есть, то чего не погулять? Что вы на это скажете, Надежда Васильевна? Сергей Саввич на трезвую голову за письменный стол не садится. Не так ли?

Сергей Саввич решил не перечить Шаляпину, чтобы не нарушить веселую атмосферу.

— У меня вообще мало свободного времени, даже для отдыха, — заметила Плевицкая, — мне работать надо, над каждой песней, мне все кажется, что в моем исполнении чего-то не хватает.

— Чуть-чуть! — подхватил ее мысль Шаляпин. — Если этого «чуть-чуть» не сделать, то нет искусства. Выходит — около. Часто дирижеры не понимают этого, а потому у меня не выходит то, что хочу. А если я хочу и не выходит, то как же? Машина какая-то. Вот многие певцы поют верно, смотрят на дирижера, считают такты — и скука! Мне говорят «сумасшедший», а я говорю истину... Это надо чувствовать. Понимаешь, Надя? Все хорошо, цветок есть, но без запаха. Мне говорил дирижер Труффи: «Если, Федя, все делать, что ты хочешь, то это и верно, но требует такого напряжения, что после спектакля придется лечь в больницу».

— Я дико устаю после концерта, — призналась Плевицкая, — вес теряю, от напряжения знобит. У меня дирижер — Зарема. Он играет так вдохновенно, что я просто не могу отстать от него, выкладываюсь полностью. И тогда — успех.

— Значит, в твоем творчестве есть это «чуть-чуть», что я объяснить не могу, — похвалил певицу Шаляпин.

— Ой, не всегда, Федор Иванович, — но я стараюсь, чтобы каждая история, которую пою, стала моей.

— Молодец, Надя, — сказал Шаляпин, — это ты входишь в образ. Я не знаю, как это у меня получается. Просто, когда я пою Варлаама, то я Варлаам. Просто забываю себя. Вот и все. Артиста сделать нельзя. Он сам делается. Я пою и страдаю. В искусстве нет места скуке. Вот Рахманинов — настоящий дирижер. Он это понимает. И Савва Иванович Мамонтов. О присутствующих не говорят, извини, Сергей Саввич. Замечательный человек Савва. Он помог мне стать Мефистофелем, да еще таким, что в Италию пригласили».

Надежда Васильевна с упоением слушала Шаляпина. У него была удивительная убедительность и актерская сила. Даже если шутил по пустякам, то люди слушали его, пооткрывав рты. Встреча с ним незабываема. Плевицкая вспоминала:

«На прощанье Федор Великий обхватил меня своей богатырской рукой, да так, что я затерялась где-то у него под мышкой. Сверху, над моей головой, поплыл его бархатистый голос, мощный соборный орган.

— Помогай тебе Бог, родная Надюша. Пой свои песни, что от земли принесла, у меня таких нет, я слобожанин, не деревенский.

И попросту, будто давно со мной дружен, он поцеловал меня».

Плевицкая не понимала, что далеко не ко всем был так доброжелателен с первой встречи Шаляпин, а только к близким ему творчески и человечески.

Судьба подарила Плевицкой еще одну встречу с Федором Ивановичем, правда, в иных условиях, тревожных для певца. Произошла она в ту пору ее жизни, когда в мир, казавшийся ей прекрасным праздником, сверкающим огнями, стали долетать голоса человеческого горя:

«Неслись ко мне с разных концов Матушки России слезные письма с просьбами о помощи: кому деньги, кого на казенный счет учиться устроить, кого на лечение отправить, кому выхлопотать пенсию... Я все эти письма складывала в конверт и адресовала так: «Петербург, Мойка, 91, Его Превосходительству М. А. Стаховичу».

А кто откажет Стаховичу, члену Государственного Совета, петербургскому златоусту и отменному хлебосолу, у которого всюду друзья?.. И точно, через неделю я получала от доброго друга такое послание:

«Государыня моя матушка, Надежда свет Васильевна, все, что ты мне приказать изволила, исполнено в точности. Верный по гроб жизни, холоп твой Мишка». А делал он все это потому, что был у него добрый ум и нужду людскую он понимал. Он настоящим барином был и любил деревню, и знал мужика, и песню русскую любил слушать. Когда желал Стахович послушать песню, никогда петь не просил, а так издалека подойдет: артист сам загорался и пел не по просьбе, а по вдохновению. Однажды, в день моих именин, он такой милой хитростью обошел и Шаляпина, и пел Федор Иванович так, что я никогда не забуду».

Стахович пригласил Плевицкую погостить у него в имении на Черноморском побережье, в восьми верстах от Сочи. Там уже были Мария Валентиновна и Федор Иванович Шаляпины, артистка французской комедии Роджерс. Ждали и Максима Горького, но он почему-то задержался. При въезде в имение Плевицкая увидела простую телегу и подумала, что она похожа на гроб. При встрече все казались ей чем-то озабоченными. И Шаляпин был мрачен, о чем-то задумывался, будто не находил себе места. Только Роджерс не унывала, принимала ванны в Мацесте, по утрам хлестала себя резиной, говорила, что для омоложения, что это своеобразный массаж.

— Это она во отпущение грехов себя бичует, — пробовал шутить Шаляпин. Но как-то ему не шутилось. Стахович объяснил Плевицкой, что «Федя здесь у меня в доме убил человека... Телега, которую вы видели, увезла убитого». Оказалось, что судьба привела юродивого бродягу за смертью в спальню великого певца. Шаляпин принял бродягу за вора, кем он, возможно, и был, и ночью, в потемках, без прицела, выстрелил в него. Пуля угодила в самое сердце. Плевицкая говорила Шаляпину, что каждый другой так же поступил бы с вором, как он. И другие были такого же мнения. Постепенно Федор Иванович стал успокаиваться и сел за стол в день именин Плевицкой, был бодр, но петь не собирался, а все желали услышать его голос. Тогда Стахович начал свой хитрый обход и вспомнил какой-то чудесный вечер, когда пел Шаляпин:

— Что это было, ах, что это было. И как ты, Федя, пел, Боже мой! Вся Россия в твоей песне дышала! — воскликнул он горячо.

У Шаляпина разгорелись светло-серые глаза. Хозяин посмотрел на меня мельком: «Ну, теперь слушайте». И Федор Иванович запел, не приметив дружеской хитрости. Мы притихли, притаились, мы погружались всем существом в каждый горящий звук великого певца. Да, это пела сама душа России».

Благодаря Плевицкой сейчас можно попытаться установить место, где пел тогда Шаляпин. Могу добавить от себя, что в том же году он давал благотворительный концерт в военном госпитале, расположенном на территории нынешнего парка «Ривьера». В начале семидесятых годов я выступал в этом зале — обшарпанные стены, грязный потолок, неудобные кресла, где с трудом размещались инвалиды I группы, участники Великой Отечественной войны. Не знаю, сохранилось ли это здание, на котором даже не было таблички с упоминанием о том, что здесь пел Шаляпин. Жаль, что исчезают из памяти российской культуры места, где выступали великие таланты земли русской: Шаляпин, Собинов, Плевицкая...

Глава девятая

Нелегкая пора радостей.
Призрак толпы

Жизнь кажется человеку разноликой, какой она и бывает на самом деле. Плевицкая вплоть до 1915 года считала, что «не жила, а только радовалась... Я принимала богатые дары от судьбы». Целый сноп красных гвоздик дарит ей при встрече один из основателей Художественного театра Константин Сергеевич Станиславский. И хотя Ивана Бунина смущало название этого театра, он справедливо замечал, что каждый театр должен быть художественным, но Театр Станиславского и Немировича-Данченко был тогда эталонным, собравшим элиту лучших актеров, и по сравнению со многими театрами, работавшими на потребу невзыскательного зрителя, был воистину Художественным.

Войдя в зал театра, Плевицкая поклонилась «высшему собранию художников московских... Конечно, я тогда пела. Им мои песни понятнее, чем певцам. Певцу важнее, куда направить звук, а художнику слова — важнее лепка и переживание... Я слышала, как Лужский сказал Вишневскому: «Ты заметил, у Плевицкой расширяются зрачки, когда поет. Это значит, что душа горит. Это и есть талант».

Несколько полезных советов она услышала от Станиславского: «Когда у вас нет настроения петь, не старайтесь насиловать себя. Лучше в таком случае смотреть на лицо, которое в публике больше всех вам понравилось. Ему и пойте, будто в зале никого, кроме вас и его, нет».

Плевицкая воспользовалась этим советом. Конечно, она не осматривала весь зал, чтобы выбрать подходящее лицо и петь как бы для него одного. По существу, это лицо обозначалось само, оно привлекало взгляд певицы своей добротой, благородством, а главное — пониманием того, что исполняет певица, искренним сопереживанием ее чувствам.

Успех не вскружил голову Плевицкой, она окружена друзьями и следует добрым советам друзей: «Помню, как они уговорили меня оставить мысль об опере, куда меня одно время влекло». Впрочем, это влечение — вполне обоснованное для творческого человека. Опера более совершенный вид музыкального и вокального искусства. Друзья Плевицкой были уверены, что она создана для исполнения народных песен, исходя из этого отсоветовали ей попробовать шагнуть к новому для нее, а было бы интересно послушать Плевицкую — оперную певицу. Ведь это могло стать ее шагом ко всемирному признанию, шагом, во многом изменившим ее жизнь, помогшим ей, как и Шаляпину, увереннее противостоять «темному дикому ветру».

После одного из концертов друзья замечают ей, что она надевает слишком много бриллиантов. Это не вяжется с обликом народной певицы. Бриллианты занимают свое место в шкатулке.

Однажды на концерте она не удержалась и прошлась в пляске под песни цыган, которых очень любила. «Князь Трубецкой, покидая по делам дворец до конца концерта, взял меня за руку, как маленького ребенка, подвел к своей жене, княгине Марии Александровне, и сказал:

— Мэри, я ухожу и оставляю ее на твое попечение. Смотри за ней, чтобы она опять каких-нибудь глупостей не наделала.

Глупостью, по его мнению, была моя цыганская пляска. Он полагал, что народная певица не должна носиться в цыганщине».

Плевицкая поначалу воспротивилась его мнению — разве цыганская пляска не относится к народному фольклору? Только потом, хорошенько поразмыслив над его словами и вспомнив, что слышит подобное замечание не первый раз, она поняла, что эта пляска является не чем иным, как отзвуком ее кафешантанного прошлого, а если с кафешантаном покончено, то надо навсегда оставить его даже самые яркие проявления, как бы они ни были приятны публике.

Профессор по горловым болезням Симоновский лечил певицу при малейшей простуде и проверял, не выходит ли она из дома без его разрешения. Ее друг Стахович, заботясь о ее образовании, присылал ей книги Льва Толстого. Она «добросовестно и любовно» прочла «Анну Каренину», «Войну и мир», другие его художественные произведения, но после «Разрушения ада и восстановления его» читать великого писателя перестала, он представился ей желчным стариком, который «и Бога, и ангелов, и людей, и чертей — всех ругает, все у него злые, один он справедлив, один он всем судья». Узнав о ее мнении, Стахович сказал, что не надо быть столь резкой по отношению к писателю, все-таки он Лев Толстой, но согласился, что больше преклоняется перед Толстым-художником, чем богословом.

Плевицкая чувствует, что ей не хватает музыкальной культуры. Об этом напоминает лично знакомый с ней критик Сергей Мамонтов: «У нее нет никакой школы, нет развитого музыкального вкуса, нет верхнего регистра в голосе, но есть лепка Божья, которая покоряет даже величественную накрахмаленную публику».

Ее уже не первый раз приглашают в Царское Село, она поет в присутствии государя. Беседуя с ним, в нарушение этикета начинает жестикулировать.

— Как она с ним разговаривает! — доносится до нее испуганный шепот придворных. Но государь сделал вид, что не замечает ее дурных манер и «сам нет-нет да и махнет рукой».

Потом Плевицкая исполнит свою «жажду рук к действию» и сделает жест органичным, что украсит ее исполнение.

Частые посещения Царского Села увеличили ряды ее завистников и недоброжелателей. Раньше она думала, что у нее нет врагов, а теперь стала получать много анонимных писем с различными угрозами. В одном из писем неизвестный автор уговаривал ее не ехать в Царское Село, где на нее готовится покушение. «Я передала письмо Командиру конвоя. Он сказал мне по телефону, что это глупости. Да и я думала тоже».

Направляясь в Царское Село, она села в карету у подъезда гостиницы «Европейская» и заметила, что за ней неотступно движется лихач с двумя господами в чиновничьих фуражках. Она подумала, что они, возможно, и есть убийцы. Она испугалась, увидев их рядом с собой в вагоне поезда. И в Царском Селе они следовали за ней до ратуши, а потом куда-то исчезли. Успокоение было недолгим. На обратном пути они вновь замаячили поблизости, неотступно преследовали ее до самой гостиницы. Вскоре ей позвонил князь Трубецкой:

— Все ли благополучно, Надежда Васильевна?

— Пока жива, — взволнованно произнесла она, — но какие-то разбойники следуют за мною неотступно. Что они намерены делать дальше — не знаю.

— Ничего, — засмеялся князь, — и никакие они не разбойники, а ваши охранники. Я принял во внимание анонимное письмо к вам. Живите спокойно и радуйте нас своими песнями!

Владимир Данилович Резников, почувствовав, что Плевицкая вышла на пик популярности, повез ее с концертами по всей России, а «ее, матушку, разве измеришь?». Но был в этой поездке город, куда она ехала с особенным волнением. После многих лет отсутствия она прибыла в родной Курск. К приезду была приурочена свадьба ее старшей сестры Дунечки, которая до того не могла выйти за любимого жениха, так как его родители требовали в приданое шкаф, кровать, ротонду на лисьем меху с куньим воротником, еще перину, четыре подушки, комод и громадный сундук. Дунечка по грошам собирала деньги на приданое, работала неустанно и, наверное, долго ждала бы своего счастья, если бы не разбогатела сестра. Не только сестра, весь город ждал приезда знаменитой землячки. «Я видела много городов, — писала Плевицкая, — баловали меня в столицах, но такого волнения светлого, благородного, как в моем родном Курске, не испытывала нигде... На вокзале меня ждала карета, и я поехала прямо в Воскресенскую церковь... К церкви пробраться было трудно. Толпа запрудила улицу, остановили трамваи. Кто-то вручил мне букет. Ярко сияет люстра. Льется хор. Седовласый добрый протодиакон возгласил: «О выш-нем ми-ре и о спа-се-нии душ на-ших...» — и покосился на мою бриллиантовую брошь, о которой в газетах писали, что я получила ее из кабинета Его Величества. Кончилось венчание. Я обняла мою Дунечку, трепещущую от радости. При выходе на паперть гимназистка попросила у меня цветок из букета на память. Я дала, и мигом от моего букета остались одни корешки... За свадебным ужином мать запела и молодо и лукаво, глядя на молодых... И я ей помогла, как умела. Лицо у Акулины Фроловны было помолодевшее, и нельзя было поверить, что ей уже за восемьдесят лет. Что делает счастье!»

Легко понять певицу, ощутившую радость от того, что смогла помочь сестре, и от того, что еще недавно она, босоногая Дежка, радовалась новым лаптям, сплетенным из мелко нарезанных лык, а теперь едет по родному городу в барской карете и в парчовых туфельках. «Великолепный зал Курского Дворянского собрания, как пчельник, гудел от толпы... В тот вечер я пела, рассказывала песни так, словно вела задушевную беседу с дорогим другом, открывая ему горести и радости».

К сожалению, на современной сцене утрачен жанр исповедальной песни, вернее, подачи ее зрителям как истории, пережитой исполнителем. И неудивительно, что в некоторой степени его сохранили лишь певицы, слышавшие Плевицкую. Это Лидия Русланова и Клавдия Шульженко.

Во время посещения монастыря, обласканная старушками-монахинями, хорошо помнившими ее, Плевицкая неожиданно сделала важное для себя открытие: «Показался мне далеким тот шумный мир, из которого я пришла сюда. Далеко все овации, почитатели, поклонники, любопытные, весь утомительный хмель эстрады... Здесь по-прежнему пред большим киотом трепетно, как дыхание молитвы, теплится неугасимая лампада... Сколько горячих молитв пред чудным образом Приснодевы вознесла моя юная душа... Мне казалось тогда, что ласково смотрят на меня святые очи пресветлого лица, и как ликовало мое сердце, готовое на подвиг. А теперь я пришла из земной юдоли и утратила чистоту юности и молиться так не умею, как молилась здесь раба Божия Надежда».

Что это? Миг прозрения или покаяния? И кому принадлежат чувства эти и мысли? Посетившей родной город певице в 1911 году или ей же, эмигрантке, писавшей свои мемуары в тридцатые годы? «Душа затосковала о прежнем, но настоящее зовет-зовет, и я благодарила в душе Матерь Божию за мой новый, украшенный песнею, волнующий, тяжкий, но радостный путь».

Удивляют слова: «но настоящее зовет-зовет...» Они похожи на заклинание, говорят о том, что нет пути назад. И намека нет, даже в мемуарах, что она в «настоящем» чем-то провинилась перед Богом и людьми и «утратила чистоту юности». И «настоящее» не выглядит печальным: «В 1911 году осуществилась моя заветная мечта: Мороскин лес, по краю моего родного села, куда я в детстве, на Троицу, бегала под березку заплетать венки и кумиться с Машуткой, наконец стал моей собственностью». А труд Плевицкой был действительно тяжким. Популярности нелегко добиться, но не менее тяжело переносить ее тяготы: «Сколько было бы обид, если бы я уехала из Москвы, не отведав хлеба-соли у многочисленных друзей, пышные обеды и банкеты отбирали у меня последние силенки, которые еще оставались от концертных поездок. А жестокие хлебосолы к тому же и песен просили.

— Ну спойте, дорогая, ну что вам стоит?!

Сказавший такие слова сразу становился для меня неприятным человеком. Им даже объяснять не желала, что когда бы петь мне «ничего не стоило», я не теряла бы по пятнадцать фунтов в весе и не трясла бы меня за кулисами лихорадка... и не пила бы бездну успокоительных лекарств, и, наконец, не мучилась бы с расстроенными нервами. Песни петь, их любить и выносить любимое, затаенное и душевное на суд чужой толпе что-нибудь да стоит. А когда толпа полюбила тебя, возвела на высоту за песни, то куда как надобны силы, чтобы устоять наверху, — ведь падать с высоты страшно, а толпа от своих любимцев требует много, но прощает мало, ничего не прощает».

Впервые в своих мемуарах Плевицкая определяет безликую массу зрителей как толпу. Не относит же она к ней Шаляпина или царя. Не та ли это толпа, что вскоре посеет «темный дикий ветер», порушит многие сотни тысяч судеб «буржуазных» поклонников певицы и назовет ее «певицей-буржуйкой»? Только суровая, жестокая жизнь, прожитая певицей — автором мемуаров, приводит ее к выводу: толпа «ничего не прощает». Она еще в славную пору своей безоговорочной популярности начинает лучше разбираться в людях, испытав на себе их, мягко говоря, несовершенство.

Узнав из газет о приезде в Москву Плевицкой, с утра по телефону ее начинали донимать различного рода просители, а она считала, «что быть счастливой, не поделясь счастьем с другими, — грешно». Потом она разобралась, что можно быть доброй, но нельзя быть глупой. В ее московскую квартиру валом валили «артисты, трагики, певцы, танцоры», все «только что вышедшие из больницы», даже седовласый в засаленной рясе «отец» Николай, попросивший ее помочь его «николаевскому приюту». Она пожертвовала ему пятьдесят рублей, просила извинить, что больше не может дать, поцеловала руку, а потом выяснила, что он жулик и вовсе не батюшка.

Однажды напросился на прием краснощекий мордастый горный инженер в хорошо сшитом мундире и пожаловался, что его «административно высылают», а его жена балерина остается в Москве без куска хлеба. Плевицкая помогла и ему, а через три дня встретила на Дмитровке с двумя шикарными дамами, в бобровой шубе и шапке. Он нагло, вызывающе посмотрел ей прямо в глаза и сделал вид, что не узнал. Она даже заплакала от обиды за оскорбление самых святых человеческих чувств. Вскоре ей позвонила женщина, представившаяся известной артисткой Малого театра Екатериной Васильевной Рощиной-Инсаровой: «Извини, милая, что беспокою, но неожиданно надо помочь одной бедной бабе. Я собрала кое-что, ты добавь, что можешь. Я пришлю мальчика. До свидания, милая, заранее благодарю. Спешу в театр». Надежда Васильевна немедленно позвонила в Малый и узнала от Инсаровой, что она звонить никому не думала и что под ее именем жулики обобрали пол-Москвы. Плевицкая рассказала об этом полицмейстеру, и присланные им сыщики задержали пришедшего за деньгами парнишку, оказавшегося переодетой женщиной, которая, как выяснилось, входила в шайку, орудующую не только в Москве, но и в Петербурге.

«Надо в людях уметь разбираться», — советовали ей друзья. И она старалась:

«Бывало, иду по улице и вглядываюсь в лица встречных, и разбираюсь, какие из них жулики, а какие люди честные! И все больше выходило — честные. А попрошайки-мальчишки, синие от холода, а старушки с муфточками, сшитыми из тряпочек, нищенки, которые молча и печально заглядывали в глаза, трясясь от старости и холода, — как не разбирайся, но и каменное сердце не выдержит».

Говоря современными понятиями, Плевицкая уставала в Москве от непривычного для нее общения: «Вот для того, чтобы сил даром не бросать, я рвалась из Москвы, к себе, в село Винниково, на простор... Что за чудесная была пора... Глянешь направо — там лес зеленый, налево — хлебные поля, а дальше пруд, где зеркало сверкнет, по небу белые ангелы плывут, под ногами ковер из трав и цветиков любимых, из-за вершин родных мне храм виднеется родной, и крест зияет золотой, а в сердце молодость и песня.

Гостеприимные винниковцы угощали меня молодым красным квасом, потчевали лапшой с солониной, а тем временем молодой художник Д. Мельников, гостивший у меня, не пивши и не евши, целый день носился с холстами, набрасывая этюды.

Эдмунд Мячеславович Плевицкий любовался плясками и хороводами «с точки зрения балетмейстера», а мой аккомпаниатор А. М. Заремба, прикрывши лысину соломенной шляпой, приударял за молоденькими селянками, угощая их пряниками, орехами и всякими сластями.

Вечером мы собирались на террасе и обменивались впечатлениями. Все были в восторге, и мое винниковское сердце наполнялось гордостью».

Надежда Васильевна вспоминает лучшие дни своей жизни, винниковскую радость, и вдруг, буквально вслед за этим, в ее сознании всплывает призрак страшной толпы. Значит, он мучил ее даже в самые счастливые времена. К ним относятся концерты в Эрмитаже. Когда-то, в девяностые годы XIX века здесь был французский ресторан (владелец Оливье, по рецепту которого готовится известный салат). В начале XX века ресторан выкупается торговым товариществом и переоборудуется в бани и дом с «номерами для свиданий». Потом здесь был открыт летний сад с эстрадами, где постоянно играл русский оркестр Рябова и выступали лучшие артисты. Выйти на эстраду в Эрмитаже всегда было честью и радостью для Плевицкой, кстати, и для других артистов, вплоть до того времени, когда сгорел Летний театр.

После четырех концертов в Эрмитаже, в центре Москвы, состоялось ее выступление на Сокольничьем кругу, перед десятитысячной толпой. «После него я стала до ужаса бояться толпы, — призналась Плевицкая, — толпы, которая «из любви к артисту» может его стереть в порошок». Слова «из любви к артисту» она заключила в кавычки. И это понятно. Разговор идет о концерте. У выхода со сцены ее ожидали многочисленные поклонники. Как только она появилась в дверях, к ней ринулись за цветами девицы, а затем толпа куда-то понесла ее. Куда? Об этом никто не думал. Человек, попавший в толпу, не имея возможности что-либо самостоятельно решать, даже двигаться, куда он захочет, становится беспомощным, зависимым от потока людей, захвативших его, и... перестает быть человеком, каким был сам по себе. Он страшится быть раздавленным в круговерти толпы, повинуется внезапно возникшим у него низменным инстинктам, теряет человеческий облик. «Я думала, что конец приходит, так меня теснили... Мою свиту затерли... толпа что-то ревела, люди заглядывали мне в лицо, будто я чудовище невиданное. Кто-то истерически кричал, кто-то, надрываясь, взывал:

— Господи, успокойтесь, ведь это вторая Ходынка!

Каким-то чудом довели меня до автомобиля».

Нечто подобное ощутил автор этого повествования, многие годы в юности выступавший на сцене в жанре сатиры. После одного из концертов в Зеленом театре одесского парка, в котором в конце пела София

Ротару, за кулисы ворвалась толпа обезумевших зрителей с дикими криками: «София! София!» Они опрокидывали скамейки, стулья, открывали, точнее, снимали с петель запертые двери в поисках любимой певицы. Мы с известным киноартистом Евгением Моргуновым спрятались в маленькой комнатке какой-то пристройки к сцене. Пристройка шаталась под натиском толпы.

— Держи дверь! — с опаской произнес Моргунов. — Могут раздавить!

Лицо его побелело от страха, губы тряслись. Видимо, он попадал уже в подобную передрягу. Зал в Одессе вмещал всего три тысячи зрителей. Несколько сот из них, проникнув за кулисы, порушив все, что попадалось им под руки, и не найдя Софии Ротару, к нашему счастью, вскоре покинули закулисное пространство. Стихли звериные крики, несшиеся из толпы. Неожиданно наступившая тишина казалась зловещей. Моргунов еще несколько минут не открывал дверь:

— Могут вернуться.

Потом вышел, испуганно озираясь вокруг. За ним последовал я. С того времени прошло немало лет, но этот случай я запомнил навсегда и представляю, что было бы с людьми, если бы своеобразным богом для них стал не артист, а какой-нибудь политик. Ведь ходынка со страшными жертвами произошла во время похорон Сталина. В том случае «любимого артиста» заменял «любимый вождь».

Наверное, похожие мысли о толпе приходили к Плевицкой, когда она писала мемуары, и не случайно слова о любви толпы к артисту, могущей стереть его в порошок, взяла в кавычки. «После такого «успеха» я всегда старалась тихонько уходить после окончания концерта. Успех приятен, в этом как не сознаться, — но и страшно попадать в толпу», — заключает Надежда Васильевна свои размышления о пережитом на Сокольничьем кругу, и, возможно, не только там, уже в более поздние годы.

Глава десятая

Любовь

Однажды в горестные минуты Надежда Васильевна подумала: «...Какие мы слабые перед законом смерти», не подозревая, что самым сильным противодействием небытию является любовь. И вряд ли такая мысль могла прийти тогда в голову ей, не познавшей настоящей любви. Отношения с Эдмундом продолжались, не были для нее тяжелой лямкой, но и не доставляли ни малейшей радости. Она считалась замужней женщиной, что было немаловажно для престижа в обществе, в котором она вращалась, разного рода женихи не осаждали ее и в то же время было с кем перемолвиться несколькими фразами, что в какой-то мере скрашивало одиночество.

В феврале 1912 года известные московские врачи Ротт и Шервинский настоятельно порекомендовали Плевицкой отдохнуть во французской Ривьере, в городе Болье... Поехала она туда с мужем. Он с утра отправлялся в Монте-Карло — в это святилище сумасшедших от азарта игроков, а она выходила на балкон, в нескольких метрах от которого плескалось море. Сухопарые англичанки бегали по берегу, чтобы согнать лишний вес, а она сидела на балконе, чтобы восстановить нормальный. Французские повара установили для нее рацион питания, куда в основном входили фрукты и разнообразные салаты — с овощами, рыбой и мясом. Увлеченная работой, дома она не замечала времени, а тут считала каждый день отдыха — необычного для нее и сладостного, и сожалела, когда пришло время уезжать. Совсем близко находилось Монте-Карло, и она решила посмотреть эту Мекку игроков в рулетку, где Эдмунд уже оставил немало ее денег. Хотелось воочию увидеть дьявольское заведение, разоряющее людей со всего мира. Обитатели его показались ей или ненормальными или загипнотизированными дьявольской силой. Они сидели за столиками, что-то лихорадочно записывали и вычисляли. Плевицкая подошла к игорному столу и бросила золотую монету на номер семнадцать, который считала счастливым, и, забыв об игре, загляделась на старушку с землистым измученным лицом, как подумалось — вылитую «Пиковую даму». Тем временем шарик упал на ее ставку. Потом снова завертелся и опять принес Плевицкой выигрыш. Крупье пододвинул в ее сторону кучу фишек. А игроки с удивлением и завистью косились на даму в соболях и бриллиантах, выигрывавшую небрежно, как бы между прочим. Она получила выигрыш и ушла. Крупье с досадой посмотрел ей вслед, видимо надеялся, что дама, войдя в азарт, будет играть дальше и оставит в казино и свой выигрыш, и другие деньги, и, возможно, драгоценности и меха. Разыскав Плевицкого, который усердно, но безуспешно ставил на черное-красное, она уехала в Болье. Весь следующий день лил проливной дождь, но даже сквозь закрытые ставни до нее доносился печальный тенорок, от которого хотелось плакать, а еще больше от того, что злосчастный азарт, по существу, поглотил ее мужа.

Она подошла к окну, увидела под большим зонтом поющего старика с печальным, как и его голос, лицом, бросила ему денег.

— Эдмунд, почему англичане не выглянут, не бросят милостыню певцу? Или они не видят, как одинока и тяжела старость, у него даже веселая песня звучит траурно.

— Все заняты своим делом, — спокойно произнес муж, — певец поет, ты грустишь, а англичане пьют кофе, а я думаю — отпустишь ты меня сегодня в Монте-

Карло или нет. Мне снился двадцать второй номер. Я обязательно должен выиграть на него.

Она позволила ему проверить сон. Эдмунд вернулся через час, проигравшись в пух и прах. Отыгрываться она его не пустила и вдруг с ужасом подумала, что если бы он попросился вообще уехать от нее, то она без раздумий разрешила бы ему. Неужели он стал ей абсолютно чужим?

В Москву Плевицкая приехала за два дня до начала концертов, а там ее уже ждала мать. «Да она поболе Курска будя, — с восторгом и опасением сказала мать о столице. — Храмов-то, храмов-то Божьих сколько! — крестилась она направо и налево, а автомобиль прозвала «храпунком». — Едешь себе, добро милое, как в люльке, и кнута не надобно, и кобыла тебе, прости Господи, перед носом хвостом не машет. Ну и храпунок. Вот умственная машина, до чего дошел человек!»

А после концерта дочери заметила: «Что ж, доченька, по правде сказать, ты Богом отмечена и талант тебе послан, а поешь песни такие, что не грех в церкви петь да слезами обливаться... Вот публика-то серая... Енералов больно мало. Один сидел напротив тебя на первом месте — и тот какой-то маленький, щупленький, — так охарактеризовала она командующего московским округом генерала Плеве, а вскоре заскучала: — Пора. Поехала бы я внучат повидать. Весна идет, а тут простору нету, што тюрьма».

Через несколько дней Акулина Фроловна покинула Москву, сожалея, что не увидела Эдмунда Мячеславовича. Путь дочери лежал в Петербург, на концерт в Дворянском собрании.

В слабоосвещенном подъезде какие-то темные фигуры суют ей письма — все просьбы, просьбы. В зале яркое сияние люстр, приятно шумят зрители. В первом ряду — гусары. В царской ложе великая княгиня Ольга Александровна. В воскресенье к ней во дворец из Царского Села приезжали великие княжны: «Там была блестящая гвардейская молодежь, кирасиры, конвойцы...

Мне памятен этот день во дворце, подаренные цветы: в тот день я впервые встретила там того, чью петлицу укрепил один из этих цветов, того, кто скоро стал моим женихом».

Ольга Александровна попросила Плевицкую спеть. Та подошла к роялю и, как бывало часто, выбрала среди зрителей наиболее приятное ей лицо, к которому обращала свои песни. Им оказался двоюродный брат княгини поручик лейб-гвардии Кирасирского его величества полка Владимир Антонович Шангин.

Увидев его, Надежда Васильевна смутилась и покраснела, но не потупила взор, прямо глядя в глаза молодого офицера. Он ответил ей пылким взглядом, и чем дальше длилось ее пение, тем сильнее горели его глаза. Княгиня заметила, как застыли друг на друге взгляды кузена и Плевицкой, и когда после чая начались игры в жмурки и в прятки, Ольга Александровна заставила водить Шангина и не удивилась, что он с повязкой на глазах первой обнаружил Плевицкую, которая не увернулась от его рук, как это сделали великие княжны.

— Вы! — с радостью произнес он, освободившись от повязки.

— Я, — кокетливо улыбнулась Плевицкая.

Они, не сговариваясь, отошли от играющих, стали у рояля, на котором лежал букет, подаренный певице княгиней.

— Я хочу взять один цветок, — трепетно вымолвил Шангин.

Вместо ответа Плевицкая достала из букета самый яркий цветок и протянула его поручику. Он аккуратно и с гордостью вставил цветок в петлицу.

— Это для меня лучшая награда! Из ваших рук! Спасибо, Надежда Васильевна!

— Меня зовут Надей, — простодушно заметила она.

Лицо Шангина вспыхнуло радостной улыбкой.

— Владимир! — представился он и, наверное от неожиданного и столь доброго знакомства, молодцевато щелкнул каблуками, а потом рассмеялся: — Извините, я потерял голову... как мальчик.

— Значит, Володя, — мягко произнесла Плевицкая.

— Разрешите проводить вас! — осмелел он.

— Будет очень мило, — сказала она, — но не надо спешить. Может обидеться Ольга Александровна. Я ее вижу сегодня впервые, но у меня такое ощущение, что мы с ней знакомы давным-давно. Прелестны княжны своей свежестью, юностью, простотой... Мне кажется, что вы нравитесь младшей, Анастасии... У нее шалят глазки...

— Что вы, Надя, у нее разбегаются глаза от такого количества молодых и красивых офицеров. Можно понять еще совсем юную девушку.

— Будем играть в жгуты, — предложила Ольга Александровна. Все заполошились. Великая княгиня Анастасия побежала за Плевицкой со жгутом, певица поскользнулась и упала на паркет. Анастасия помогла ей подняться и наступила на платье, оно затрещало, но не разорвалось.

— Вам не больно? — поспешил к Плевицкой Шангин.

— Нисколечко, — улыбнулась певица.

К ним подошла великая княгиня и мягко заметила:

— Вы забыли, милочка, что я в письме советовала вам прийти к нам не в концертном, а в простом платье. Здесь все свои. Все просто.

На прощание принц Петр Александрович Ольденбургский попросил Плевицкую спеть его любимую песню. Она была в этот вечер настолько воодушевлена, что спела ему три песни. Растроганный принц, не зная, как отблагодарить ее, выхватил цветы из горшочков и засыпал землей сладости и торты. Его неподдельное чувство и неловкость всех рассмешили. Вечер удался на славу. Гости расходились, довольные веселым и непринужденным общением. Плевицкая в мемуарах так вспоминает этот вечер:

«На эстраде я пьянела от песен, от рукоплесканий, и могла ли я думать тогда, что за спиной у каждого из нас стоит призрак ужасный, что надвигается дикая гроза, история согнет наши спины и выжжет слезами глаза, как огнем».

И вообще ни о чем плохом в тот вечер Плевицкая не думала. Шангин галантно проводил ее до кареты и открыл дверцу.

— Я живу в двух шагах отсюда, в «Европейской», — сказала Плевицкая.

— Трогай! — отпустил Шангин карету. — Разрешите, Надя, — сказал он и взял ее под руку.

Предвкушение счастья не покидало ее, и когда среди ночи поручик сказал ей: «Я еще никогда не был так счастлив», она прижалась к нему и нежно прошептала: «Я — тоже...»

Раньше она хмелела на сцене, настолько входила в образ каждой песенной истории, что впадала в своеобразную эйфорию, а теперь опьянела от любви, от впервые переживаемого сладостного чувства. Любое слово жениха, а пожениться они решили почти что сразу, на второй день знакомства, любое его движение, жест были ей приятны. Она не представляла себе, что могут встретиться два человека столь душевно и физически близкие, как они, понимавшие друг друга с полуслова. Она осознала, что такое душевное совпадение бывает раз в жизни, и благодарила Бога за посланное ей счастье. Они не могли разлучаться надолго. Выручал телефон. Она с укором и надеждой смотрела на молчавший аппарат и бросалась к нему при первой трели звонка. Резников платил ей большие гонорары, сделавшие ее независимой и властной, но, встретив и беззаветно полюбив Шангина, она ощутила иное счастье, которое не купишь ни за какие деньги. Она решила объясниться с Плевицким, шла на встречу с ним спокойная и уверенная в себе, но, увидев его осунувшееся лицо, беспокойные от волнения пальцы, которыми он теребил полы шляпы, полные грусти глаза, она поняла, что зависима от него. Чувство томящей душу жалости проснулось к нему, человеку, с которым она провела добрый десяток лет, который помог ей закрепиться на сцене и, главное, дал ей, крестьянке, новый статус и свое имя, пусть не аристократическое, но вполне пристойное, известное в артистическом кругу.

— Я все знаю, Надежда, — тихо проговорил он, — я сам подам на развод.

— Хорошо, Эдмунд, — поблагодарила она его, — все расходы я беру на себя.

— Ты, как всегда, помогаешь мне, — горестно улыбнулся он, — и когда я просаживал деньги в казино, и сейчас...

— У каждого человека есть своя страсть. Мне не нравилось твое увлечение, но я не ругала тебя, сильно не ругала, ведь правда? — пыталась оправдаться она за то, что покидает его. И вдруг, при мысли, что она больше не увидит этого человека, у нее закружилась голова, и она присела на стул.

— Я сам во всем виноват, — заключил Эдмунд, — и нечего тут говорить. Я гордился тобой и буду гордиться, Надежда! — со слезой в голосе вымолвил он. — Ты изумительная певица, и если я в чем-то помог тебе, ну, хотя бы в развитии пластики, то я помогал великой певице! Я ни о чем не жалею! — воскликнул он. И неожиданно замялся: — Чертова игра... Но сейчас уже ничего не вернуть. Рулетка сделала меня больным. Я пытался избавиться от нее, но болезнь зашла очень далеко, она сильнее меня. Увы, сильнее! — признался он и в отчаянии взмахнул руками, выронив шляпу.

— Не волнуйся, Эдмунд. Тебе надо отдохнуть. Поезжай в Винниково. Мама будет тебе рада. Я дам распоряжение — тебя там встретят. Я знаю, ты собирался навестить родителей. Забери их и вместе поезжайте в Винниково! Чудесно отдохнете! Двери моего терема всегда будут открыты для тебя. Ведь мы останемся друзьями? Я очень надеюсь, я очень хотела бы этого!

— Ты бесконечно добра, Надежда! — растрогался Эдмунд и нежно поцеловал ее руку.

Она сдержала свое обещание. Плевицкий не раз приезжал в Винниково, отдыхал там вместе с родителями и сестрой, которая обрела последний покой на местном кладбище.

Плевицкая была откровенна с Шангиным, но скрывала от него лишь одно — год своего рождения. В свое время опытный импресарио посоветовал ей «убавить себе возраст годков на пять-шесть, мол, в будущем пригодится, наш брат импресарио стариков не жалует и цену им сбавляет». Она и «убавила» себе около пяти лет. Случай не редкий в актерской практике. Курский краевед Юрий Багров обнаружил запись в исповедальном фонде Троицкой церкви села Винниково, датированную январем 1880 года (№ 78): «Солдат Василий Абрамович Винников, 46 лет; жена его Акулина Фроловна, 46 лет; дети их: Василий, 13; Николай, 11; Анастасия, 9; Евдокия, 7; Мария, 5; Надежда, 3 месяца». Уже ясно, что Надежда родилась не в 1884 году, как считается официально. А если учесть, что в своих мемуарах «Дежкин карагод» она пишет, что сестра Мария на три года старше ее, то годом рождения Плевицкой является 1879-й, конец его, так как на момент составления этой записи, в январе 1880 года, ей было три месяца.

Наверное, этот «обман» время от времени тяготил ее, и она не могла не раскрыть его Шангину, когда они решили связать свои жизни узами брака. Родственница Плевицкой Татьяна Васильевна Винникова (в замужестве Барыбина) утверждает, что «любовь Надежды и Владимира была обоюдной, с первого взгляда, и по настоянию Акулины Фроловны завершилась браком в винниковской церкви». Достоверен ли рассказ Барыбиной, несомненно желающей представить свою знаменитую родственницу человеком твердых моральных устоев, не известно и, по сути, не столь важно. Главное — они полюбили друг друга «с первого взгляда и беззаветно».

Занятый на военной службе Владимир подолгу отсутствовал дома, и жена, пусть и гражданская, с нетерпением ожидала его звонка.

...Она подняла трубку и услышала голос Резникова. Он предлагал ей новые гастроли. Она говорила с ним деловито и кратко, обещала решить через несколько дней, спешила закончить разговор, ожидая звонка Владимира. Но он, к ее неожиданной радости, явился без звонка, подтянутый, стройный, с горящим взглядом.

— Наденька! — обнял он ее, и она уткнулась головой в его плечо:

— Заждалась я. Не звонил, думала, не случилось ли что.

— А что могло случиться? — пожал он плечами.

— Я плохой сон видела. Люди... Много людей... Вклинились между нами. Мы держимся за руки, а они стараются разомкнуть их. А потом было самое страшное. Люди превратились в черных ворон, взлетели и закрыли небо, солнце. Мы в кромешной темноте. Что-то говорим, но слов не слышно. Карканье ворон заглушает даже раскаты грома. Начинается гроза. Ветер с дождем хлещет мне в лицо, и вдруг я ощущаю, что моя ладонь пуста. Куда-то исчезла твоя рука, ты сам. «Володя!» — кричу я изо всех сил, но в ответ еще сильнее становится карканье ворон: «Карр! Карр!» У меня холодеет душа. Где ты? Где ты?..

— Я здесь. Живой, невредимый! — улыбается Владимир. — Я не верю сновидениям.

— А я верю, очень, — тревожно говорит Надежда и еще крепче прижимается к нему. — Ты голоден. Я и забыла об этом. Сейчас прикажу принести нам обед из ресторации.

Она почти ничего не ела, с любопытством и радостью наблюдая за тем, как ест он.

— Были учения, на морозце разыгрался аппетит, — говорит он перед тем, как отправить в рот очередной кусок телячьей отбивной.

— Я мечтаю о времени, когда сама смогу приготовить тебе обед. В Винникове. В своей усадьбе... Извини, но у меня не выходит из головы воронье...

— Брось это, Надя. Поговорим о чем-нибудь приятном.

— Хорошо, Володя. Я всегда старалась помогать людям, особенно тем, кто был рядом со мной. Разбаловала свою горничную Соню так, что когда выдавала ее замуж, то набила ее сундуки всяким добром, вплоть до бриллиантовых серег, а она смеялась надо мной, почитая за дуру. Еще жила в моей квартире сестра милосердия. Она вообще без спроса брала у меня всякие вещи. Я переживала за нее, за ее поведение, а ей хоть бы что, ведет себя по-прежнему нахально и вызывающе. Конечно, Володя, это мелочи, но это была для меня жизненная учеба, и я иногда думала, что правда и красота лишь там, наверху, где мерцают чистые звезды, и вообще там, где нас нет. И только ты... Только с тобой — я снова начинаю веровать в доброту людей.

— Неужели до меня не общалась с приличными людьми? — удивился Владимир. — Не верю!

— И правильно делаешь, Володя. Я переборщила насчет суровости своей жизни. Просто захотелось поплакаться. Чтобы ты пожалел. А вижу, что зря. Зачем меня жалеть, когда ты со мной. Я вся счастливая. А вот волноваться приходилось много и часто. Это истинная правда.

Весной я пела в Ливадии и втайне беспокоилась, что государыня не оценит простых русских песен. Меня пытался успокоить государь. Он сказал, что в комнате для улучшения акустики постлали ковер, и подчеркнул, что здесь все свои. Но я все равно так сильно волновалась, что забыла слова песни «Помню, я еще молодушкой была». Зарема подсказал. Потом государь его похвалил и стал шутить над моим волнением. В антракте ко мне подошла государыня, величественная и прекрасная, с горстью глициний на груди, и высказала сожаление, что раньше не слышала меня. У меня на сердце отлегло. Понравилась я ей. А государь сказал, что помнит мои песни и напевает их, а великая княжна подбирает на рояли мои напевы. Я заметила, что все мои напевы просты, музыкально примитивны, на что государь улыбнулся: «Да не в музыке дело, они родные». А на другой день я получила из Ливадии роскошный букет...

— Хорошие воспоминания, но — они связаны с царской семьей. Ничего не говоришь о других зрителях. Почему, Надя?

—Были и другие, Володя. Но я воспитывалась в сельской семье. Царь был в моих мыслях и молитвах, но недостижимо далеко. И вот я с ним рядом, мы беседуем. Я, наверное, до сих пор не могу опомниться, прийти в себя от такого чуда. А встречи с Собиновым, Шаляпиным, Качаловым, Москвиным и другими театральными чародеями разве не чудо?

— Чудо — это ты, Надя, если они приветили тебя, приняли в свой круг. Расскажи мне о них.

— Прямо не знаю с чего начать. Прошлый Новый год встречала у Леонида Витальевича. В тот вечер был бенефис его жены — Верочки Каралли. Прекрасная балерина и очень красивая. За полночь Леонид Витальевич позвонил Шаляпину, поздравил его с Новым годом и помирился с ним. До этого у них была размолвка. Я пела с Леонидом Витальевичем дуэт «Ванька-Танька». От страха коленки дрожали, голос сел. Еще бы — петь с самим Собиновым. Хорошо, что вокруг были милые друзья. Никто меня не критиковал. Все сошло хорошо. А домой меня провожали Москвин и Качалов с женой. В карете было так весело, и мы так долго ездили по улицам, что едва не заблудились. Пару раз останавливались. Мужчины «подкреплялись», но не хмелели. Разговор между ними был замечательный. Извини, я забыла подробности. А пересказывать его без их интонаций и мыслей — выйдет блекло и скучно.

— А ты знаешь, Надя, когда я впервые увидел и услышал тебя? В Мариинском театре на юбилее великорусского оркестра Василия Васильевича Андреева. Вышел он на сцену, поклонился государю и великим княжнам, сидевшим в ложе. А запомнилась мне больше всех из выходивших на сцену — ты, Надя. С первой минуты, когда грациозно и как-то задушевно, по-русски отвесила поклон царской семье и коснулась рукой земли.

— Я? Больше всех? Даже Шаляпина? Не может быть!

— О боге певцов — не говорю. Но из женщин, из богинь... Ты пела бесподобно!

— Старалась. Вернее — в тот вечер у меня все получилось само собой. На душевном подъеме. Публика меня не отпускала.

— Это я старался. Аплодировал сильнее всех.

— А я и не знала, что это ты. Видела, что кто-то громче других бьет в ладоши, и так размашисто, что даже лица не видно.

А у меня репертуар с оркестром кончился. Пришлось спеть еще две песни, под гусли. Хотя и пела в императорском театре, но волновалась меньше обычного, меньше Шаляпина. Удивил он меня тогда. Взял за руки, а они у него необычно холодные. «Ну чего я волнуюсь? — сердился он на самого себя. — Если бы еще пел, а то ведь не пою, а волнуюсь». Пел он чудесно и этим меня успокоил. За кулисами меня ждал директор императорских театров Теляковский: «Кто вас учил так держаться на сцене, кто вас учил так держать руки?» Я оторопела от его тона. «Вот, — думаю, — что значит императорский театр, тут все не так надобно, как я делаю». Но вдруг Теляковский обратился к стоявшей рядом артистке: «Учитесь у Плевицкой, как держать себя на сцене». Я воскликнула от неожиданного комплимента, задевающего самолюбие других артистов, и сказала ему, что от его похвалы чувствую себя неловко. В тот же день он пригласил меня участвовать в концерте в Ярославле, по случаю трехсотлетия дома Романовых. Я немного приболела. Но вот у моего окна зазвучала «Серенада четырех кавалеров». Это был квартет Кедровых, а среди нас, артистов, ходило поверье, что их пение прогоняет хворь. «Четыре кавалера» подняли меня, и мы все вместе поужинали, а старший Кедров рассказал мне сказку про одну деревенскую девочку, которая была похожа на меня.

— Тоже стала певицей?

— Нет. Но очень счастливой. Она мечтала о встрече с прекрасным принцем...

— С конвойцем или кирасиром? — иронично заметил Владимир.

— Не смейся, Володя. Она молила Бога о ниспослании ей счастья, была доброй и трудолюбивой, а главное — очень смелой. Не шла по уготованному судьбою пути, не побоялась зайти в темный лес, где страшными звуками ее пугали разные чудища, и, раздвигая руками плотные и колючие заросли, выбралась на светлую поляну... А дальше, как во всех сказках... Пришло к ней счастье...

— В сказках всегда хороший конец, — неожиданно вздохнул Владимир, — а я военный... Не знаю, что меня ожидает завтра...

— Счастье! Счастье! — по-детски наивно воскликнула Надежда — Не надо так грустить. Накликаешь беду. Одно дело — одиночество. Вот я ездила с гастролями по Сибири и однажды подумала про себя: «Что бы ты делала, если бы очутилась тут одна, да не в поезде, а в снежном поле или тайге?» А сейчас? Теперь мы вместе. Раньше я находила отраду в пении, в заботе о людях. Но это другое счастье, не то, что у нас с тобой. В Сибири заболел ревматизмом мой аккомпаниатор Зарема. Не отменять же концерты. Я лечила и берегла Зарему, как зеницу ока. Руки его было здоровы, только ноги бездействовали. Мы сажали его в кресло, приставляли к роялю, потом поднимали занавес, а уносили Зарему только тогда, когда падал занавес. Во время сильных приступов Зарема бранился: «Так, так, так тебе и следует, подлецу, мерзавцу». — «За что это вы так себя величаете?» — спрашивала я. «За грехи молодости, больно веселился мальчик», — от боли скрипел он зубами. Мы очень привыкли друг к другу. Более трех лет уже выступали вместе. Были у него любимые песни, когда он аккомпанировал и плакал. Любил романс «Чайка». Случалось, что заслушается и напутает аккомпанемент. После этого уходил со сцены не следом за мной, как всегда, а к другой кулисе, знал, что получит от меня выговор. Оттуда кланялся мне, обмахиваясь программкой и сверкая лысиной. Злость у меня проходила, и мы оба смеялись.

— Все-таки ты никогда не была одна... Зарема, Плевицкий, была знакома и встречалась с великими артистами, — заметил Владимир.

— Спасибо им, — сказала Надежда, и на ее ресницах проступили слезы, — но разве ты не чувствовал себя одиноким даже среди самых близких друзей?

— Вроде не чувствовал, у нас, военных, одна судьба, и, наверное, поэтому дружба другая, более ответственная, чем у людей штатских. Грустно бывало и тоскливо, чего-то не хватало. Я теперь понял чего — тебя, Надюша, любви... С тобой я могу поделиться своими болями и радостями, только с тобой. Могу быть откровенным. Кстати, давно хотел спросить, почему ты мало рассказываешь о своем главном слушателе — о народе. Или государь все-таки для тебя главней?

— По званию — безусловно. Народ — разный. А государь всегда благоволил ко мне. Когда я вернулась из Сибири и пела в Царском, он осведомился у меня: «Ну, как вас принимали там? Я знаю, сибиряки хлебосольные, и меня они хорошо встречали». Я была поражена сравнением и его святой скромностью. Мне кажется, что многим людям просто не повезло, они не знают столь хорошо государя и государыню, потому что не знакомы с ними так близко, как я. А народ... Я вспоминаю Бородинские торжества в Москве. Мне никогда не забыть, как гудела Москва, как дорогих гостей встречала, и тот поток москвичей, что запрудил город от края и до края. Но если говорить откровенно, то я люблю толпу народа, когда она в зале, а я — на сцене. Попасть в ее круговорот, когда она одержима чем-то, честно говоря, побаиваюсь. Вот и во сне эта толпа разлучила нас... Я тебе рассказывала.

— По-моему, ты преувеличиваешь значение сна, Надюша, мне не верится, что народ может плохо, кощунственно отнестись к своей любимой певице, к офицерам-кирасирам — защитникам отечества.

— Твоими устами да мед бы пить! — вдруг страстно проговорила Надежда, и, беззаботно смеясь, обняв друг друга, они опустились на кровать.

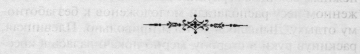

Глава одиннадцатая

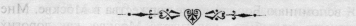

Радость и горе

В жизни человека ничто не вечно: ни счастье, ни горе, ни сам человек. Но люди живут надеждой на счастье, и когда оно приходит, то время для счастливых летит незаметно.

Чистый и свежий воздух Швейцарии, тихие прозрачные воды Невшательского озера, освещенные нежным солнцем верхушки елей и сосен в чистом ухоженном лесу располагали молодоженов к беззаботному отдыху. Дышалось легко и привольно. Плевицкая, раскинув руки в сторону, мерно покачивалась в кресле-качалке. Рядом в таком же кресле, подставив лицо солнцу, блаженствовал Шангин.

— Закрою глаза, и мне представляется, что я дома, в Винникове. Где-то неподалеку хлопочет мама, — мечтательно произнесла Плевицкая, — где-то поблизости заливается соловушка.

— А я где? В курятнике? Или в хлеву? — иронично заметил Шангин.

— Ты — в душе моей, — не обращая внимания на его шутливое настроение, романтично произнесла Плевицкая.

— Ты забыла, Надя. Я еще принадлежу своему лейб-гвардии полку, — продолжал Шангин, — всего-навсего поручик. Надо мной еще много начальников, и каждый из них справедливо считает, что я в его власти.

— Это — по-военному распорядку, а ты в моей душе — по любви. Мне так хорошо с тобой, Володя. И всегда так будет... Правда?

— Если спрашиваешь, значит, сомневаешься.

— Не сомневаюсь. Я тебе верю, Володя. Но если говорить честно...

— Говори.

— Боюсь, что кто-то черный и злой поломает наше счастье. И сон был...

— Снова ты о сне. Выброси его из головы, — нервно вымолвил Шангин.

— Люди разные. Я тебе говорила. И завистливые, и коварные встречаются. В залах дворянских собраний, в императорских театрах, и в Художественном — одного рода публика, в «Эрмитаже» — другая, в кафешантанах — третья, на Сокольничьем круге — четвертая... И все это называется народом.

— Справедливо, Надя. Все мы и есть народ. А тебе какой больше нравится — в императорских театрах?

— Почему, Володя? Я — вне политики. Говорила и говорю. Я всегда с радостью выступаю перед публикой, любящей и чувствующей русскую песню. Не побоялась, а вернее, не подумав о последствиях, спела государю революционные песни. О несчастной доле крестьянской, о мужике, сосланном в Сибирь за недоимки. Царь не обиделся. Даже погрустнел.

— Это от твоего пения, Надюша. Ты кого хочешь разжалобишь. Ты на чувства воздействуешь, а я — военный человек, я привык жить по закону. Что говорит Божья заповедь «Не убий»? А я по приказу должен стрелять во врага.

— Война — другое дело, Володя. Но сейчас мир. Ведь правда?

— Правда, — неохотно согласился Шангин.

На другое утро он подошел к Плевицкой с газетой в руках и неожиданно обратился к ней на «вы». Это случалось редко, когда он собирался сказать ей что-либо очень серьезное.

— Укладывайте вещи, завтра надо ехать в Россию.

— Ах, я ничего не понимаю в политике. Какое отношение имеют мои вещи к убийству чужого принца где-то в Сербии?! — просмотрев газету, удивилась Плевицкая.

— Собирайтесь, Надя! — твердо вымолвил Шангин.

Потом она вспоминала: «И не знала я, что надвигается на нас горе великое. Вот оно грянуло, и содрогнулась земля, и полилась кровь... Россия закипела в жертвенной работе, все сплотились воедино, никто не спрашивал — како веруешь — все были дети матушки России. А кто же ее не любил? Не стану описывать того, что знает каждый...»

Очень пунктуальная и откровенная, в своих мемуарах Плевицкая почему-то не называет тех, кто призывал к пораженчеству в войне с Германией, а это были большевики. Их агенты наполнили в то время Францию, где находилась она и писала мемуары. Может, она побаивалась их, а может, она уже тогда знала, что агентом ЧК был брат «нежно любимого» М. Я. Эйтингона, на чьи деньги она издала мемуары.

Не будем забегать вперед в повествовании о жизни Плевицкой, вернемся к тому времени, когда ее жизнь уже пошла кувырком, когда певица была пылко влюблена в молодого и красивого кирасира, и началась Первая мировая война.

> «Я сбросила с себя шелка, наряды, надела серое ситцевое платье и белую косынку. Знаний у меня не было, и понесла я воину-страдальцу одну любовь. В Ковно, куда пришла второочередная 73-я пехотная дивизия, я поступила в Николаевскую общину сиделкой, а обслуживала палату на восемь коек».

Дочь николаевского солдата вслед за любимым пошла на фронт, чтобы быть ближе к нему. Она больше жизни любила Владимира Шангина и свою родину, любила честно, и в песнях пела о ее болях и радостях. Она тогда и не помышляла ради какой-то выгоды покривить душой. Богатая, известная на всю Россию женщина, которой покровительствовала царская семья, могла «отделаться» денежным взносом в пользу русских воинов или просто каким-либо вещевым подарком. Не могла поступить иначе, чем поступила. Война открывает ей глаза на многое, о чем она не знала и, видимо, не желала знать, провозглашая себя «вне политики». Она даже мысленно полемизирует с мужем: «Сидя у постели страдальца, я думала, что у Бога мы все равны, а тут лежит передо мной изувеченный неизвестный человек, и никаких чинов-орденов у него нет. Он, видишь ты, не герой, а свою жизнь отечеству отдает одинаково со всеми главнокомандующими и героями. Только солдат отдает свою жизнь очень дешево, иногда и по ошибке того же главнокомандующего. Да простят мне устроители судеб человеческих: с точки зрения законодателей, я, вероятно, думала неправильно, но по совести, мне кажется, я права».

Присутствие в госпитале столь известной певицы не могло быть не замечено. Она поет и для солдат, и для офицеров. Участвует в публичных концертах, то есть платных, сбор от которых шел на благотворительные цели. За неимением платьев концертировала в сером сестринском наряде.

Нелегко догадаться, что в составе 73-й пехотной дивизии находился Владимир Антонович Шангин. В штаб дивизии пришел приказ о выступлении на фронт. Начальника штаба полковника Кривенко повышают в должности, и его место занимает «поручик Кирасирского его величества полка В. А. Шангин, только что окончивший Академию Генерального Штаба, но уже с боевым крестом, так как еще студентом ходил добровольцем на Японскую войну и имел Георгиевский крест». Так Плевицкая, не без гордости, говорит о муже в своих мемуарах.

— Выступаем! — радостно сообщил Плевицкой полковник Кривенко.

— Радуюсь за вас, — сказала она и подумала: «Зачем я говорю не то, что думаю, ведь нет никакой радости провожать людей на смерть. Вот если бы кончилась война, то была бы радость». Угроза потерять славного, дорогого мужа, еще совсем недавно обретенного, после долгих лет предыдущей, по существу, безлюбовной жизни заставляет ее на время забыть о законах войны. Но только на время: «Дивизия была готова к выступлению, была готова и я... С разрешением дивизионного начальства я в форме санитара отправилась в поход при нашем лазарете».

Наступили сумерки. Дивизия вступила в бой. Ночью привезли первых раненых. Санитар обносил их чайником с кипятком, а Плевицкая подавала им рюмку с коньяком.

«Я, грешная, думала, что это необходимо человеку, который только что вырвался из огня, потрясенный, в крови... Мученические глаза — вовеки их не забуду».

Хотя Шангин и Плевицкая находились рядом, но встречались редко, в военно-полевой обстановке. «Я не могу, понимаешь, не могу, чтобы обо мне говорили, как об офицере, притащившем на войну свою жену. Какой пример я покажу солдатам. Поэтому извини, Надя, но я буду при людях обращаться к тебе на «вы» и говорить мало, по делу». — «Но ты меня любишь, я вижу, мы могли с тобой встречаться там, где нас никто не увидел бы». — «А твои раненые? А мои солдаты? Война есть война, Надя. Я ведь не знаю, увидимся ли мы завтра?» — «Что ты говоришь, Володя?!» — едва не вскрикнула Надежда и побледнела от испуга. «Любимая моя певунья, я просто не хочу обманывать тебя. Будь готова ко всему». Она бросилась к нему на грудь. Он нежно гладил ее по голове и приговаривал: «Милая, милая, я тоскую без тебя, не плачь, дорогая, не плачь», — и сам прослезился. Они стояли, прильнув друг к другу, и в эти минуты не обращали внимания ни на кого, а проходившие мимо солдаты — на них. Все понимали, что это случайная встреча влюбленных, а может, и родных — брата и сестры, и нет ничего удивительного в этом, они не знают, что с ними случится даже через час-два, и, может быть, видятся в последний раз, смерть поджидает их на каждом шагу.

Встреча проходила у взорванного пограничного моста.

— Шангин! — позвал его начальник дивизии, и они вместе пошли вдоль реки, а Плевицкая осталась у автомобиля с чемоданом перевязочных средств. В этот день раненых было много, в одном Коротоярском полку выбило две тысячи человек, бинтов не хватало.

— Кто приказал отступать?! — донесся до Плевицкой крик генерала. — Командира сюда!

Она увидела, что начальник дивизии и Шангин, выслушав приказ генерала, направились в сторону передовой позиции. Неведомая и неодолимая сила потянула туда Плевицкую: «По дороге, в маленькой будке, я увидела начальника дивизии и поручика Шангина, который, не отрываясь от аппарата, передавал изнемогающему Коротоярскому полку:

— Держитесь еще несколько минут! К вам идет на помощь Валуйский полк!»

Начальник увидел медсестру в неположенном месте, но сделать ей замечание ему было некогда.

Вскоре валуйцы с громовым «ура» перешли в атаку. Чего стоила она им? Какую жатву собрала смерть? Плевицкая вспоминает: «В околотке, куда я вернулась, врачи выбивались из сил, и руки их были в крови. Не было времени мыть... уже наступила сырая ночь, когда квартирьеры указали нам полуразрушенный дом без окон, где лазарет расположился на ночлег. Там был должен ночевать и штаб дивизии. Валуйцы отстояли позицию, но победа обошлась им в тысячу жизней... Пронизывающий ветер дул в окна, в углу комнаты на столике оплывала свеча. Горячий чай в никелевой кружке казался мне драгоценным напитком, а солома, постланная на полу, чудесным пуховиком... Я спала крепко и не слыхала, что поздней ночью в штабе появился тот, кто был мне дороже жизни, мой Володя, не слыхала, что стоял надо мной и сна моего не потревожил». В его дневнике Плевицкая прочитает запись, помеченную тем днем, той же ночью: «Чуть не заплакал над спящим моим Дю, дорогой Надюшей. Свернувшийся комочек на соломе, среди чужих людей».

Утром солнце осветило комнату, и Плевицкая увидела, что спала среди мертвецов. Они находились в сарае, в закоулках, в саду, в поле, кругом «лежали в синих мундирах враги, в серых — наши... Страшный сон наяву!»

До января боев не было. Плевицкая навсегда запомнила рождественскую елку в штабе дивизии. Штаб стоял в имении Амалиенгоф, между Мталупененом и Гумбиненом, близ полотна железной дороги. Позднее Плевицкая писала в мемуарах: «И теперь, когда я проезжаю там, всегда стою у окна вагона и жду, как промелькнет барский дом и окно той комнаты, убранное елочками... Там я была с Володей... За домом, я помню, был холмик с белым деревянным крестом. Я кланяюсь холмику и тому, кто лежал в черной земле, одинокий... Помню, как за обеденным столом офицеры вели военные разговоры о том, кто храбр, а кто нет. Полковник Кривенко утверждал, что «храбрый — это капитан Зверев, отважный офицер... Вот еще поручик Шангин, вроде Зверева. На днях оба, на белых лошадях, проехали по верхушке окопа, а там не только ездить — высунуть голову нельзя. За это им был нагоняй от начальника дивизии».

Перед отступлением из Восточной Пруссии Плевицкую перевели подальше от фронта, в Эйдкунен, в полевой госпиталь, и она не раз ездила в штаб дивизии, надеясь увидеться и хотя бы обмолвиться несколькими фразами с Шангиным. Возил ее санитар Яков.

«Бывало, едем ночью, в непогоду. Жутко. Темно, ни души кругом.

— Не спеть ли нам, Яков? — предложу я.

— И то, сестрица, споем.

«Вот мчится тройка удалая, по Волге-матушке зимой...» Точно рассекала темень родная песня, а с ней и дорога казалась короче. Один дом не могла я миновать спокойно, низкий и мрачный. Как только завижу его, у меня начинало ныть сердце от тоски и неведомого страха. Почему же я страшилась того мрачного дома?.. Бушевала метель. Над железнодорожным полотном злым коршуном вился вражеский аэроплан, сбрасывая огненные бомбы, — как демон крылатый. По дороге темнели холмики в снегу. Метель заметала их — замерзающих... Мое сердце мучительно билось, точно терзалось в груди. Я закрывала глаза и видела мертвенно-бледное лицо моего дорогого. Где он? Где он? Ведь штабные дивизии давно промчались мимо, а я не видела его с ними. Я разыскала штаб дивизии и там узнала о своем горе. Свершилось самое страшное: упала полоса железная и свет погас в глазах. Спасая других, он сам погиб у того самого дома, которого я не могла миновать без тяжкой тоски... 22 января 1915 года на полях сражений в Восточной Пруссии пал мой жених смертью храбрых.

Да будет Воля Твоя, да святится имя Твое».

Кружилась голова... Земля уходила из-под ног. Немцы настигали русские части, заходя им в тыл. Тогда знакомый Шангина казачий полковник Попов предлагает Плевицкой место в штабных санях. Там она забывает свой чемоданчик с драгоценностями и среди них брошь в виде кокошника с бриллиантовым орлом, пожалованную ей государем во время Бородинских торжеств в Москве. «Это была моя любимая брошь, с которой я не расставалась. Я вспомнила о ней только потому, что в те дни мне как будто было суждено терять все любимое».

В том же 1915 году ушла из жизни Акулина Фроловна. Как говорят, скоропостижно. А еще на Пасху Плевицкая приезжала к ней в Винниково. Увидев любимую дочь, мать помолодела: «Кабы не кашель, дак меня хоть замуж отдавай. Здорова, как девка. Да я и не старая — всего-то восемьдесят шостой годок пошел», — улыбалась она и наклоняла русую голову без единого седого волоска.

Находясь на гастролях в Кисловодске, Плевицкая получает телеграмму о смерти матери.

> «Я осиротела. Точно пустыней стал мир. Никого. Я одна в нем... Нет чище и нет правдивее любви, чем любовь матери. Ее любовь никогда не обманет, не изменит».

До последних минут с матерью были Плевицкий и Дунечка. Сестра рассказывала Надежде, что когда получили телеграмму о том, что она не сможет приехать на похороны, то все заметили, что нахмурилось лицо усопшей. Но когда пришла другая весть, что едет, то улыбка заиграла на мертвом лице и мать словно помолодела на смертном ложе. Слова Дунечки подтвердил Плевицкий. Осиротела мамина голубенькая комната с лежанкой, и весь дом осиротел. Плевицкая вспомнила, как мать спокойно готовилась к смертному часу, будто собиралась в далекий путь, будто в гости:

> «Ты, Дежечка, не горюй, когда я умру. Сама я смерти не боюсь. Так господом положено, чтобы люди кончались».

Вроде и положено, и все об этом знают, но потеря родного человека всегда неожиданна и горестна, и как бы ни тяжела была вечная разлука, оставшимся на земле предстоит жизнь. Находясь рядом, казачий полковник Попов утешал Плевицкую после гибели Шангина такими словами:

> «Человеку грех роптать, когда Бог посылает ему испытание, в страданиях омывается наша душа, а мы слезами заливаем души ушедших, любимых, и наши слезы тяготят их, уже освобожденных от земной темницы».

Полковник рассказывал, как сам едва не лишил себя жизни, потеряв любимую жену, но остался жить ради сироток-девочек, и горе, которого, казалось, он не переживет, ушло.

«Прошли годы. Я перенесла горе, но добрых слов Попова и заботы его братской никогда не забуду... В память моего ушедшего жениха я желала служить миру по силам своим... В жизни я знала две радости: радость славы артистической и радость духа, приходящую через страдания. Чтобы понять, какая радость мне дороже, скажу, что после радостного артистического подъема чувствуется усталость духовная, как бы с похмелья. Аромат этой радости можно сравнить с туберозой. Прекрасен ее аромат, но долго дышать им нельзя, ибо от него болит голова и умертвить может он. А радость духовная — легка, она тихая и счастливая, как улыбка ребенка... Радость первая проходит, но духовная радует до конца дней».

Мудры слова великой певицы, занесены ею в мемуары, написанные во Франции, в Кло-де-Пота в 1929 году, и не ведает она, какая радость перевесит в ее бытии и удастся ли сохранить духовную радость в пошедшей кувырком жизни, до последнего вздоха.

Глава двенадцатая

Возвращение на сцену. И к жизни

Для любого артиста сцена, концерты или спектакли, аплодисменты, не говоря уже о постоянном внимании зрителей, — своеобразный наркотик, без которого пустеет и скучнеет жизнь. Сцена тянет его, как магнит, и лишь вдохнув запах кулис, увидев внимательные, вдохновленные его игрой лица зрителей, артист обретает беспокойную, но такую нормальную для себя жизнь. Плевицкая называла это радостью артистической. Потеряв мать и любимого, она не пошла в монастырь, не вернулась в святую обитель, где могла бы рассчитывать, в реалиях того времени, на получение духовной радости. Все-таки ее всегда, с ранних лет, манила новизна жизни, и не столько монастырской, сколько мирской, с мирскими радостями, она мечтала стать знаменитой и богатой женщиной и добилась своего.

В газетах и афишах вплоть до 1917 года имя Надежды Плевицкой печаталось аршинными буквами. Билеты на ее концерты стоили втридорога. Внимательно следящий за развитием ее таланта критик А. Кугель относил ее к самородкам, рождающимся в могучей народной среде.

> «Оттуда выходят Шаляпины, Плевицкие, Горькие, — писал он. — Песни Плевицкой для национального самосознания и чувства дают в тысячу раз больше, чем все гунявые голоса всех гунявых националистов, вместе взятых».

Пластинки с голосом Плевицкой расходились громадными для России тиражами. В петербургских и московских салонах, на домашних вечерах она общается с В. Качаловым, И. Москвиным, Н. Клюевым, С. Есениным, Т. Щепкиной-Куперник... Свои мысли о русской песне и ее исполнителях она высказывает в журнале «Кулисы» (1917 год, № 5):

«Меня просили написать о песне, о том, как опошлили, загадили ее подражательницы. Любят ли песню мои подражательницы или поют только для того, чтобы подражать, — я не знаю. Но когда в печати появляются отчеты о концертах народных певиц, где восхвалялась какая-нибудь новая звезда и уничтожалась «безголосая» Плевицкая, я думала: «Слава богу, есть люди, которые любят простую песню. Только за что они меня ругают? Разве «новому таланту» не хватит места? Пойте, милые подражательницы! Я вам не судья, только примите дружеский совет: не подражайте, не нужно быть рабом чьим бы то ни стало. Ведь песня — это душа человека. Она свободна и легка, и, когда я бываю на ваших концертах, я вижу, как вы, держа в дрожащих руках ноты, стараетесь не пропустить ни одного такта и чуть ли не падаете в обморок, когда его действительно пропустите. Мне жаль вас, милых, очаровательных, голосистых соловьев, так как это уже не песня, а тяжкий труд, от которого всем становится как-то тяжело. А ведь в песне-то и есть отдых. Пахарь за сохой, жница на ниве — поют свои песни: И льются они широко вольной песней радости, когда нива обильна и труд благословлен Творцом... Грусть свою люди выливают в песне, льется песня, льются слезы, и легче, светлее становится на душе. Да, мне трудно представить себе пахаря с нотами в руках... Часто музыкальные редакторы указывают мне на сборники, где грамотный человек записал песни с голоса какого-нибудь пахаря. Но и самый грамотный человек не сможет отрицать того, что если мужик пел песню для записи, то нотная бумага не передает того, чем звучит эта песня в душе мужика. Эта песня нам дорога, и многие другие, подобные ей, я не выношу на эстраду из-за боязни, что люди их не поймут. Эти песни многое говорят мне, которую мать родила на жатве, но ничего не скажут публике, а подражательницам покажутся недостаточно эффектными».

Плевицкая ощущала свою ответственность за развитие русской песни, как певица, достигшая признания и немалой вершины в искусстве, падения с которой опасалась и предчувствовала при этом неминуемую боль и разочарование в себе, в своей жизни. Она пыталась совместить свою любовь к песне с любовью не менее, если не более, страстной и сильной к желанному мужчине. Но война, политика, вне которой она себя ощущала, разбили ее всепоглощающее чувство.

Она впервые в жизни отменила концерты, чтобы быть ближе к любимому, и поехала вслед за ним на фронт, но война отняла у нее счастье любить и быть любимой. И длилась ее благодать недолго, немногим более полугода. Она мечтала о ребенке, но и этим счастьем обделила ее судьба. Оставалась — сцена...

Но Плевицкая не решалась и не спешила вновь предстать перед зрителями, чувствовала себя опустошенной, не в голосе, не уверенной в успехе. Для первого выхода на сцену она выбрала концерт в пользу семей убитых воинов. Проходил он в Михайловском театре под покровительством великой княгини Ольги Николаевны. Еще до концерта к Плевицкой в лечебницу, где она отходила от пережитого, дважды приезжал психотерапевт Лагранж и внушал ей, пронзая взглядом черных искристых глаз:

— Ты будешь сегодня петь, как никогда не пела. Ты все забудешь, что тебя тревожит.

Ее добрый бескорыстный друг, однополчанин Шангина Юрий Апрелев проводил ее в ложу к своей матери Елене Ивановне, которая специально прибыла в театр, чтобы поддержать певицу. «В ложе я подошла к зеркалу и увидела свое отражение. Это была не я, а вешалка, на которой висело черное платье.

К худому бледному лицу не приставали ни пудра, ни румяна.

— Я не могу петь, — извинилась я перед распорядителем вечера М. И. Горемыкиным.

— Нет, ты, Наденька, будешь петь, — ласково, но твердо сказала мне Елена Ивановна и нежно погладила по голове.

— Хорошо, буду петь, — сказала я покорно.

Я была объявлена хозяйкой вечера, и зрители настойчиво требовали моего выхода на сцену... Чтобы не упасть, я прижалась к роялю. В зале гробовая тишина, а я не пою. Вдруг в полутьме блеснули горящие глаза Лагранжа, и я вспомнила слова песни, написанной для сегодняшнего концерта.

Средь далеких полей на чужбине,
На холодной и мерзлой земле
Русский раненый воин томился
В предрассветной безрадостной мгле.

Как странно звучит мой голос, будто чужой. Давно его не слыхала, не такой был у меня. Нет сил. Сердце колотится, я задыхаюсь, я не пою, я говорю».

Она рассказывала зрителям о погибшем воине: «*И знает он, не дождаться рассвета, вражьей насмерть сражен он рукой, тяжко раны болят, но не это затуманило очи слезой. «Бог мой, с радостью я умираю за великий народ, за тебя. Но болит мое бедное сердце и душа неспокойна моя, там в далекой любимой отчизне без приюта осталась семья».*

Творец отвечает солдату: «*Храбрый воин, не бойся, и ныне совершил ты свой подвиг святой. Будь спокоен. Защитником верным будет Бог для малюток-сирот».*

Эти на первый взгляд малохудожественные, трафаретные стихи Плевицкая сказывала с чувством, на которое способен только человек, сам переживший ужасы войны. Все знали, что она была на фронте и там потеряла жениха. И вид у нее был измученный. Горестно, но веско полупела-полуговорила она: «*Вы, к кому так судьба не сурова, кто отцов и детей сохранил, не забудьте завета Христова и завета из братских могил*».

В зале была тишина. Секунды задержали бег. Насколько? Люди, видимо, раздумывали, можно ли аплодировать такой песне. Но чей-то хлопок нарушил тишину, и зал загремел от рукоплесканий. Исполнение этой песни Плевицкой вызвало у присутствующих неподдельное и бурное сопереживание. Горемыкин вручил Плевицкой большой ковш и повел ее со сцены в публику. Все были щедры и давали для сирот деньги.

> «Как хорошо сознавать, что бывают минуты, когда люди одинаково думают и одинаково добры — все до одного», — воодушевилась Плевицкая.

В гримерную певицы пожаловал военный министр Сухомлинов, поцеловал ей руку и поблагодарил за участие в вечере. Но запомнилось другое: как перед ним расступились люди, с каким почтением и даже благоговением, казалось, они пожирают его глазами, как божественного всесильного посланника. «Но что было потом...» — замечает Плевицкая в своих мемуарах. Потом, уже в 1916 году, по обвинению во взяточничестве и германофильстве он был заключен в Петропавловскую крепость, откуда был выпущен по ходатайству Распутина. После Февральской революции снова арестован и приговорен к пожизненной каторге, но сумел эмигрировать в Европу. Скончался в 1926 году. Плевицкая стояла у его скромной могилы в Берлине: «Думал ли военный министр России, что Германия даст ему последний приют?.. О почести человеческие, кратковременные!» К мысли о превратности судьбы, об изменении отношения к людям, особенно к известным, жизнь которых может резко перевернуться и обречь их на безвестность, певица придет позже.

А сейчас она кланяется Сухомлинову, будучи польщена его вниманием, вежливо провожает до дверей. Жизнь постепенно, но уверенно входит в привычную творческую колею. Исчезли прежняя наивность, излишняя доверчивость ко всем людям, в душе поселилась печаль о тех близких, которых никак не вернешь.

Певица меняется даже внешне — заостряются черты лица, в глубине глаз затаилась грустинка. А петь стала лучше, проникновеннее. Ее вниманием пытаются завладеть молодые крестьянские поэты. Для них она кумир, яркий пример того, как провинциал из сельской глубинки может добиться всенародной популярности.

«Тихой, вкрадчивой поступью вошел ко мне поэт-крестьянин Клюев. Мне говорили, что он притворяется, хитрит... Но как может притворяться человек для того, чтобы плакать. Он нуждался и жил вместе с Сергеем Есениным, о котором всегда говорил с большой нежностью, называл его «златокудрым юношей». Однажды он привел ко мне «златокудрого». Оба поэта были в поддевках. Есенин обличьем был настоящий деревенский щеголь, в его стихах, которые он читал, чувствовалось подражание Клюеву».

Доброжелательная по натуре Плевицкая все-таки была смущена деревенским и к тому же щегольским нарядом Есенина, тщательно уложенными кудрями. Она тоже иногда выходила на сцену в стилизованной русской одежде, но в быту носила обычные городские платья. Не была ли в поддевках поэтов заложена попытка обратить на себя внимание горожан, и особенно из элитных кругов? Не в этом ли видел кое-кто хитринку Клюева? Тем не менее Плевицкая отдает предпочтение Клюеву. В поведении его товарища она ощущает некоторую фальшь:

«Сначала Есенин стеснялся, как девушка, а потом осмелел и за обедом стал трунить над Клюевым. Тот ежился и втягивал голову в плечи.

— Ах, Сереженька, еретик, — говорил он тишайшим голосом. Что-то затаенное и хлыстовское было в нем, но был он умен и беседой не утомлял, а увлекал, и сам до того увлекался, что плакал и по-детски вытирал глаза радужным фуляровым платочком. Он всегда носил этот единственный платочек... Я ему подарила сапоги новые, а то он так и ходил бы в кривых голенищах, на стоптанных каблуках».

Плевицкая не могла знать, что впоследствии Есенин будет цинично поучать своего друга Анатолия Мариенгофа: «Так, с бухты барахты, не след лезть в литературу, Толя, тут надо вести тончайшую политику... Очень не вредно прикинуться дураком. Шибко у нас дурачка любят. Знаешь, как я на Парнас всходил? Всходил в поддевке, в рубашке расшитой, как полотенце, с голенищами в гармошку. Все на меня в лорнеты, — «ах, как замечательно, ах, как гениально!». А я то краснею, как девушка, никому в глаза не гляжу от робости... Меня потом по салонам таскали, а я им похабные частушки распевал под тальянку... Вот и Клюев тоже так. Тот маляром прикинулся. К Городецкому с черного хода прошел, — не надо ли, мол, чего покрасить, — и давай кухарке стихи читать, а кухарка сейчас к барину, а барин зовет поэта-маляра в комнату, а поэт-то упирается: где уж нам в горницу, креслице барину перепачкаю, пол вощеный нагрежу...»

Наверняка Плевицкая понимала, что и Есенин и Клюев разыгрывают перед ней своеобразный маскарад, но интуитивно чувствовала, что они — разные люди, чувствовала искренность, задушевность Клюева и поэтому «таскала его по салонам».

Война с Германией продолжалась. Траурные объявления не сходили с полос газет. «Никогда я не была ханжой, — вспоминала Плевицкая, — но во время всеобщего траура душа не желала ничего, кроме молитв. И когда песня благо, я несла ее в госпитали и на благотворительные концерты. На один из них привела Клюева... Старомодные старушки зашевелились, зашептались, стали вскидывать лорнетки на поддевку и голенищи Клюева.

— Чтобы не пугать их, — сказал мне Клюев о старушках, — я больше в салон не пойду».

Несомненно, Клюев прислушался к некоторым советам Есенина, но его путь в литературе выбрать не мог. На вечере, куда он был приглашен Плевицкой, присутствовал митрополит Владимир, убитый потом в Киеве, в Печерской лавре, министр Шварц, писатель Лодыженский... Клюев с большим успехом читал свои стихи, слушая которые «плакал хорошими слезами Андрей Иванович Шингирев» — член Государственной думы нескольких созывов, затем министр Временного правительства, поэт-любитель, понимающий толк в стихах. Плевицкая включает стихи Клюева в свои мемуары:

> *Покойные солдатские душеньки*
> *Подымаются с поля убойного,*
> *Из-под кустья они малой мошкою,*
> *По-над кустьем же мглой столбовитою*
> *В Божьих воздухах синью мерещатся,*
> *Подают голоса лебединые.*
> *Словно с озером гуси отлетные,*
> *Со Святорусской сторонкой прощаются...*

Эти стихи были близки состоянию души Плевицкой, она не случайно приветила Клюева и не случайно засомневалась в искренности Есенина, о котором Иван Алексеевич Бунин позже писал: «Нет, уж лучше Маяковский! Тот, по крайней мене, рассказывая о своей поездке в Америку, просто «крыл» ее, не говоря подлых слов «о мучительной тоске» за океаном, о слезах при виде березок». А оказавшийся с Плевицкой в эмиграции поэт Владимир Ходасевич рассказывал, что у Есенина в числе прочих способов обольщать девиц был и такой: он предлагал намеченной им девице посмотреть расстрелы в Чека, — я, мол, для вас могу устроить это. Плевицкая читала статью Ходасевича в парижских «Современных записках»: «Власть Чека покровительствовала той банде, которой Есенин был окружен. Она была полезна большевикам, как вносящая сумятицу и безобразие в русскую литературу...» Плевицкая подумала тогда: «И не только в литературу. Но я пела свои песни, пока могла, пока было можно».

Именно поэтому Надежда Васильевна старается поведать в своих мемуарах о славных деятелях искусства, с которыми общалась в России. Вспоминает Кисловодск, дачу профессора Анфимова, где за чайным столом собирались М. Г. Савина, орловский помещик, литератор и член Государственной думы М. А. Стахович, профессор Симановский и другие гости, имена которых позабыла. «Я сидела в уголке и слушала умных людей... Вспоминали дебют Савиной на императорской сцене. Стахович, тогда еще юноша, очарованный ею, писал ей стихи и осыпал актрису цветами.

— Я и сейчас в нее влюблен, — шепнул мне Стахович.

И впрямь, в нее было можно влюбиться. Она была так оживлена и моложава, так обаятельно проста, что я решилась спросить, сколько ей лет.

— Да я и скрывать не собираюсь. Мне шестьдесят три года, — рассмеялась Мария Гавриловна, — но, когда я говорю так, мне не верят. «Врет, ей семьдесят три», — обязательно десяток прибавят. Ох уж эти люди!..

Разговор коснулся литературы. Стахович рассказал историю появления на свет известного романса Фета «Сияла ночь, луной был полон сад». На даче у Толстого в Ясной Поляне гостили Стахович, Фет с женою и Тургенев, только что помирившийся с Львом Николаевичем. В усадьбе любили сумерничать. Дочь Толстого играла и пела. После одного такого вечера Фет рано ушел к себе наверх. А утром за кофе Авдотья Петровна, его жена, сказала:

— А Афанасий Афанасьевич что-то писали.

— Ничего я не писал.

— Нет, писали. На столе лежит, на синенькой бумажке написано.

Тогда молодежь, в том числе и Миша Стахович, побежали наверх, принесли синенькую бумажку и стали читать вслух: «Сияла ночь, луной был полон сад». Когда дошли до слов «прошли года томительно и скучно», все как-то сконфузились, вспомнив, как некрасива была Авдотья Петровна: любовь поэта была одна мечта. В это время Толстой и Тургенев прогуливались по саду и мирно беседовали...»

Пропажа чемоданчика с драгоценностями ненамного подорвала состояние Плевицкой. Она давно собиралась построить дачу-усадьбу, и непременно на родине — в Винникове. В одном из интервью она проговорилась об этом и стала получать многочисленные предложения подрядчиков из Москвы, Петербурга, с Кавказа и из Крыма. В конце концов она все-таки остановилась на родном селе и купила любимый ею с детства Мороскин лес.

Хотела построить солидный пятистенный дом. Для этого пригласила давнего друга инженера Корде-Сысоева.

— Ведь вы в первую очередь русская певица, а не помещица, — заметил он Плевицкой.

— Пусть так, но какое это имеет отношение к постройке дома? — удивилась она.

— Прямое! — выпалил инженер. — Не дом вам нужно возводить, а сказочный терем!

— Сказочный? — улыбнулась певица. — А жить в тереме будет можно?

Корде-Сысоев засмеялся:

— Как в сказке! Я сам спроектирую терем. Вы мне доверяете?

— Ладно, проектируйте, стройте, — согласилась Плевицкая и вдруг погрустнела: — Еще посадите невдалеке от терема голубые елочки. Они живут долго. И меня переживут...

— Да вы что, дорогая Надежда Васильевна, — неужто о кончине задумались? В ваши-то годы!

— Ни о чем я таком не думаю, — спокойно возразила Плевицкая, — но елочки посадите непременно.

Плевицкая хотела построить дом, удобный для отдыха. Вопросы отдыха непосредственно касались ее творчества. Она уставала безмерно, потому что безмерной была ее душевная и, как следствие, физическая отдача в каждом концерте, в каждой песне. Обычно артист, даже хороший, использует на сцене несколько штампов — освоенных приемов исполнения роли. Последовательница Плевицкой — выдающаяся русская певица Лидия Русланова признавалась, что в одном из романсов произносила слово «навеки», — а речь шла о порушенной любви, — с точно таким же нажимом и чувством, как Плевицкая, и зритель глубоко сопереживал героям песни. У Плевицкой штампов не было. Каждую песню она исполняла как бы заново, внося в пение новые оттенки и интонации. А это требует неимоверных физических затрат.

Поясню на собственном примере. Концертная работа несколько раз сводила меня с изумительным артистом Валентином Гафтом... Услышав меня первый раз, он заметил мне, и в довольно резкой форме, что я напичкан штампами, что я должен исполнять свои номера не трафаретно, а вводя в них новые краски. Я последовал совету артиста, но лишь частично, а однажды в Набережных Челнах в присутствии комиссии Министерства культуры РСФСР весь свой концерт провел на самой высокой душевной ноте, стараясь каждый рассказ или монолог прочитать в новом ракурсе. Успех был больше обычного, но я настолько выложился и устал, что на следующем концерте уже еле шевелил губами.

Можно представить, сколько нервной энергии оставляла на сцене Плевицкая, сколько теряла в весе, и поэтому ездила восстанавливать здоровье и в Кисловодск, и на юг Франции, и в родное Винниково, которое, выражаясь современным языком, намечала сделать постоянной «базой» своего отдыха, где могли бы собираться ее друзья для интересного общения.

Хозяйка винниковской усадьбы приглашает к себе целую съемочную киногруппу. Летом 1915 и 1916 годов кинорежиссер В. Г. Гардин снимает здесь два фильма — «Крик жизни» и «Власть тьмы». В главной роли — Плевицкая. Показательно, что Гардин выбирает для съемок не театральную актрису, а певицу. В немом кино очень важны выразительная внешность, мимика, жесты исполнителя, а всем этим блистательно владела Плевицкая. Гардин писал:

«Дом Плевицкой деревянный, построен в русском стиле. Здесь чисто, уютно. Актеры довольны приемом. Хозяйка любит петь. Она совершенно не заинтересовалась сценарием. А может, сделала вид, так как внимательно его прочитала. Ее можно было уговорить разыграть любую сцену без всякой связи с предыдущей. Наверное, держала в уме сценарий и в каждой сцене не упустила нить действа. Это свойственно талантливым людям, которым все дается сразу. Работала с увлечением».

Кино — новый жанр искусства, но актерская одаренность и сценический опыт певицы позволяют ей быстро войти в кинороль, а что-либо творить без увлечения она вообще не может. После выхода фильма «Крик жизни» в прокат журнал «Прожектор» поместил рецензию об игре актрисы: «Надежда Васильевна Плевицкая с большим мастерством нарисовала нам образ женщины-крестьянки, которой в силу живого темперамента было тесно жить в деревенской среде около своего богатого, но интеллектуально ограниченного мужа. И стоило появиться на ее горизонте барина, поманившего к новой жизни, как она решительно порвала с мужем. Но судьба не прощает столь резкие повороты в ее течении, и при первом упреке любовника в «деревенщине» обиженная героиня понимает, что мнившееся ей счастье порушено».

Автор сюжета фильма в какой-то мере предвосхитил дальнейшую судьбу самой актрисы.

Кинокартина «Власть тьмы» вышла на экран 18 мая 1917 года, по сюжету являлась логическим продолжением первого фильма, и в 1918 году оба фильма были перемонтированы в один под названием «Агафья».

В записной книжке Александра Блока есть свидетельство о том, что Плевицкая была снята в кинокартине «Молодой Ольштанский барин» — фильме о хлыстах — своеобразном отклике о жизни Распутина.

Где-то в архивах Госфильмофонда, закрытых до сих пор, наверное, сохранились копии этих картин, и мы могли бы увидеть, узнать актрису Плевицкую и не только по пластинкам и воспоминаниям представить себе более полно образ этой великой актрисы. Фильмы были далеки от политики и демонстрировались на экранах даже тогда, когда «дикий грозный ветер» перевернул устоявшиеся понятия жизни с ног на голову.

Глава тринадцатая

Дикий ветер

Надежда Васильевна впервые почувствовала, что под ее ногами становится неспокойной, зыбкой земля, когда узнала об отречении от престола Николая II. Она еще до февраля 1917 года заказала художнику Репину портрет царя, но получить его не смогла из-за начавшейся разрухи на транспорте, неразберихи в почтовом ведомстве, даже путаницы в ценности разного рода валюты: не платить же великому художнику «керенками» — низкими по стоимости деньгами.

Пылали жандармские участки. Поддерживавшие Временное правительство офицеры, еще недавно опора и надежда престола, вкалывали в петлицы красные банты. Зрители восторженно приветствовали Шаляпина, когда он пел «Марсельезу» или «Блоху», усматривая в ней издевательство над королями, над царем: «Жил-был король когда-то, при нем блоха жила... Ха-ха-ха-ха! Ха-ха-ха-ха!» И вдруг вспомнили, что однажды «Шаляпин пел перед царем на коленях». Певец оправдывался:

«А как же мне было не стать на колени? Был бенефис императорского оперного театра, вот хор и решил обратиться на высочайшее имя с просьбой о прибавлении жалованья, воспользоваться присутствием царя на спектакле и стать перед ним на колени. И обратился, и стал. И что же мне, тоже певшему среди хора, было делать? Я никак не ожидал этого коленопреклонения, как вдруг вижу: весь хор точно косой скосило на сцене, все оказались на коленях, протягивая руки к царской ложе. Что же мне было делать? Одному торчать над всем хором телеграфным столбом? Ведь это же был бы форменный скандал!»

Левая пресса считала это объяснение малоубедительным, огрызалась на «придворную» певицу Плевицкую, прислужницу, «хвалительницу» монарха. Надежда Васильевна не отвечала на оскорбительные статьи в свой адрес, не принимала интервьюеров, осаждавших ее подъезд. Хотела поехать в Винниково, переждать там смутное время, но в одной из газет прочитала о земельных беспорядках в стране, и в частности в Курской губернии, о самозахвате крестьянами помещичьих земель, о поджоге усадеб и осталась в Москве. От публичных концертов отказывалась, выступала лишь на благотворительных вечерах, сбор от которых шел в пользу русских воинов, продолжавших войну с Германией. С радостью узнала о таком концерте Рахманинова в Большом театре. Сбор составил свыше пяти тысяч рублей, и все деньги, до последней копейки, пианист передал военному ведомству. Если бы ей разрешили петь в Большом театре, то она посвятила бы свой концерт памяти Владимира Шангина и других храбрых воинов, отдавших свои жизни за Отечество. Она не была монархисткой, вообще не принадлежала ни к какой партии и ни в чем не осуждала царя, чье внимание ей было и лестно, и вселяло в нее вдохновение. Она и после отхода царя от власти говорила о нем восторженно и благоговейно, но лишь близким людям, круг которых редел не по дням, а по часам. До Собинова не добраться, не дозвониться. В июне 1917 года к нему обращается Театр Московского совета рабочих депутатов с просьбой быть у них комиссаром, и он соглашается.

Плевицкая, переодевшись в простое платье и надев на голову сельский платок, все же пробивается к певцу на прием. Увидев ее и улыбнувшись через силу, Собинов наклоняется к ней:

— Раз закрыта казенная сцена, то, не теряя времени, надо идти путем, который открывается за границей. Время бежит, а голос — вещь хрупкая и скоропроходящая.

— Все... Оставить... Московскую квартиру, дом в Винникове... — растерянно говорит Плевицкая.

— Мне легче... Я гол как сокол. Не скопил толком ничего. Мне служить надо в театре. Черт знает что может произойти после выборов в Учредительное собрание, — вздыхает Собинов, — может, вместо желанного гражданского спокойствия начнут хватать людей за шиворот. Говорят, бабы в деревнях в письмах с фронта получают от мужиков наказ голосовать за большевиков.

— Так они же за поражение в войне! — восклицает Плевицкая. — А как же наше обязательство перед союзниками?!

— Тише, Надюша. Ты не на сцене, — просит ее Собинов.

— Да, — соглашается Плевицкая, — я не на сцене... А мое место там. Я чувствую свою ненужность... Мои песни не нужны революции.

— Не драматизируй ситуацию. У меня тоже в репертуаре не Иван Сусанин, а Лоэнгрин. Время тревожное. Революционных опер пока нет. Заменили название оперы «Жизнь за царя» на «Ивана Сусанина». И ты придумай что-либо подобное, — предлагает Собинов.

— Спасибо за совет. Я подумаю, — благодарит его Плевицкая, — но русские песни любил не один царь... Да, я пела лично для него. Три-четыре раза. А другие концерты, более сотни, кому пела?

Она уходит от Собинова в смятенных чувствах, вспоминает свой последний приезд в Винниково, хмурые взгляды поденщиц, которых она наняла на прополку огорода. Чем она провинилась перед ними? Тем, что богато одета, построила особняк? Так ведь на заработанные деньги! Разве на эксплуатации нажилась? Разве виновата в том, что репетировала до устали, что

Бог наградил ее голосом чудотворным, делающим людей чище и лучше? Ее пугает толпа, скопище озверелых лиц и развевающийся над ними лозунг: «Мир — хижинам, война — дворцам!» Значит, если признают ее особняк в Винникове дворцом, то она станет для этой толпы врагом. О том, что радовала сердца этой толпы своими песнями, моментально забудут. Коротка людская память о делах добрых...

Наступает весна 1917 года. Плевицкая встречает на Поварской улице Ивана Алексеевича Бунина. Он не раз сидел в зале на ее концертах. У нее с ним общая любовь к деревне. Она читала его рассказы и знает об этом. Плевицкая приветливо и почтительно поздоровалась с писателем.

— Ах, Надежда Васильевна, не думал вас встретить здесь. Очень приятно видеть вас в здравии. Наверное, как и я, ждете открытия Учредительного собрания? Возможно, зря ждем. Порядок уже вряд ли установится.

— А вдруг установится, Иван Алексеевич? — говорит Плевицкая.

— Вы хотели добавить — «чем черт не шутит». Но, как женщина, родившаяся в деревне, чертыхаться не любите, я это знаю, — улыбается Бунин, — а чертыхнуться бы не мешало. Поскольку не в сторону порядка и законности, увы, движется наша жизнь. Я сейчас иду из Михайловского театра, где был с Шаляпиным по приглашению Горького, который держал там какую-то речь о какой-то Академии свободных наук. Вышли мы с Шаляпиным за кулисы, и вслед за нами какой-то человек появляется и говорит, что зал требует Шаляпина на сцену, желает послушать его пение. На днях Ленин, их новоявленный вождь, приехал в Петроград, вот они и распоясались, уверены, что им все позволено, что им никто не откажет. М-да...

— А что же Федор Иванович? — спросила Плевицкая.

— Молодцом выглядел. «Я не пожарный, чтобы лезть на крышу по первому требованию. Так и объявите в зале», — сказал он человеку, а мне заметил: «Вот, брат, какое дело: и петь нельзя, и не петь нельзя, — ведь в свое время вспомнят, на фонаре повесят, черти. А все-таки петь я не стану».

— И не стал? — испуганно произнесла Плевицкая.

— Не стал, хотя храбрости в последнее время поубавил, но отказал твердо. Вы-то что поделываете, Надежда Васильевна? Да чего я спрашиваю? Не то теперь время, чтобы от людей требовать более того, что они могут. В одно верить хочется, что мы с вами выживем в мясорубке, которая скоро может случиться... Я вас не пугаю, а предупреждаю. Берегите себя, Надежда Васильевна! Вы не только курский, но и всенародный соловей! До встречи! — откланялся Бунин.

Учредительное собрание открылось, но было разогнано большевиками. В Москве загремели выстрелы, взрывы. Оставшиеся верными Временному правительству юнкера, курсанты школы прапорщиков и другие военные части отчаянно отстреливались от большевиков, надеясь на подмогу, но тщетно. Кольцо осады сужалось, и после десяти дней кровопролитных боев власть в Москве полностью перешла к большевикам. Плевицкая с ужасом смотрела из окна своей квартиры на громыхавшие по мостовой телеги с трупами офицеров. Лошади тащились тихо, и везли они самых лучших еще в недавнем прошлом, самых восторженных слушателей певицы.

Плевицкая покидает Москву. Хочет вернуть уверенность в себе. А это можно сделать только на сцене. Новый импресарио везет ее на юг, где дешевле продукты, где они еще есть. Но власть там меняется с калейдоскопической быстротой. И не случайно потом появится байка о композиторах братьях Покрасс, которые пели в ресторане свою песню «Мы белые кавалеристы, и про нас былинники речистые ведут рассказ», а после появления в городе Красной Армии запели: «Мы красные кавалеристы...» Шутливая выдумка, но похожая на правду.

При быстротечной смене властей приходили в растерянность даже крепкие и твердые характером мужчины. Плевицкая оказывается на территории, занятой большевиками, в родном Курске. Поет для красноармейцев. Они внимательно слушают певицу и так же внимательно разглядывают ее концертный костюм, пытаются на глаз определить, какими каменьями украшен он — драгоценными или фальшивыми. Из зала раздается крик: «Буржуйка!» Плевицкая вздрагивает. Зрители вооружены. В зале возникает спор. Кто-то говорит, что, мол, она наша, из курской деревни, кто-то утверждает, что она царская прихвостница. Певица бледнеет, от страха у нее замирает сердце, но со сцены она не уходит.

Шум постепенно стихает. Концерт продолжается. Аплодисменты звучат вперемежку со свистом. И тут у Плевицкой сдают нервы, она хочет во что бы то ни стало заполучить безоговорочный успех у этой публики и заканчивает концерт песней с цыганской подтанцовкой, как когда-то делала в кафешантане. В этом ее упрекали и Собинов, и театральные критики, считая проявлением дурного вкуса. Но сейчас именно эта подтанцовка возвращает ей расположение зала, аплодисменты звучат дружнее. «Давай еще!» — требует зритель, и, кажется, именно тот, кто освистывал ее. Она, как обычно, как прежде, пыталась найти в зале умное благородное лицо и ему адресовать свои песни, с ним вести задушевный песенный разговор, но ни на ком не могла остановить свой взгляд. Так и пела всем и никому. И даже забыла, что выступает в когда-то любимом зале Дворянского собрания. И зал-то узнать трудно. Шторы с окон сорваны, на полу грязь от солдатских сапог, окурки от самокруток, обрывки бумаги, к загаженному туалету противно подойти. После окончания концерта Плевицкая ждала, что закроется занавес, красивый бархатный занавес, от которого веяло теплотой и надежностью бытия, но занавеса не оказалось.

— Где занавес? — поинтересовалась она у красноармейца, стоящего на посту у кулис.

— Реквизирован на нужды революции! — бодро и гордо доложил красноармеец.

Она, опасливо оглядываясь, покинула зал и просила импресарио идти рядом. Шла, почти не поднимая глаз. Заметила, что наглухо закрыты ставни в доме купца Гладкова, где она когда-то служила прислугой. У гостиницы «Европейская» снуют красноармейцы. Видимо, расположили там свой штаб. Стены монастыря посерели, а кованные ворота его раскрыты настежь, и ветер гуляет по пустому монастырскому дворику, вороша пожухлые листья.

Импресарио оказался на редкость оптимистичным человеком.

— Мы еще с вами заработаем, вы еще кассу соберете, Надежда Васильевна, — говорил он певице. — Слава Богу, вас еще не забыли. Одесса не против ваших концертов. Поедем в Одессу? — И сам решил: — Поедем!

Она соглашалась, так как без концертов жизнь ей казалась бесконечно унылой. Выходя на сцену, она не часто, но видела горящие глаза своих прежних почитателей, но ее поражало, что вели они себя робко и не столь бурно, как прежде, выражали свои чувства, словно подчинялись массе в основном примитивных зрителей, многие из которых вообще впервые оказывались на концерте, совершая обозначенный в распорядке дня культпоход.

В Одессе после одного из концертов на выходе ее встретил молодой мужчина в кожанке, подпоясанной пулеметной лентой.

— Вы свободны! — грозно и нагловато заметил он импресарио. — О Надежде Васильевне позабочусь я!

— Как же собираетесь проявить свою заботу? — удивилась она.

— А вот так! — залихватски обхватил он ее за талию. — Со мною не пропадешь!

Она не убрала его руку, и он еще крепче прижал певицу к себе. Она настолько испугалась его, что боялась отстранить от себя.

— Мы про вас все знаем! — с угрозой в голосе произнес он. — Почему вы не спрашиваете, кто мы? Думаете, что какая-то матросня? Да? Мы — секретно-политический отдел Одесского ЧК! — с гордостью продолжал он. — Мы не допустим вражеских вылазок против советской власти! Никому! Вам предоставлена возможность петь для победившего пролетариата! И я, Дмитрий Шульга, я лично, если понадобится, подтвержу, что вы покончили с буржуйским прошлым и с радостью готовы отдать себя делу рабочего класса! Готовы, Надежда Васильевна Плевицкая? — строго, словно на допросе, процедил он сквозь зубы. — Чего молчите? Готовы?!

— Готова, — еле прошептала она, объятая страхом, который, казалось, проник в каждую клеточку ее тела.

Она не помнила, куда привел он ее. Свет не зажигал, посадил на кровать и приказал:

— Раздевайся!

Она в ответ не шелохнулась.

— Ну что же, барыня? Поможем! — осклабился он и стал резкими уверенными движениями снимать с нее платье, нижнее белье.

— Тьфу, панталоны! — выругался он и жадно набросился на нее, терзая грудь, тяжело дыша, умиротворял свою плоть, а затем примирительно произнес: — Ты не думай. Если чего, я и расписаться с тобой могу. Я такой...

Он встал, закурил, а ее начал бить озноб.

— Не трепыхайся, — заметил он ей. — Теперь ты со мной. Теперь тебя никто не тронет. Ну, как новая власть? Хуже прежней? А? Чего молчишь? — усмехнулся он и снова стиснул ее в объятиях.

Шульга проводил ее на следующий концерт, вел чинно, держа под руку, гордо задрав подбородок, иногда бросал знакомым: — Это — Плевицкая! Сама!

И она вдруг почувствовала, что покоряется его животной силе, что после встречи с ним впервые не нервничает, не опасается за свою жизнь. И он стал добр к ней, не столь груб, как в день знакомства.

— Моя жена! — однажды, лежа рядом на кровати, сладостно вымолвил он. — Моя жена! — и вдруг повысил голос: — Моя?!

— Твоя, — тихо, безропотно ответила она.

Он отсутствовал трое суток. Она набралась смелости и позвонила в ЧК.

— Он занят. Кто его спрашивает? — поинтересовался дежурный. Она тихо положила трубку.

Шульга вернулся на четвертые сутки, грязный, заросший щетиной, на одежде его выделялись крупные бурые пятна.

— Кровь? — догадалась она.

— Буржуйская, — зло признался он, — более сотни в расход пустили. За одного нашего.

— Что случилось?! — испуганно расширила глаза Плевицкая.

— Да, было дело, — нехотя вымолвил Шульга. — Одного нашего из ЧК стрельнули гады.

— Кто именно?

— Разве узнаешь? Когда вокруг еще полно буржуйской сволочи. Но у нас порядок — за одного нашего пускаем в расход не менее сотни заложников из буржуев. Артистов особо не трогаем. Не бойся. Берем всяких... Кто попадется... Торговцев, профессоров, врачей, адвокатов, гимназистов и, конечно, бывших офицеров, даже одного генерала прихватили... Старый коняга... не ходит... Так мы его под лопатки и до леса дотащили... Не сразу сотню набрали... Отработали чисто... Всех добили, до одного... Патронов на этих сволочей не жалко... Один офицер оказался чересчур живучим. Я его с третьего раза, но доконал, мерзавца, пока тот не закатил к небу глаза. Помыться бы надо. Отпариться. Пойди, Надька, вскипяти воду. Набери в чан. Чего стоишь? Обомлела, что ли? Ишь, губы дрожат. Своих стало жалко? Я смотрю — все-таки в тебе буржуйская кровь еще играет. А ну, бегом к колодцу... Ты не думай, что если со мной... Гадюка...

Плевицкая не помнила, как выбежала из дома Шульги, как разыскала импресарио, как они сначала уговорили извозчика увезти их подальше от города, а потом — хозяина шхуны... Потратили почти все деньги.

В сознании Плевицкой не могла уместиться новая реальность, упорно продолжала звучать мысль: «Я — вне политики. Я пою для всех». Импресарио ей доказывал, что надо пробиваться к своим, к тем, кто против большевиков.

Она не спорила с ним, но, когда встретила краскома Юрия Левицкого, сына генерала, под началом которого воевал Шангин, то не задумалась о том, как он стал красным командиром, потому что он проявил к ней уважение и внимание, а этого хватило, чтобы принять его ухаживание.

Импресарио только пожал плечами, когда ночью Плевицкая не пришла в гостиницу, в свой номер, — не ругаться же с нею по этому поводу, не терять же гастролершу, весьма зрелую женщину, которая вправе без его советов устраивать личную жизнь. Он не понимал, что ей, как никогда прежде, нужно сейчас разобраться в том, что происходит в стране, творится с ее душою, лишившейся покоя. «Дикий ветер», о котором она позже писала в мемуарах, разметал ее мысли, привычные понятия, и она, гонимая этим ветром, блуждала среди белого дня, будто путник в потемках, и готова была ухватиться за что-либо или кого-либо, что помогло бы ей обрести прежнюю устойчивость и уверенность в себе. Юный Левицкий, молодой юноша из приличной семьи, которую она знала, показался ей тем человеком, кому можно смело и слепо доверить свою жизнь. Вот как описывает его хорошая знакомая Плевицкой Евдокия Андреевна Евдокимова: «Однажды на улице Чикинской мы были у нее на квартире, в каком-то богатом двухэтажном доме. Пришли в гости мы неожиданно, она в это время принимала ванну. Встретил нас ее муж — Левицкий, высокий интересный молодой человек. Показался он мне совсем юным...»

То ли желание найти опору в смутное и шаткое время, то ли молодость и красота краскома пленили Плевицкую, а его — ее известность и довольно крупное состояние, ведь она была намного старше его, но брак они заключили вскоре после знакомства, хотя при условии их перехода с территории красных в расположение белых свидетельство о браке теряло всякую силу.

Приятельница Плевицкой пишет о тех днях, когда Плевицкая с мужем оказались в плену у белых, но были быстро выпущены на свободу и, мало того, мужу вернули звание поручика и включили в состав 1-го корпуса Добровольческой армии, а жену стали приглашать на концерты для солдат и офицеров, которые ее боготворили. Успех на выступлениях возвращал Плевицкой веру в то, что вернется прошлое время и жизнь потечет по привычной колее. Но, обманувшись с Шульгой, она стала внимательнее присматриваться к новоиспеченному мужу, подумала, что он странно, без всякого сопротивления и, на ее взгляд, даже умышленно сдался белым. Сила тогда была на их стороне, деникинские войска наступали, и успешно, заняли Харьков, Воронеж, Орел, ее родной Курск...

Она подумала, что Левицкий, если попадет к красным, то с не меньшим усердием снова будет служить им, и ей придется петь для красноармейцев, людей разноликих, глядящих на нее и как на любимую певицу, и как на буржуйку.

«Такова моя судьба, — решила Плевицкая и не осуждала себя за брак с бывшим краскомом. — И там, среди красных, тоже есть добрые люди, мои зрители, — рассуждала она, — толпа страшна, но только не тогда, когда я на сцене. Мои песни делают людей чище, лучше, я смогу жить и у красных, пусть с меньшими удобствами, но смогу, для меня главное — петь для людей».

Жаль, что с нею рядом не было Ивана Алексеевича Бунина, он разъяснил бы ей, что творится в стране, в ее душе. Она верила ему безраздельно. В то же время, находясь в Одессе, Бунин пытался вразумить молодого и талантливого поэта и художника Максимилиана Волошина, который «загорелся рвением украшать город» к 1 мая 1919 года. Потом Бунин вспоминал об этом:

«Я не раз предупреждал Волошина: не бегайте к большевикам, они ведь отлично знают, с кем вы были еще вчера. Болтает в ответ:

«Искусство вне времени, вне политики, я буду участвовать в украшении только как поэт и художник». — «В украшении чего? Собственной виселицы?» — Все-таки побежал. А на другой день в «Известиях»: «К нам лезет Волошин, всякая сволочь теперь спешит примазаться к нам...»

Да, Бунин тогда находился недалеко от Плевицкой, но не рядом с нею. А то, возможно, вразумил бы ее, навсегда, на всю жизнь, что большевикам требовалась «фабрикация людей с материалистическим мышлением, с материалистическими чувствами», а для этой фабрикации требовалось все наиболее важное ему, Ленину, и всем его соратникам и наследникам: «...стереть с лица земли и оплевать все прошлое, все, что считалось прекрасным в этом прошлом, разжечь самое опасное богохульство — ненависть к религии, зверскую классовую ненависть, перешагнуть все пределы в беспримерно похабном самохвальстве и проявлении РКП, неустанно воспевать «вождей», их палачей и опричников...»

Рядом был Левицкий. Она вспоминала, что еще до их замужества к нему пришла, видимо брошенная им, женщина и стала едко упрекать его: «Какой же ты красный командир, если к каждой бабе под юбку лезешь?! Что к молодой, что к старой? Что к свободной, что к замужней? Хрен собачий!» Вспомнила об этом потому, что узнала о его изменах, что один офицер даже вызвал его на дуэль, заподозрив в приставании к своей жене.

— Юра, мне неприятно слышать о том, что ты волочишься за женщинами, — однажды заметила ему Плевицкая.

— Болтают, — поморщился он.

— Слишком много. Дыму без огня не бывает.

— Ну и что? Я молод и красив! — вдруг с вызовом произнес он.

— Ты — изменник! — впервые позволила она себе резкость в отношении мужа.

— А ты... Ты... Ты — деревенщина! Забыла, с кем разговариваешь?! — обдал он ее холодным и презрительным взглядом.

Сердце заколотилось от обиды, задрожали губы... Она хотела ему сказать, кто она, какие люди считали за честь общаться с нею, но сдержалась и ушла, не сказав ни слова. Не успела перевезти свои вещи из общего номера, как гул орудий потряс тишину. В городе началась паника. Тачанка с красным флагом, разметая пыль, пронеслась по улице. А на следующий день красноармейцы начали облавы в городе. Заглянули в гостиницу.

— Это певица-буржуйка, — радостно потирая руки, узнал ее немолодой красноармеец в шапке с красным околышем, — царя ублажала и всех его холуев! Арестовать и не спускать глаз со шпионки!

— А может, того... К стенке — и конец, — предложил краснощекий красноармеец.

— Погоди. Что скажет начальство. Голосина у нее больно сильный. Можа, сперва послушать захотят.

Плевицкая оглянулась, ища глазами мужа, но его и след простыл. Ее посадили на телегу и вместе с другими пленными повезли в Фатеж, что неподалеку от Курска. Мимо телеги на взмыленном жеребце проскакал красный командир и бросил вознице:

— Дальше пути нет. Нарвались на засаду. Если что, кончать пленных... Без разбора...

Небо вспыхнуло от орудийных выстрелов. Возница перекрестился и побежал назад, в сторону от разгоравшегося боя.

На следующий день командир наступающих корниловцев доложил генералу, что во время боя под Фатежем его солдатами отбита у красных и спасена от расстрела группа людей. Среди них известная певица Надежда Васильевна Плевицкая.

— О! — воскликнул Корнилов. — Вы спасли для России великую певицу! Благодарю вас, Скоблин. Берегите ее!

Глава четырнадцатая

Побег из России

Это была одна из вселенских трагедий. Под страхом смерти люди в панике бежали на чужбину, покидая родную землю, все, что было им дорого с детства, все, что было нажито их кропотливым трудом и деятельностью предков, оставляя без присмотра их могилы. Сохранилась картина неизвестного художника, изображающая посадку беженцев на один из кораблей, отправляющихся из Ялты в Турцию. Лица отъезжающих искажены страхом и отчаянием. Идет настоящий штурм корабля, на котором гарантируется спасение от большевистской пули. Людьми забиты не только палубы, но и лестницы корабля, любое свободное место.

Красные близко. Ожесточенные бои у Перекопа и Салькова задержали продвижение Красной Армии и тем самым обеспечили эвакуацию русских беженцев из Новороссийска, Евпатории, Севастополя, Ялты, Феодосии...

Командующий большевистским южным фронтом М. В. Фрунзе 11 ноября 1920 года посылает радиограмму генералу Врангелю:

«В виду явной бесполезности дальнейшего сопротивления... предлагаю вам сдаться со всеми войсками армии и флота, военными запасами, снаряжением, вооружением и всякого рода военным имуществом».

Тем, кто сложит оружие, была обещана амнистия, а не желающим работать с советской властью гарантировалась «возможность беспрепятственного выезда за границу при условии отказа под честное слово от дальнейшей борьбы против Рабоче-крестьянской России». Генерал Врангель проигнорировал голословные обещания Фрунзе и через несколько лет так описывал эти события:

> «Наша радиостанция приняла советское радио. Красное командование предлагало мне сдачу, гарантируя жизнь и неприкосновенность всему высшему составу армии и всем положившим оружие. Я приказал закрыть все радиостанции, за исключением одной, обслуживаемой офицерами».

Врангелевцам удалось мобилизовать в крымских портах целую армаду разных судов — от дредноутов до баркасов и парусников (по одним данным — 126 судов, по другим — 137, по третьим — 170), перевезших в Турцию свыше 150 тысяч русских изгнанников. Но провести отъезд организованно и планомерно не удалось. Слишком велика была паника от угрозы очутиться в руках большевиков. Бросалось войсковое имущество, склады, бронепоезда, артиллерия, танки, даже оставлялись госпитали с ранеными в надежде, что их защитит международный Красный Крест.

Берлинская эмигрантская газета «Руль» писала, что «во время этой эвакуации число покончивших с собой и бросившихся в море не поддается учету. Для многих пребывание на кораблях оказалось настоящей пыткой. На некоторых судах, рассчитанных на 600 человек, находилось до трех тысяч пассажиров... Шесть дней многие должны были провести стоя, если не имели возможность присесть». Не хватало хлеба, воды. Люди задыхались от тесноты, ночами замерзали от холода. Кое-кто сходил с ума, но не столько от физических лишений, сколько от осознания, что навеки покидает родину, что его отрывают от того, с чем он слился воедино, будучи уверен, что не сможет жить вне родины.

Это была чудовищная человеческая катастрофа. Генерал Скоблин, как мог, старался облегчить Плевицкой вынужденное и тяжелейшее морское путешествие к берегам Константинополя. Уже тогда среди офицеров обсуждались ошибки Белого движения, военачальники обвиняли в них друг друга. Бывший посол Временного правительства в Париже, крупный адвокат и друг А. Ф. Керенского Василий Маклаков сравнивал ход исторических событий с шахматной партией: «Если вы шахматист, то должны знать, что иная шахматная партия бывает проиграна безнадежно ходов за 30 до мата. С нами произошло то же самое. Ошибки и нерешительность Александра II, незаконченность его реформ, внутреннее противоречие между ними и его политикой сделали революцию неизбежной... Можно было бы избежать фатального конца, если бы правительство вовремя овладело процессами внутри страны, но оно не сумело этого сделать и на ошибки противника отвечало еще большими ошибками, и получалась даже не шахматная игра, а игра в поддавки...»

Будучи преданным другом Керенского, ценя его очень высоко как личность, Маклаков умалчивает о том, что тот не арестовал Ленина, хотя и располагал документами о получении Лениным денег от немцев.

Споры спорами, но, наученные горьким опытом своих ошибок, руководители Белого движения проявили расторопность и усердие, чтобы спасти и обустроить жизнь оставшихся частей. Все эвакуированные воины были сведены в три корпуса и размещены в лагерях на Галлипольском полуострове, на острове Лемнос и в районе Чаталджи (50 км от Константинополя).

Галлиполия в переводе на русский язык означает «голое место». Здесь и оказались Скоблин и Плевицкая. Палатки устанавливались на пустынной, лишенной растительности земле, зимой здесь царили холод и ветра, летом донимал зной. Врангель принимал все меры к тому, чтобы укрепить дисциплину в своих войсках. «Дисциплина в армии должна быть поставлена на высоту, которая требуется воинскими уставами...» — выступил он перед своими подчиненными. И до эвакуации из Крыма Врангель предупредил всех, оставляющих пределы отечества, о невозможности рассчитывать на чью-либо серьезную помощь на чужбине, о нелегкой судьбе, ожидающей их там. Тем не менее его корабли доставили в Турцию, помимо военных, 20 тысяч женщин и 7 тысяч детей.

В Галлиполии солдаты продолжали военные учения, открылась русская православная церковь, школа, гимназия... С трудом, при большой нехватке хорошего питания, одежды, несмотря на скученность людей и болезни, все-таки постепенно налаживалась жизнь. Стала выходить газета «Константинополец».

Скоблин всячески угождал Плевицкой, добился для нее комнаты в доме, предназначенном для военной элиты. Бытовые условия в доме были минимальными, но казались там благом. Плевицкую не обрадовало новоселье. Мысли и чувства ее вернулись к Шангину. Она считала, что потеряла свое счастье навеки, и вообще оно, счастье, может быть в жизни единственным. Скоблин вел себя неназойливо, проявляя о Плевицкой всевозможную заботу. Он организовал для нее концерты для низших чинов и офицеров. Она была искренне благодарна ему за возвращение на сцену, а он радовался этому и перед сослуживцами гордился знакомством с известной певицей. Офицеры язвили в его адрес, называли Плевицким и кандидатом в подкаблучники. Это не смущало Скоблина. Он был на пятнадцать лет моложе Плевицкой, совсем невысокого роста, не считал себя завидным женихом и долгое время довольствовался только вниманием певицы. Она сама решила его и свою судьбу, однажды пригласив на чай.

— Я вижу, Коля, что ты чуток ко мне, спас меня от расстрела...

— Чего вспоминать, Надежда Васильевна, это был мой долг.

— Все равно, Коля... Я этого не забуду... И здесь ты всячески помогаешь мне. Это тоже твой долг?

— Да! — выпалил Скоблин. — Долг сердца!

— А если попроще... Без громких слов, — улыбнулась Плевицкая. — Ты любишь меня, Коля? Я ведь тоже привыкла к тебе. Скучаю, когда не вижу долго...

Лицо Скоблина от смущения и радости залилось румянцем:

— Буду счастлив, Надежда Васильевна! Каждый час с вами — великая радость! Честное слово! — И он встал перед ней на колени, склонив голову.

Минуту она молчала, потом сказала:

— Ну что ж, Коля, свела нас с тобою судьба. Ближе, чем ты, у меня никого нет. Есть где-то сестры, брат... Так что, Коля, объявляй друзьям о нашей свадьбе, если душа просит!

— Надежда Васильевна! — засиял Скоблин — и радостный вышел из комнаты, поспешив к друзьям поделиться своим счастьем.

В июне 1921 года в Галлиполии, в узком кругу старших офицеров Корниловского полка состоялось бракосочетание Надежды Васильевны Плевицкой и командира полка генерала Николая Васильевича Скоблина. К Плевицкой обратился его адъютант капитан Корецкий: «Приняли мы вас, Надежда Васильевна, в нашу полковую семью. Будьте отныне нам матерью-командиршей! И благослови вас Бог!»

Посаженным отцом новобрачных стал генерал Александр Павлович Кутепов. Родился он в Череповце, гимназию окончил в Архангельске, юнкерское училище — в Петербурге. Краткие сведения о нем приводила парижская газета «Русская мысль»:

«Сын скромного лесничего, молодой подпоручик Александр Павлович Кутепов во время русско-японской войны за боевые заслуги был переведен в лейб-гвардии Преображенский полк. Будучи три раза ранен на германском фронте, сражаясь в этом полку, Кутепов стал последним его командиром в 1917 году».

В дни Февральской революции, находясь в отпуске, он очутился в Петрограде. Горели полицейские участки, раскрывались двери тюрем, выпуская политических заключенных, несмолкаемое «ура» перекатывалось из района в район. Командующий Петроградским военным округом генерал Кабалов поставил Кутепова во главе отряда из тысячи человек, собранных из запасных батальонов, и поручил ему очистить от восставших Литейный проспект. Проявив незаурядную личную смелость и умело организовав действия отряда, Кутепов успешно проводил порученную ему операцию. Но к концу дня 27 февраля отряд оказался изолированным от других частей округа и потерял связь со штабом. Тогда Кутепов разрешил своим солдатам укрыться в здании миссии Красного Креста. Не успевшие это сделать смешались с нахлынувшей толпой. Кутепов и еще несколько офицеров отряда пробились сквозь окружение.

Александр Исаевич Солженицын, изучив архивные документы того времени и свидетельства очевидцев, посвятил действиям отряда Кутепова несколько глав в третьей части эпопеи «Красное колесо» — «Март Семнадцатого» и пришел к выводу, что Кутепову удалось тогда сделать «немного, но если бы из тысяч офицеров, находящихся тут, еще хотя бы сто сделали по столько же, то никакая революция не произошла бы».

В декабре 1917 года Кутепов вступил в Добровольческую армию и стал командиром третьей роты 1-го офицерского полка. Его смелость и умелые действия отметило начальство. В марте 1918 года генерал Лавр Георгиевич Корнилов назначает Кутепова командиром ударного полка, а в генералы его произвел Антон Иванович Деникин. Кутепов со своей дивизией берет Новороссийск и становится его генерал-губернатором.

Большевиков он считает врагами родины и ведет с ними жестокую борьбу. Будучи уже командиром 1-го армейского корпуса, выбивает красные части из Курска и Орла. В сентябре 1920 года Врангель назначает его командующим 1-го армейского корпуса, с которым он высаживается на покрытое лужами поле Галлипольского полуострова. И буквально на голом месте сначала вырастает палаточный городок, потом поселок. Среди солдат высадившейся части не ослабевает воинская дисциплина. (Подробнее о Кутепове и Врангеле говорится в архиве, в 134 делах, переданных вдовой Врангеля Гуверовскому институту революции, войны и мира в Станфорде. — *В. С.*)

Кутепов оказал честь великой русской певице и коллеге генералу, придя на их бракосочетание. Он помнил, каким успехом пользовалась Плевицкая у царского двора, у военных, знал о ее медсестринской службе в армии, сражавшейся с немцами под Ковно, и высоко ценил ее как личность. И Плевицкая знала со слов жениха о героическом военном пути Кутепова.

Новобрачные получают от Кутепова в подарок одну из лучших палаток, позднее переселяются в дом. Забывается мучительное морское путешествие, легче переносятся тяготы быта. И Плевицкая, и Скоблин чувствуют искреннюю заботу о себе умного и деятельного командующего, но тем не менее Николай Васильевич с горечью наблюдает за тем, что его жена не живет привычной жизнью, а просто старается выжить.

— Ничего, Надя, скоро уедем отсюда, — успокаивает он жену, — все наладится, все будет как прежде.

— Нет, — качает она головой, — не будет Мороскина леса, моего дома, о котором я мечтала и который построила. Многого чего не вернешь, — вздыхает она.

— А вдруг? Как в сказке? В сказке с хорошим концом? — загадочно произносит Скоблин.

— У сказки плохого конца не бывает, но сказка — она и остается несбыточной, — стоит на своем Плевицкая.

Скоблин молчит, хотя своим загадочным видом показывает, что не согласен с нею. Он знает, что между Врангелем и командиром французского оккупационного корпуса на Ближнем Востоке заключено соглашение о вербовке русских солдат в специальный легион: «Умеющие ездить верхом могут быть отправлены во французскую армию, ведущую операцию в Киликии». Скоблин договорился с капитаном Архиповым, уезжавшим в Марсель для подписания пятилетнего контракта с французами, о быстрейшем, по возможности, сообщении от него о положении дел.

В письме Архипов чистосердечно признается другу: «Отношение к русским настолько хамское, что едва хватает сил удержаться... Кормят настолько плохо, что даже вспоминаю Галлиполию».

Скоблин разочарован, но продолжает искать пути к улучшению жизни жены, приводит к ней молодого офицера Ивана Булгакова (младшего брата писателя Михаила Булгакова. — *В. С.*), напечатавшего неплохие стихи в первом номере местного журнала «Константинополец».

— Стихи хорошие, задушевные, — заключает Плевицкая, — но не песенные, на музыку не положишь. Но вы пишите, юноша. Когда человек занят делом, творчеством, появляется смысл в его жизни. Я сейчас мало пою. Скучаю без сцены, без своих зрителей. Но вот Коля говорит, что скоро нас переведут в Болгарию или Сербию. Свыше двух миллионов русских осядут в Европе. Будет для кого писать стихи и петь песни, — грустно улыбается Плевицкая.

— Мой брат Николай собирается поступить в Белградский университет, на биологический факультет, — говорит Булгаков. — Если позволят обстоятельства...

— А сейчас он кто, офицер? — интересуется Скоблин.

— Поручик. Верный родине офицер. Это мы с ним вместе выложили здесь камнями надпись: «Только смерть может избавить тебя от выполнения долга».

Довольный его словами Скоблин извиняется перед супругой:

— Прости, милая, мы уходим. Я спешу в часть. Готовимся к смотру.

Скоблин не бравировал своей верностью воинскому долгу. В Галлиполии и на Лемносе сохранились, хотя и в неполном составе, дивизии, полки, батальоны, батареи, эскадроны и даже военные училища. Продолжалось производство из юнкеров в офицеры. В поле шли тактические учения и двухсторонние маневры. В программу занятий с солдатами входили штыковой бой, самоокапывание, изучение уставов. Каждый день начинался и заканчивался молитвой: «Господи Иисусе Христе, Сыне Бога Живого, Творче неба и земли, Спасителю мира, се аз, недостойный и паче всех грешнейший, смиренно колена сердца моего перед славою величества Твоего преклонив, воспеваю Крест и страдания Твоя. И благодарение Тебе, Царю всех и Богу, приношу, яко благоизволил еси вся труды и всякие беды, напасти и мучения, яко человек, понести, да всем нам во всяких печалях, нуждах и озлоблениях сострадающей Помощник и Спаситель будеши...»

Неистово молилась Надежда Васильевна и, умиротворенная, не засыпала, пока не приходил с полевых учений муж. Она грезила о сцене и на первом же концерте, после того как Врангель перевел свое воинство в Болгарию и Сербию, пела столь вдохновенно, что вскинулся перед нею громадного роста солдат с ярко горящими глазами, подхватил на руки и усадил на свое плечо, словно отец любимую дочку.

— Откуда ты, солдат?

— Калужские мы! — широко улыбнулся солдат, осторожно опустил на пол певицу, и она, глядя ему в глаза, запела протяжно и привольно: «По старой Калужской дороге...»

Зрители, многие со слезами на глазах, бурно приветствовали Плевицкую, исполнившую эту песню на бис.

27 ноября 1921 года полк корниловцев перебазировался в Болгарию на турецком пароходе «Ак Дениз» в летние казарменные лагеря болгарской армии. Зимовка здесь оказалась не менее, если не более, трудным испытанием, чем в Галлиполии. Не хватало одежды, обуви, продуктов. Скоблин разрешил своим подчиненным устраиваться на работу, так как многим офицерам было трудно содержать свои семьи. Тем не менее полк сохранился как боевая единица, офицеры находили время для занятий военной подготовкой.

Бывшие офицеры стали образовывать трудовые артели, которые подряжались на строительные работы, рубку леса, в шахты... Общее число белоэмигрантов в Болгарии к концу 1922 года достигло 40 тысяч человек. По соглашению представителя Врангеля в Болгарии генерала Вязьмитинова с начальником штаба болгарской армии полковником Топалджиковым за врангелевцами было оставлено право ношения военной формы, сохранения уклада военных частей и казарменного порядка. Сам Врангель обосновался в Югославии, куда переселились 11 тысяч казаков. На их устройство бывший российский посол в США Б. А. Бахметев перевел 400 тысяч долларов.

Однако большинство белоэмигрантов испытывало жестокую нужду, и взгляды некоторых из них обратились в сторону большевиков. Одной из крупных фигур, переметнувшихся к ним, стал бывший командир корпуса врангелевской армии Я. А. Слащёв. Другой генерал армии Врангеля А. А. фон Лампе в своем подробном дневнике отметил: «Сомнений нет, генерал

Слащёв прельстился предложением большевиков, человек, зарекомендовавший себя, как их активный противник. Или это человек случайно приставший к белой стороне России, или понимающий глубже нас...» Фон Лампе не дает окончательного ответа. Возможно, на этот поступок Слащёва подвигла наступающая нужда и ощущаемая им бесперспективность будущего.

Надежда Васильевна намекнула мужу на то, что этот генерал был амнистирован большевиками и ему дали работу.

Скоблин нахмурился и решительно заявил:

— Пойми, Надя. Мне, лично мне, помилования у большевиков не видать.

Он не исключил возможности предательства им Белого движения. Его лишь смутило, что ему, Скоблину, нечего рассчитывать в совдепии на судьбу Слащёва.

Полк Скоблина постепенно терял прежние суть и очертания. Многие из его солдат стали шахтерами, офицеры осваивали профессии таксистов, портье, дворников...

Генерал Скоблин всячески старался сохранить свой полк, и на это у него уходили все силы.

1 сентября 1924 года Врангель объявил о преобразовании Белой армии в Русский общевоинский союз (РОВС), фактически освободив Скоблина от командных обязанностей. Теперь все внимание он уделяет возобновлению концертов жены. За год до создания РОВСа ему иногда удавалось сопровождать ее в гастролях, большей частью по Болгарии, а теперь и по всей Европе. Русскоязычных зрителей — а к русским относились и украинцы, и белорусы, и грузины, и евреи, и армяне, и азербайджанцы, и бывшие жители Средней Азии — скопилось в Европе предостаточно. Через Константинополь проследовали 300 тысяч эмигрантов, осевших, помимо Турции, в балканских странах, Чехословакии, Франции. Другой поток белой эмиграции

проходил через Польшу и далее направлялся в Германию, Францию, Бельгию.

К середине 1921 года только в Польше насчитывалось 200 тысяч русских, в то же время в Германии их было около 600 тысяч, во Франции — 460, немногим менее в Финляндии и прибалтийских государствах. В Китай устремились остатки войск армии Колчака, генерала Каппеля, атамана Семенова... В Маньчжурии в двадцатые годы жило более 100 тысяч русских, в том числе люди, еще до революции поселившиеся в полосе отторжения КВЖД. Постоянно возрастало число русских эмигрантов в Южной Америке, США и Канаде. Бывший министр иностранных дел Временного правительства и профессор истории Московского университета Павел Николаевич Милюков в 1924 году насчитал около 30 государств, где появились и осели русские эмигранты — всего более двух миллионов.

Поле концертной деятельности для Плевицкой расширялось.

«В сезонах 1923—1925 годов, — писала пресса, — Н. В. Плевицкая метеором промчалась по эстрадам Прибалтики и Польши. Везде ей сопутствовал громадный успех и восхищение зрителей».

Прага, Берлин, Белград и снова Берлин — и всюду бурный прием. Плевицкая для эмигрантов — это олицетворение России, которую они только что потеряли и которая возвращалась к ним хотя бы на пару часов. 29 марта 1923 года в берлинском зале имени Бетховена Плевицкая впервые исполнила песню «Замело тебя снегом, Россия». Что значила эта песня, ставшая заглавной в репертуаре певицы, можно в какой-то мере уяснить из воспоминаний писателя А. С. Афанасьева: «Плевицкая вышла на сцену в русском сарафане, по-деревенски склонила голову, подперев щеку пальчиками, и замерла на мгновение... А потом запела:

Замело тебя снегом, Россия,
Запушило седою пургой,
И холодные ветры степные
Панихиды поют над тобой.

В публике раздались откровенные неуемные вопли. Впрочем, ей тоже хотелось плакать, и лишь усилием воли она сдержала рыдания».

Надежда Васильевна была потрясена влиянием песни на зрителей и сама была на редкость взволнована. И зрители, и она впервые столь сильно прочувствовали разлуку с родиной, где они вели достойную жизнь. Вспомнились дорожные мытарства, обиды на чужбине. Чем люди заслужили такую судьбу? Крики, вопли и стоны зрителей во время исполнения этой песни были отзвуком постигшей их трагедии, боли и щемящей душу тоски. Трудно было после этой песни исполнять другую, но и на бис ее петь было нельзя — некоторые зрители могли просто не пережить второго потрясения.

Кто был автором слов этой песни? Кто написал музыку? Об этом нигде не упоминается. Может быть, ее сочинил новый аккомпаниатор Плевицкой молодой музыкант Кручинин? Может быть, слова ее принес певице кто-нибудь из зрителей, не исключено, что кто-либо из бывших офицеров, многие из которых занимались в юности стихосложением. (Во время Второй мировой войны к Клавдии Ивановне Шульженко зашел за кулисы офицер с текстом песни «Синий платочек», ставшей эпохальной в творчестве певицы. — *В. С.*) Даже если песня была написана для Плевицкой профессиональными авторами, то показательно, что их имена не только не афишировались, но и вообще неизвестны.

Это можно объяснить тем, что вслед за русскими эмигрантами в страны их проживания хлынул нелегальный поток советских чекистов. Они наводнили основные центры эмиграции — Париж и Берлин — с целью наблюдения за антисоветской деятельностью эмигрантов, и в первую очередь для устранения руководителей Русского общевоинского союза, который, по их же мнению, представлял непосредственную угрозу для республики Советов. В разработку действий чекистов попадают генерал Скоблин и его жена певица, недвусмысленно говорящая со сцен всей Европы о том, по чьей вине «замело тебя снегом, Россия, запушило седою пургой, и холодные ветры степные панихиды поют над тобой».

Глава пятнадцатая

※━◆❀◆━※

Сети вербовки

Надежда Васильевна не любила называть себя эмигранткой, она говорила: «Я не эмигрантка, я — изгнанница». И по-человечески ее можно было понять. Неприятно, когда власти страны, приютившей иностранца, относятся к нему не как к своему гражданину, а как к кому-то едва ли не временному или навязанному им. Более горделиво и естественно звучит слово «изгнанник», то есть не по своей воле оказавшийся здесь. Но нет такого термина «изгнанник» ни в политической жизни, ни в философии. Более точно по этому поводу высказался Иван Алексеевич Бунин в речи «Миссия русской эмиграции», произнесенной в Берлине 16 февраля 1924 года и 3 апреля напечатанной там же, в газете «Руль»:

«Мы эмигранты, — слово «émigrer» к нам подходит как нельзя более. Мы в огромном большинстве своем не изгнанники, а именно эмигранты, то есть люди, добровольно покинувшие родину. Миссия же наша связана с причинами, в силу которых мы покинули ее. Эти причины, в сущности, сводятся к одному, к тому, что мы так или иначе не приняли жизни, воцарившейся с некоторых пор в России, были в том или ином не согласны в той или иной борьбе с этой жизнью и, убедившись, что дальнейшее сопротивление наше грозит нам лишь бесплодной, бессмысленной гибелью, ушли на чужбину».

Надежда Васильевна несколько раз прочитала эту речь, отметила место, где Бунин приводит слова Писания: «Вот выйдут семь коров тощих и пожрут семь коров тучных, сами же оттого не станут тучнее... Вот темнота покроет землю и мрак — народы... И лицо поколения будет собачье...» Плевицкая вздрогнула, вспомнив искаженные злобой полубезумные лица в толпе. А другое место в речи, где писатель рассказывал о «тех забавах, которым предавались в одном местечке красноармейцы, как они убили однажды какого-то старика (по их подозрению, богатого), жившего в своей хибарке совсем одиноко с одной худой собачонкой... Как ужасно металась и выла эта собачонка вокруг трупа и какую ненависть обрела после этого ко всем красноармейцам: лишь только завидит вдали красноармейскую шинель, тотчас же вихрем несется, захлебываясь от яростного лая». Надежда Васильевна вспомнила своего старого и доброго аккомпаниатора Александра Михайловича Зарему-Розенвассера. Он рассказывал ей, как после погрома и избиения до смерти его матери, уже и так не встававшей с кровати, металась и выла от горя ее собачка-дворняжка и как потом бросалась на погромщиков.

— Все когда-нибудь кончается, и хорошее, и плохое, — многозначительно произнес он, прощаясь со своей гастролершей, — мне пора на покой, поеду в свое местечко, ближе к могиле родителей. Не обессудьте, Надежда Васильевна, но я уже забываю ноты, и растяжка пальцев стала не та. Мы с вами иногда бранились, но, кажется, искренне уважали друг друга. Простите, если что не так.

Надежда Васильевна почувствовала, что теряет очень близкого ей, талантливого друга, с которым делила и радости и трудности; и такого, как он, больше не будет в ее жизни.

— Оставайтесь, Александр Михайлович. Как-нибудь еще поработаем, — предложила она.

— Как-нибудь? Нет! — покачал он головой. — Для музыканта уйти с работы лучше на год раньше, чем на день позже. И мне пора... Я вижу... Спасибо вам.

И денег дали подзаработать. С голоду не умру. Домик у меня остался в местечке. Заведу собачку. Не очень скучно будет. И буду вспоминать, с какими людьми благодаря вам встречался. С царем! Помните, он похвалил мою игру? У меня однажды спросил знакомый из местечка: что бы я делал, если бы стал царем? Я ответил, что еще подрабатывал бы как музыкант. Скажите, Надежда Васильевна, а большевики не припомнят нам выступления перед буржуями? Я боюсь, что стану для них тоже кем-нибудь вроде «буржуйской морды».

Плевицкая тогда перевела их разговор в шутку, а потом, читая Бунина, подумала, что на самом деле судьба Заремы может оказаться незавидной. Жив ли он сейчас?

Плевицкая не раз утверждала, что «она — вне политики, поет для всех», но политика, независимо от ее настроения, все-таки входила в повседневную жизнь. Поэтому и появилась в ее репертуаре первая политическая песня. Но и в песне, а позже в мемуарах она не называла своими именами виновников падения России, как это делал Бунин: «Выродок, нравственный идиот от рождения, Ленин явил миру в самый разгар своей деятельности нечто чудовищное, потрясающее: он разорил величайшую в мире страну и убил несколько миллионов человек — и все-таки мир уже настолько сошел с ума, что среди бела дня спорят — благодетель он человечества или нет». Плевицкая была осторожна, в России остался Зарема, ее брат, сестра. Чтобы не привлекать к себе особое внимание большевиков, она старалась в своем творчестве придать им завуалированный и к тому же в какой-то степени поэтический образ «дикого ветра», «грозы» или «седой пурги».

«Я пою для всех», — говорила она и пела до поры до времени белым солдатам и красноармейцам, пытаясь как бы помирить их при помощи русской песни, одинаково близкой всем россиянам. Но, с точки зрения большевиков, то, что нравилось самодержцу и его приверженцам, не подходило строителям новой жизни, и она это ощутила, выступая перед красноармейцами, часть которых косо и подозрительно смотрели на певицу-буржуйку, на ее красивое концертное платье, на украшения.

Выступая в лучших залах Европы, Плевицкая душою оставалась в Мороскином лесу, в своем добротном тереме. Благосостояние ее улучшилось, она останавливалась в отелях, в хороших номерах, пользовалась косметикой, столь необходимой актрисе, даже смогла освободить мужа от устройства своих выступлений, доверив административную работу импресарио Виктору Боркову, хорошо знавшему концертное дело. Он организовывает в Берлине, в знаменитом зале Блютнера три концерта Плевицкой.

Эмигрантская газета «Руль» восхищенно похвалила певицу. После одного из этих концертов Плевицкая и Скоблин знакомятся с четой Эйтингонов. Милые интеллигентные люди родом тоже из России, из Могилева. Марк Яковлевич Эйтингон — известный в Германии врач-психиатр, ученик Зигмунда Фрейда, потом его соратник, друг принцессы Марии Бонапарт, обаятельный и респектабельный человек, вызвал расположение Плевицкой и Скоблина не только искренним восхищением мастерства актрисы, но и своей демократичностью, учтивостью и немалой эрудицией. Между семьями завязывается дружба. Марк Яковлевич не скрывает источник своего состояния, рассказывает, что отец был весьма богатым человеком, основал госпиталь в Лейпциге, успел до революции перевести деньги в Германию и оставил своим сыновьям в наследство двадцать миллионов марок.

— У вас есть братья, — замечает Плевицкая.

— Один, — как бы между прочим говорит Эйтингон, — он остался в России, а я эмигрировал сразу после революции.

— У меня тоже в России брат и сестра, — со вздохом произносит Плевицкая, — думаю, как им помочь.

— Где живут? Как зовут их? — уточняет Эйтингон.

Плевицкая удивлена его дотошностью, но на вопросы отвечает. В свою очередь решает проявить интерес к брату Эйтингона.

— Вы помогаете брату? — спрашивает она.

— Наум окончил коммерческое училище, наши пути с ним разошлись, я — врач, он — коммерсант, — улыбается Эйтингон.

— Не очень понятно, что он сделал со своими десятью миллионами в России? — вступает в разговор Скоблин. — Боюсь, что лишился денежек. Большевики с богатыми людьми не церемонятся. Где он сейчас?

— Не знаю, наши пути разошлись, я уже говорил об этом, — нервно теребил полы шляпы Эйтингон. — Здесь мне все нравится. У меня научная работа. И русская культура, на которой мы воспитаны, здесь, здесь лучшие ее представители — певцы, художники, писатели, музыканты... Кстати, в Германии на заводе Вестингауза работает молодой ученый-физик Тимошенко. Его труды по прикладной механике и сопротивлению материалов уже сейчас получили признание во всем мире. Тимошенко ждет блестящее будущее. В Праге обосновался русский хор Архангельского. Сто двадцать человек! Звучит великолепно! Генерал Шкуро организовал труппу казаков-джигитов. Мы с женою видели их выступление на ипподроме в Париже. Артисты в черкесках алого и белого цветов, папахах, бешметах, виртуозные номера — незабываемое зрелище. Мечтаем послушать бостонский оркестр с Кусевицким. У нас в Берлине шутят, что русских издательств больше, чем писателей. Приглашаем вас в литературное кафе на Курфюрстендам. Там бывает занявшийся сочинительством генерал Краснов. Читает отрывки из своего романа

«От двуглавого орла к красному знамени». Весьма забавно. Бунин, Куприн, Бальмонт, Ремизов, Зайцев, Мережковский и Гиппиус.

— Мы не чувствуем себя оторванными от русской культуры, — дополняет Эйтингона его жена. — Сегодня слушали ваш чудесный концерт. Как бы побывали в России. Спасибо, Надежда Васильевна!

— Побывали и вернулись в Берлин, — не без иронии замечает Скоблин. Плевицкая потом журила мужа: «Ведь они такие же изгнанники, как и мы, а ты над ними посмеялся. По-моему, чудесные приятные люди!»

— У них все есть, наследство, хорошо оплачиваемая работа, русская культура под боком. Им не надо заботиться о хлебе насущном, как приходилось нам еще совсем недавно, — сказал Скоблин. — Хотя действительно приятные и, видимо, добрые люди. Будем дружить с ними. Я совсем не против. Но что-то меня смущает в их чересчур радостном восприятии жизни.

— Им здесь хорошо. Они никогда не вернутся в Россию и, по-моему, не жалеют об этом, — согласилась с мужем Плевицкая. — А у меня не выходят из памяти винниковские луга, леса, летний восход солнца, который я наблюдала в купальне у своей соседки Рышковой. Тебе будет смешно, Коля, но мне не хватает даже этой соседки. Я тебе рассказывала о ней. Я завидовала ее опрятной и красивой одежде, умению музицировать, тому, что она много читает. Я старалась подражать ей и, может, благодаря этому потянулась к искусству. Первый концерт с Собиновым, первое выступление перед царем... Волнение и радость, захлестывающие сознание до опьянения. Это было там и, увы, никогда не повторится.

— Ничего, — улыбается Скоблин, — у нас теперь есть Эйтингоны — не самый худший вариант...

— Не самый, — соглашается с ним Плевицкая и грустнеет.

Они часто встречаются с Эйтингонами, обедают у них, в милых беседах проводят вечера и весьма удивлены, когда на одном из них возникает брат Марка — Наум. Хмурый молодой человек, но разговорчивый и очень любопытный. Плевицкой неудобно спросить у жены Эйтингона, что он делает в Берлине.

— Хочу здесь освоиться, — говорит Наум, — узнать, как живет эмиграция.

Он засыпает гостей вопросами о том, кто из известных эмигрантов бывал на концертах Плевицкой и в каких городах. Удачно ли проходят инспекции Скоблина, не потеряли ли русские офицеры воинских навыков, не собирается ли кто-нибудь из них вернуться в Россию... Вопросы кажутся странными, но не настолько, чтобы не отвечать на них. Ни певица, ни ее муж не могли знать, что Наум, относясь к партии эсеров, к левой ее части, после победы революции перешел к большевикам. Сначала работал в Гомельской городской управе, а затем в губпродкоме, проводил продразверстку и подавлял «кулацкий саботаж».

С мая 1920 года Наум Эйтингон — уполномоченный Особого отдела местной ЧК, а затем заместитель ее председателя. В октябре 1921 года был тяжело ранен при аресте крупного промышленника, оказавшего сопротивление. После выхода из госпиталя — член коллегии Башкирского отдела ОГПУ. Руководил ликвидацией «националистических бандформирований», после чего был переведен в Москву, в Восточный отдел ОГПУ, одновременно начал учиться в Военной академии. Осенью 1923 года Наума и других слушателей академии послали в Германию для помощи «назревающей» там революции. Но в Германии революция «не прижилась», и будущих красных командиров возвращают обратно, кроме Наума Эйтингона и еще нескольких человек, оставленных для ведения нелегальной работы. Его появлением в Берлине смущен брат. Зная суровый характер Наума, готового при необходимости уничтожить даже родного человека, он идет у него на поводу и знакомит с Плевицкой и ее супругом.

Они постепенно попадают в сети советского разведчика. Как это тогда происходило с другими, нужными чекистам эмигрантами, я узнал случайно. В конце девяностых годов я выступал в одной из организаций московской интеллигенции. Там ко мне подошла выглядевшая бодро пожилая женщина, ее узкие глазки так и буравили меня. «Я хотела бы поговорить с вами, рассказать вам нечто особенное, — предложила она. — Судя по тематике ваших произведений, моя история вас заинтересует». Я назначил ей встречу у себя дома. Она пришла в назначенное время, было видно, что женщина волнуется. «Можете записывать за мною, — разрешила она, — но при одном условии — не называть моего имени и моего шефа, известного советского разведчика, завербовавшего меня в Париже. Еще живы его сыновья, и они могут отомстить мне, прочитав мой рассказ». Я видел, что ее решение поведать мне правду о своей жизни далось ей нелегко. Что подвигло ее на это? Уходящие годы и желание оставить о себе след в литературе или желание хотя бы как-то отомстить человеку, поломавшему ее жизнь? Возможно, и то и другое. По просьбе гостьи в ее рассказе я поменял ряд имен.

Итак, Ирма Доннер, назовем ее так, родилась в городе Черновцы, входящем тогда в Австро-Венгрию, и после окончания гимназии поехала учиться в Париж, в знаменитую Сорбонну. Вскоре туда приезжает подруга ее детства Лиза Розенштадт, молодая волевая женщина из разряда красавиц, которых называют роковыми. Она находится замужем за советским разведчиком, нашедшим себе в Париже надежную «крышу» под именем дяди Васи. Лиза знакомит с мужем Ирму, не подозревающую о том, что он советский разведчик. Ирма рассказывает ему о своем бедственном положении, о том, что родители не помогают ей и она еле-еле сводит концы с концами. У нее одно платье. Вечером она стирает его, утром, едва высохшее, надевает и идет в университет. Сразу после занятий направляется в библиотеку, а оттуда — в кафе, где подрабатывает официанткой.

Дядя Вася, улыбчивый, компанейский мужчина, выслушав Ирму, сразу накрывает стол, чтобы поднять ее настроение. Он вообще любитель шуток и застолья, и Ирме не приходит в голову, что скрывается за его гостеприимством. Смущает Ирму лишь его грубый солдатский юмор. Дядя Вася сокрушенно качает головой, слушая Ирму, но тут же находит для нее выход из нелегкого положения. Не объясняя сути дела, он предлагает ей выполнять мелкие поручения: куда-то что-то отнести, кому-то что-то передать, сделать вырезки из газет на определенную тему и об определенных людях. Работа пустяковая, но будет оплачиваться хорошо.

Ирма в восторге от этого предложения. Высокая, стройная семнадцатилетняя девушка страдает от того, что ходит в одном платье, что у нее нет времени развлечься, просто погулять по Парижу. У дяди Васи настолько доброжелательное и располагающее к себе лицо, что Ирма даже не задумывается о надобности и цели его поручений. У нее одна мечта — закончить Сорбонну. И теперь, получая деньги от дяди Васи за мелкие услуги, она бросает работу официантки.

— В чем выражались мелкие услуги? — прерываю я рассказ гостьи.

— Ну, к примеру, передать письмо или записку кому-либо.

— Кому? Уточните, — прошу я.

— Давно было, — задумывается гостья, — всех не упомнишь. Но что-то передавала русской певице, гремевшей тогда в Париже.

— В каком году?

— В 1930-м. (Плевицкая с мужем уже тогда жили во Франции. — *В. С.*)

— Она иногда отвечала на записки дяди Васи. Я относила ему ее ответ.

— А мужа ее помните?

— Нет. Только певица осталась в памяти. Смотрела на меня то с упреком, то с жалостью. Однажды дядя Вася вместе со своим симпатичным другом, кажется Этьеном, просили меня уговорить Льва Седова покататься на яхте. Но я была неопытна в таких женских делах и просьбу не смогла выполнить. (Лев Седов — сын Льва Троцкого, оба считались первыми врагами Сталина. Седов выпускал антисталинский «Бюллетень оппозиции». Этьен — советский разведчик Марк Зборовский. Он, видимо, хотел заманить Седова на яхту и инсценировать его гибель в море. Позднее, войдя в доверие к сыну Троцкого, уговорил его лечь в больницу, где тот умер при странных обстоятельствах. — *В. С.*)

— Просьбу не выполнили. Значит, лишились денег? — спросил я.

— Все было сложнее, — бледнеет гостья, вспоминая пережитое. — Неожиданно дядя Вася исчез. Проходит неделя, вторая, третья... И телефон подруги молчит. Кончились деньги. Я буквально голодаю. Место в кафе, где я работала, уже занято. Не идти же на панель. Я даже не могла просто по-дружески отужинать с кем-либо из мужчин, которым нравилась. Дядя Вася категорически запретил мне знакомиться с кем-либо без его разрешения. И когда голод стал буквально невыносимым, до полной слабости, и я от головокружения упала на улице, рядом со мною оказался дядя Вася, внешне невозмутимый. Стал объяснять, что закрутился в делах, тут же предложил мне пойти обедать с ним. Я начинаю понимать, что вовлечена в нечистое дело, что мой «благодетель» не случайно пропадал целый месяц, а наблюдал за моим поведением, проверял, выдержу ли я трудное испытание и не обращусь ли за помощью к кому-либо, что он мне напрочь запретил, и еще хуже — не расскажу ли полиции о том, что он мне поручал. Я была вынуждена вновь взять у него деньги. Я хотела во что бы то ни стало закончить Сорбонну. Дядя Вася остался доволен моим поведением. Начал откровенный разговор. Сказал, что я работаю на советскую разведку, что об этом никто не узнает и меня не выгонят из университета. Я была поражена этим откровением, расстроилась от того, что влипла в грязную историю, но учение подходило к концу, сбывалась мечта...

Тут моя гостья сделала паузу... Прерву и я ее рассказ. Тем более что Плевицкая и Скоблин были завербованы по очень похожему сценарию.

Наум Эйтингон мило болтал с супругами, пришедшими в гости к брату, и, когда тот вышел из комнаты, как бы невзначай заметил:

— Нам повезло, что мы встретились, и не без пользы друг для друга.

Плевицкая недоуменно посмотрела на московского Эйтингона, а он продолжал:

— Неужели не почувствовали улучшения своей жизни, у вас неплохой, на мой взгляд даже баснословный, заработок. А ведь вы жили весьма худо, пока не подружились с Марком.

— Он чудесный человек, но при чем здесь мой заработок? — вскинула брови Плевицкая.

— Очень даже при чем.

— Деньги мне платил импресарио. На концертах был аншлаг, — возразила Плевицкая.

— Все так, — согласился Наум Эйтингон, — но билеты были дешевые. Я не умаляю вашего таланта. Но большинство эмигрантов люди бедные. Чтобы они заполнили зал, нужно было сбавить цену на билеты. Доплачивал вам мой братец. Из моих денег. Я оставил ему свое наследство. Он и в дальнейшем сможет помогать вам. Он действительно чудесный человек, но и я в некотором роде участвую в его чудесах. Ваш импресарио с удовольствием принимает нашу помощь.

Скоблин покраснел, догадываясь, зачем Эйтингон задавал ему вопросы о его инспекционных поездках по военным организациям белых. Эйтингон прочитал мысли Скоблина и доброжелательно улыбнулся:

— Вы сообщали мне пустяки, генерал, но не скрою — важные для меня и для страны, которую я представляю. — Неожиданно он посуровел: — Не сомневаюсь, что в общих интересах это останется между нами и мы сможем сотрудничать дальше. Мы с братом поможем вам поехать в Америку. Интересная страна. Меня и того человека, который там выйдет на вас, будут интересовать только мелочи. Поверьте мне, — внезапно расплылся в улыбке Эйтингон. В комнату вернулся его брат с женой, неся подносы с бутылками вина и фруктами.

— Божоле! — радостно произнес Наум. — Прекрасное вино! С кислинкой, но легко пьется. Выпьем за нашу дружбу!

Тосты следовали один за другим. Больше говорили Эйтингоны. Обескураженные услышанным, Плевицкая и Скоблин машинально потягивали вино, кивали головами, поддерживая тосты. В душе Плевицкой поначалу возникшее чувство протеста против грубого вмешательства Эйтингонов в ее жизнь постепенно гасло при мыслях о поездке в Америку и, вероятно, других открывавшихся перед нею заманчивых возможностях.

— В Америку поехать хорошо. А я, знаете, о чем мечтаю? — сказала Плевицкая. — Вам покажется смешным. Но я мечтаю увидеть свое Винниково...

— Во-первых, уже не ваше, — вновь посуровел Наум Эйтингон. — А во-вторых, все зависит от вас! — опять улыбнулся он, на этот раз и доброжелательно и загадочно. — У вас остались родственники в России.

Попробуйте переслать им посылки. Думаю, что дойдут до адресатов.

Через год Наум Эйтингон покинул Францию и вернулся в Москву, на Лубянку. Здесь его повысили и перевели в ИНО (иностранный отдел) ОГПУ. Отсюда его послали в Китай, где под видом служащего он работал резидентом в Харбине. Затем были Турция, Греция, Бельгия, Испания... Там началась гражданская война, и Эйтингон успешно ликвидировал «крамолу» в рядах республиканцев, засылая диверсионные группы в тыл Франко, а после его прихода к власти пытался развить там партизанское движение. И время от времени — и довольно регулярно — наезжал в Париж.

Николай Владимирович Скоблин упорно двигался к руководству РОВСа. Представлял ли РОВС действительную угрозу для советской страны? Рассеянные по миру остатки добровольческой армии даже с большой натяжкой нельзя было рассматривать как непосредственную опасность, хотя бы ввиду их малочисленности. Если в 1920 году под началом РОВСа было 100 тысяч солдат и офицеров, то в 1930 году — уже только 40 тысяч. При этом офицеры считали себя находящимися на военной службе, хотя давно уже работали таксистами или дворниками и лишь вечерами и в воскресные дни проходили переподготовку. Бывший царский сановник, один из организаторов столыпинской земельной реформы В. И. Гурко открыто признал, выступая на эмигрантском «Русском съезде», что уже невозможно вернуть землю бывшим собственникам. В РОВСе надеялись на то, что если в России вспыхнет народное восстание, то оставшаяся белая гвардия поддержит его. Надежда была на первый взгляд вполне обоснованной. Недовольство политикой большевиков, грабительской продразверсткой выразили крестьяне, войдя в боевые отряды бывшего Тамбовского милиционера Антонова, а также матросы Кронштадта, выступившие за Советы без большевиков, но оба эти, по существу, мятежа не нашли поддержку всей страны, окутанной сетью чекистов и обманутой обещанием светлого будущего, и были жестоко подавлены.

Члены РОВСа сохранили структуру и организацию Добровольческой армии, но старели и теряли веру в победу своего движения. В 1932 году советскому писателю и публицисту Михаилу Кольцову удалось инкогнито, под видом французского журналиста побывать в штабе РОВСа в Париже, на улице Колизее. О своих впечатлениях он потом рассказал в небольшом очерке.

> «В помещениях Кольцов обнаружил особый запах — «кисловатый, с отдушкой аниса, сургуча и пыли», на полках расставлены книги, папки с делами, лежат какие-то бумаги, на стенах висят портреты Николая II, великого князя Николая Николаевича, Колчака, Врангеля... Благообразные седеющие господа — секретари штаба, по-видимому в чине полковников, перекладывают на столах бумаги, что-то диктуют машинисткам. «Сколько лет прошло, — заметил Кольцов, — с тех пор, как советские полки победили, разогнали и вышвырнули белую армию, развеяли ее клочья по ветру, а здесь, на улице Колизее, все еще пытались управлять разбитыми человеческими судьбами».

Очерк Кольцова, показавший РОВС вполне безобидной и явно безопасной конторой, не понравился Сталину и, наверное, послужил одной из причин его расправы с писателем.

Кольцов попал в помещение РОВСа. Наверное, проникали туда и агенты Москвы. В личном письме руководитель Белого движения генерал Врангель признается:

> «Попались на удочку ГПУ почти все организации, огромное большинство политических деятелей чувствует, что у них рыльце в пушку, что углубление вопроса обнаружит их глупую роль».

Москва упорно считала РОВС опаснейшей контрреволюционной организацией. Внедрение в нее своих агентов она объявляла большим достижением. Легче было обнаружить и уничтожить так называемого «внутреннего врага». Труднее было расправиться с «врагом внешним». Ф. Э. Дзержинский, его заместитель В. Р. Менжинский и начальник контрразведывательного отдела ВЧК — ОГПУ А. Х. Артузов рапортуют о предотвращении крупных контрреволюционных операций под условным названием «Трест» и «Синдикат-2».

По заданию госбезопасности уже в семидесятые годы писатель Василий Ардаматский пишет роман о славном прошлом первых чекистов, по роману снимается фильм «Операция «Трест». Главная канва фильма — завлечение на территорию СССР ярого врага республики Советов Бориса Викторовича Савинкова. Было ли это «завлечение»?

В дневнике Михаила Булгакова есть две интересные заметки, касающиеся Савинкова.

> «23 августа 1924 года. Заходила Любовь Евгеньевна, говорила, что в пределах России арестован Борис Савинков. Приехал будто бы для террористического акта».
>
> «29 августа. Ничего нельзя понять в истории с Савинковым. Правительственное сообщение сегодня изумительно. Оказывается, его уже судили (в Москве) и приговорили к смерти, но ввиду того, что он раскаялся и принял советскую власть, суд просил ЦИК о смягчении участи. Написано, что поймали Савинкова с Чеждалевой».

Если редчайший по честности писатель Михаил Булгаков написал «будто бы» и «ничего нельзя понять в истории с Савинковым», то сомнения его небеспочвенны. ГПУ на самом деле заметает следы своей деятельности. Что значит «задержан в пределах страны»? Где именно? Страна огромная.

О Савинкове написано немало. Личность незауряднейшая. Общался с виднейшими людьми эпохи. Уинстон Черчилль в книге «Великие террористы» писал о нем: «Савинков сочетал в себе мудрость государственного деятеля, отвагу героя и стойкость мученика». Сотрудник британской разведки и знаменитый писатель Сомерсет Моэм говорил о Савинкове: «Берегитесь, на вас глядит то, чего опасались древние римляне: на вас глядит рок».

Эти цитаты разыскал в архивах историк и писатель Дмитрий Жуков.

А вот что писала о Савинкове поэтесса Зинаида Гиппиус, вместе с Мережковским со вниманием следившая за его становлением как писателя, даже придумавшая ему псевдоним — Ропшин:

> «Плохо совмещаются писательство, огонь и кровь. Но без этой адской смеси не было бы в России писателя, который сумел обратиться всем, что бывает в человеческой душе. Но всем в непомерностях: тьмой и светом, слабостью и силой».

Валерий Брюсов так высказывался о его первом романе: «Очень хорош «Конь бледный». Прочел его с нарастающим наслаждением».

Потом выходят другие романы Савинкова, стихи, в которых звучит неиссякаемая тоска по родине:

> *«Нет родины — и все кругом неверно,*
> *нет родины — и все кругом ничтожно,*
> *нет родины — и вера невозможна,*
> *нет родины — и слово лицемерно,*
> *нет родины — и радость без улыбки,*
> *нет родины — и жизнь, как призрак зыбкий...»*

29 августа 1924 года газета «Известия» поместила правительственное сообщение:

> «На территории Советской России ОГПУ задержан гражданин Савинков Борис Викторович, один из самых непримиримых врагов рабоче-крестьянской России.

Дело Б. В. Савинкова.

«Арестованному в 20-х числах августа Борису Викторовичу Савинкову 3 августа в 23 часа было вручено обвинительное заключение, и по истечении 72 часов, согласно требований уголовно-процессуального кодекса, в Военной коллегии Верховного суда СССР началось слушание дела о нем.

Состав суда: председатель — тов. Ульрих, члены Суда т. Камерон и Кушнирок».

Советские историки утверждают, что в действительности Савинков был арестован в Минске 16 августа 1294 года, что еще в начале 1924 года он был завербован советской разведкой и выдал ей бывших членов своей эсеровской организации, оставшихся в России, но не готовивших никаких террористических актов.

Известный историк Рой Медведев на мой вопрос, могла ли быть такая ситуация, с уверенностью ответил, что тогда были завербованы многие эсеры, по некоторым своим убеждениям недалеко ушедшие от большевиков. Конечно, у каждого из них были свои мотивы. А Савинков... он вряд ли прельстился обещанием денежного вознаграждения или высокого поста хотя бы в литературе. Его душа истомилась вдалеке от родины, он мечтал посвятить оставшуюся жизнь писательству, и именно на родине, где все ему было близко, но не учел, что его родина изменилась, хотя внешне выглядела, как и до его отъезда: «О, опьяняющий воздух. А в голове после пересечения границы одна мысль: «Поля — Россия, леса — Россия, деревня — тоже Россия. Мы счастливы — мы у себя».

Мы — это он, любимая женщина, вероятно Чеждалева, и чекисты, которым он доверил свою судьбу.

В газетах появилась заметка «Суд над Б. В. Савинковым», где говорилось, что он решительно отрекся от своей борьбы с советской властью и признал, что был не прав в своих действиях против Октябрьской революции. Возможно, он не оговаривал свое возвращение на родину таким саморазоблачительством, но шаг в пропасть был сделан, и он уже не мог обезопасить себя от произвола тех, кому доверился.

Эмигрантские круги были потрясены его поступком. 6 сентября 1924 года газета «Новое время» писала, что Б. Савинков с марта 1924 года был завербован советской разведкой и активно работал на нее. И перешел он границу по приказу чекистов в обусловленном ими месте, в указанное время. Разведка белых знала о его предательстве, но хотела задержать его при переходе границы, на месте преступления, и расстрелять. Но ему удалось избежать роковой встречи. Об измене Савинкова говорят многие факты, в том числе часовая беседа с ним Льва Троцкого, где, наверное, обсуждались вопросы сотрудничества и дальнейшей жизни Савинкова на родине, и то, что суд проводился при закрытых дверях, и то, что в тюрьме ему были созданы комфортные условия, при которых он даже мог принимать любимую женщину. Смертная казнь заменена ему сравнительно небольшим сроком заключения, и дело вообще идет к его освобождению, но лишь задерживается, и он обращается к Дзержинскому с письмом о немедленном освобождении... Луначарский комментирует написанные им в тюрьме рассказы. Но передать свою рецензию Савинкову не успевает — тот случайно выпадает из окна тюрьмы. «Подоконник был слишком низким, — объясняет Дзержинский, — Савинков встал на него, от высоты закружилась голова, и он выпал из окна».

Верный чекистам писатель Василий Ардаматский в своем романе «Операция «Трест» описал смелость и умение советских разведчиков, чего на самом деле не было, а был обман человека, пошедшего на предательство ради того, чтобы жить и писать на родине; без литературной деятельности жизнь казалась ему пустой и никчемной. Зарубежные газеты написали о Савинкове, что он «мол, сговорился, а его надули».

Узнав об истории с Савинковым, Плевицкая и Скоблин не могли уснуть и до утра обсуждали случившееся.

— Савинков был странным человеком, — сказал Скоблин, — от него и раньше не знали чего ожидать. Работал у Керенского. Метался...

— Все-таки жаль Бориса Викторовича, — заключила Плевицкая, — у меня мурашки бегут по спине, когда я представляю себе его мучения, несчастную гибель. Бедняга...

— Вернулся на родину и поплатился, — вздохнул Скоблин.

— При чем здесь это?! Одно с другим никак не вяжется! — изогнула брови жена, не желающая расставаться с мечтой о возвращении в родное Винниково.

Глава шестнадцатая

❖

Предположения и реальность. В Америке

Наум Эйтингон покинул Париж так же незаметно, как и появился, даже не попрощался с Плевицкой и Скоблиным. Однако вскоре напомнил о себе заданием для генерала, переданном Ирмой Доннер от человека, который, как они поняли, теперь будет заменять им его. Задание было довольно простым — сообщать о намечавшихся перемещениях в руководстве РОВСа.

Плевицкая не могла скрыть охватившее ее волнение. Она переживала за мужа, не отказавшегося от сотрудничества с Эйтингоном и вынужденного заниматься делом, не свойственным его натуре и профессии. Он в душе оставался боевым генералом, пусть и недавно отстраненным от командования полком. Недовольство действиями Скоблина возникло у командующего корпусом после его самовольных отлучек на гастроли жены. Тогда он получил выговор.

В обществе офицеров поговаривали, что боевой генерал полностью попал под влияние жены и его больше волнуют ее проблемы, чем цели и дела Белого движения. Но боевые заслуги генерала зачеркивать никто не собирался, и он по-прежнему значился членом совета правления общества галлиполийцев, и мало кто сомневался, что со временем он вновь возглавит Корниловский полк, дисциплину и порядок в котором поддерживал, несмотря поездки с женой на ее концерты. Все знали, что он любит ее безмерно, посмеивались над ним, называя подкаблучником, но в душе многие завидовали его увлеченности женщиной, ставшей гордостью эмиграции.

Надежда Васильевна не сомневалась в чувствах и преданности мужа. Он не мог стать, к примеру, таксистом (как другие эмигранты), — он — муж Плевицкой. Но и не зарабатывать ни копейки ему тоже не позволяла совесть, честь мужчины. Плевицкая понимала своеобразность его положения, в которое он угодил вроде бы случайно, но вырваться из которого было трудно и опасно. Он встретился с человеком, заменившим Наума Эйтингона, шефом Ирмы Доннер, и убедился в его жесткости. Увиделись в маленьком неприметном кафе. Человек, которого по просьбе Ирмы Доннер я называю дядей Васей, заказал дорогие закуски, водку «Смирнов», с улыбкой на лице сыпал анекдотами, пересказал шутку хозяина театра миниатюр «Летучая мышь» Ивана Балиева, перебравшегося с театром из Москвы в Париж, о том, что если хорошенько поскрести русского, то обнаружится татарин, и как бы по секрету поведал, что это афоризм Наполеона. Но стоило Скоблину сделать вид, что он не понимает, чего от него требуют, как дядя Вася посуровел, глаза его налились кровью, и он резко ударил вилкой о тарелку, заставив вздрогнуть бывалого генерала. Дополним характеристику дяди Васи мнением Ирмы Доннер:

> «Улыбчатость его была наигранной, чужие общеизвестные анекдоты шли от недостаточности образования и культуры. Во время частых застолий ему было легче распознать людей, которые после выпитого и шуток внешне обаятельного хозяина расслаблялись и вели себя раскованно. Но когда он давал указания, то делал это грубо, грозным голосом, не позволяющим зависящему от него человеку ни в чем возражать ему».

Надежда Васильевна, грустно опустив голову, выслушала рассказ мужа о знакомстве с новым шефом. Беды и горе не обходили ее стороной, она пережила многое — и потерю родителей и любимого, и расставание с родиной, но все это было из числа жизненных явлений, пусть горьких, но человеческих, а тут нечто искусственное, наглое и злое опутало ее сознание, душу. Выбивало из колеи нормальной жизни, заставляло нервничать.

«Так дальше продолжаться не может, — сказала она мужу, — обо всем этом надо забыть, тем более что Марк Эйтингон, известный, уважаемый ученый, и его супруга, милая интеллигентная женщина, по-прежнему дружелюбны и щедры к нам, обещали помочь нам поехать в Америку, о чем мы прежде даже не могли мечтать. Не стоит печалиться. Ведь главное — песня, концерты и, чтобы освободиться от всего наносного, вызывающего нервозность, некомфортность души, мне надо больше петь, учить новые песни, совершенствовать исполнение старых, найти в них свежие интонации. И вообще, что ни случается, все к лучшему!» — решила Плевицкая, и ей показалось, что жизнь интересна и она вновь пошла по творческой колее.

Она стала работать над жестом, делая его более своеобразным и выразительным. Еще в России известный театральный критик А. Кугель отмечал это никому не подвластное ее умение: «У Плевицкой странный оригинальный жест, который ни у кого не заметите: она заламывает пальцы, сцепливает кисти рук, и пальцы ее живут, говорят, страдают, шутят, смеются». «Увы, сейчас смеются меньше, — подумала Плевицкая. — На чужбине не так весело, как дома». И она нашла песню, которая вернула ей уверенность в том, что родина не утеряна навеки. Песня называлась «И будет Россия опять...». В зале имени Виктора Гюго она четырежды исполняла ее на бис. Люди требовали повторения песни, потому что с каждым ее исполнением неугасаемая и бесповоротная вера певицы в то, что Россия будет опять, передавалась им и крепла в их душах.

В радужном настроении Плевицкая готовилась к заокеанскому путешествию. Муж помогал ей, иногда машинально исполняя поручения, о чем-то задумывался и настолько глубоко уходил в думы, что не слышал супругу.

— Коля? Что с тобой?! — удивлялась она, повышая голос.

— Ничего, дорогая, ничего, — поспешно сбрасывал он с себя путы оцепенения.

Он не хотел расстраивать супругу своими размышлениями о генерале Якове Александровиче Слащёве, амнистированном в России и призванном там на военную службу, на солидную должность преподавателя тактики курсов командного состава «Выстрел». «Неужели он был тоже завербован?» — думал Скоблин, вспоминая слова Врангеля: «Генерал Слащёв исправно бьет большевиков и со своим делом справляется». Потом у Слащёва возникли крупные разногласия с Врангелем, несмотря на то что к фамилии Слащёва стали добавлять имя Крымский, учитывая его достижения в сохранении Крыма в руках Доброволии. Но Скоблин, не говоря уже о Врангеле, непосредственном начальнике Слащёва, стал замечать странности в поведении генерала. Он часто говорил: «Моя мечта — стать вторым Махно», это о батьке, чьи воины были разбиты им дважды.

Возможно, Махно заинтересовал его как незаурядная личность, поразили успешные действия батьки в тылу Деникина, небывалый разгром налаженной там жизни тыла. Об ординарце Слащёва, знаменитой Лиде («юнкер Нечволодов») ходили непристойные разговоры. Петр Николаевич Врангель, заступивший 4 апреля 1920 года на пост главнокомандующего войсками Крыма, на место Деникина, получает от Слащёва непонятные, сумбурные письма. Объяснение наступает скоро. Прижатая к морю белая армия заканчивала борьбу. Из Новороссийска один за другим уходили транспортные суда, переполненные обезумевшими от страха и ужаса беженцами. Было очевидно, что все войска отправить будет невозможно. Слащёв почувствовал обреченность положения, и, видимо, страх за свою судьбу и судьбу семьи охватил его.

Вот каким видит этого генерала Врангель при встрече в августе 1920 года: «Генерал Слащёв из-за склонности к алкоголю и наркотикам стал полностью невменяем и представлял собой ужасное зрелище. Лицо было бледным и подергивалось в нервном тике, слезы текли из глаз. Он обратился ко мне с речью, которая была красноречивым доказательством того, что я имею дело с человеком с расстроенной психикой». (Слащёв стал прообразом генерала Хлудова в пьесе М. Булгакова «Бег». — *В. С.*) Скоблин знал, что при медицинском обследовании у Слащёва была обнаружена острая форма неврастении. Поэтому он не удивился, когда Врангель отстраняет Слащёва от командования корпусом. После эвакуации в Турцию, где генерал в печати подвергает Врангеля необоснованным нападкам, последний передает его суду. Слащёв-Крымский разжалован судом в рядовые, но авторитет его, героя Перекопа, отстоявшего Крым от большевиков и превратившего его в последнюю цитадель Белого движения, по-прежнему остается высоким.

«Что же подвигнуло Слащёва перекинуться в лагерь врагов?» — думает Скоблин, не поверивший «Воззванию к офицерам армии барона Врангеля», подписанному председателем ВЦИК Калининым, председателем Совнаркома Ульяновым (Лениным), наркомом по военным и морским делам Троцким, Главнокомандующим всеми вооруженными силами Каменевым, председателем Особого совещания при Главкоме Брусиловым. В «Воззвании» говорилось, что все, кто добровольно перейдет на сторону советской власти, не понесут кары. «Офицеры армии Врангеля! Рабоче-крестьянская власть в последний раз протягивает вам руку примирения!» («Правда», 12 сентября 1920 года.) У Скоблина тогда тоже мелькнула мысль о возможном спасении, но верность присяге, честь офицера мгновенно отбросили прочь все страхи и сомнения. А вот Слащёв, отправив свою жену и дочь в Италию, прибыл на корабле в Севастополь, откуда вместе с Ф. Э. Дзер-

жинским выехал в Москву. И не один — с генерал-
майором Мильковским и полковником Гельбихом.
Предварительно Слащёв разослал в газеты письмо:

> «Внутри России революция закончена... Если меня
> спросят, как я, защитник Крыма от красных, перешел
> теперь к ним, я отвечу: я защищал не Крым, а честь Рос-
> сии. Ныне меня зовут защищать честь России, и я еду
> выполнять свой долг, считая, что все русские, военные
> в особенности, должны быть в настоящий момент в Рос-
> сии».

Скоблин вспомнил, как вспыхнуло лицо Надежды
Васильевны при чтении письма Слащёва, как вопро-
сительно и выжидательно посмотрела она на будущего
мужа (тогда он еще только ухаживал за нею).

Теперь, перед отъездом в Америку, где он надеялся
хотя бы на время избавиться от «опеки» Наума Эйтингона и других чекистов, он подумал, что, возможно,
не так и далеко до встречи его со Слащёвым и до того,
как жена наяву увидит Винниково, о котором грезила
в снах. Что же терзало его душу, заставляло уходить
в мучительные раздумья? Опасения, что большевики
обманут их, как совсем недавно поступили с генералом Брусиловым? Обещают многое, а что из этого вы-
полнят?

В сентябре 1920 года к генералу Брусилову приехал
секретарь Э. М. Силянского, известного большеви-
ка, правой руки военкома Троцкого, с приглашением
срочно увидеться с Силянским. У Ленина этот факт
описан таким образом:

> «Силянский сказал Брусилову, что в штабе и даже
> войсках Врангеля происходит настоящее брожение,
> войска заставляют силой бороться и покидать родную
> землю, что состав офицеров определенно настроен
> против распоряжений высшего начальства, намерен
> низвергнуть Врангеля и объявить его армию «красной
> Крымской под командованием Брусилова».

На вопрос Силянского, считает ли Брусилов возможным принять командование врангелевской армией, Брусилов ответил согласием: «Я приду на помощь русским офицерам, солдатам и казакам, постараюсь быть для них руководителем и согласовать их действия с планами Советской Республики». Силянский попросил Брусилова подготовить воззвание к врангелевской армии о согласии принять над ней командование, составить свой штаб, указать фамилии его членов и быть готовым к выезду на юг.

«Я воодушевился, — писал потом Брусилов, — поверив этому негодяю. Я думал: армия Врангеля в моих руках плюс все те, кто предан мне внутри страны, в рядах Красной армии, конечно, я иду на юг со звездой... а вернусь с крестом и свалю этих захватчиков» (большевиков. — *В. С.*).

Но через несколько дней Силянский, как бы между прочим, заметил Брусилову, что сведения о разложении врангелевской армии «были неверные, бунта никакого не было, и... в результате все распалось». Но вскоре выяснилось, что в период эвакуации из Крыма врангелевских войск среди них распространялось воззвание Брусилова, которое он «никогда не подписывал». Однако многие офицеры, поверив этому воззванию, остались на берегу и попали в руки свирепствовавшего там Бела Куна... массами их расстреливавшего. (Бела Кун — впоследствии первый секретарь ЦК КП Венгрии. — *В. С.*) «Суди меня Бог и Россия!» — в отчаянии восклицал Брусилов. Об этом Скоблин не рассказал тогда своей жене и никогда не расскажет. Николай Владимирович решил, что гражданская война была воистину национальной трагедией, пережить которую достойно смогли далеко не все, и даже у генерала Деникина были моменты смятения и растерянности.

Перед отъездом в Америку Плевицкая дала прощальный концерт, устроенный в честь галлиполийцев великой княгиней Анастасией Николаевной — супругой великого князя Николая Николаевича.

Поднявшись на палубу переполненного парохода, Скоблин и Плевицкая прощально помахали руками провожавшим их Эйтингонам. Обе пары мило улыбались друг другу. Надежда Васильевна приложила пальцы к губам и послала воздушный поцелуй Марку Эйтингону, обещавшему издать ее воспоминания, к написанию которых она уже приступила.

В прохладное утро 5 января 1926 года русский Нью-Йорк встречал Плевицкую и Скоблина.

О приезде Плевицкой в Америку сообщила эмигрантская газета «Новое русское слово». Первый концерт состоялся в Нью-Йорке, в Манхэттенском центре. Зал был переполнен, публика, как заметила певица, была весьма разнородная: и состоятельная и бедная. Певицу испугал свист после исполнения ею песен, она вышла за кулисы растерянная, думая, не прервать ли концерт, но ей объяснили, что свист — принятый в Америке знак одобрения, что многие эмигранты в этом смысле уже «обамериканились». Финал концерта был триумфальным. Плевицкая шесть раз выходила на поклон. Этот приезд запомнился певице встречей с Сергеем Васильевичем Рахманиновым. Они много хорошего слышали друг о друге, но впервые встретились за океаном.

— Мне нужно было уехать из России, чтобы встретиться с вами, — улыбнулся Сергей Васильевич, — бросить мою Ивановку...

— А мне — мое Винниково, — грустно заметила Плевицкая. — Наверное, мою усадьбу уже разграбили...

— Мою тоже, — вздохнул композитор, — хотя, впрочем, возможно, сохранился мой рояль... Кому он нужен? Если не пошел на дрова... (Удивительно, но до наших дней остались целы и рояль Рахманинова, и его письменный стол, стоявшие в кабинете и ныне находящиеся в музыкальном музее Кисловодска. — *В. С.*)

— Вы стали в Америке музыкальной звездой! Вас называют первым пианистом мира! — восторженно произнесла Надежда Васильевна. Рахманинов застеснялся, смутился:

— Не надо об этом, — попросил он, — слава мешает работе. А насчет «звездности»... Да, пианистом я стал неплохим. Зато музыку пишу мало... И то делаю лишь наброски...

— Почему? — наивно вымолвила Плевицкая.

— Вы не первая, кто интересуется этим, я пока вообще не занимаюсь сочинительством. Как же сочинять, если нет мелодии! Я уже давно не слышу, как шелестит рожь, шумят березы... А вы?

— Я вспоминаю это, с напряжением, очень стараюсь. Ведь я пишу мемуары, начиная с самого раннего детства, вспоминаю крестьянские песни. Вы знаете, что даже свадебные песни звучат грустновато. Только сейчас обратила на это внимание.

— Очень интересно, — зажегся взгляд Рахманинова, — напойте мне их. Прямо сейчас. Американцы очень ценят время. И правильно делают. Надо дорожить временем. Когда тратишь время по пустякам, его не остается для главного — репетиций, сочинительства. И не забудьте принести мне то, что написали.

Они перешли в комнату с роялем. Плевицкая напела ему песню «Белолицы, румяницы вы мои».

— Прекрасная, истинно русская песня, — сказал Сергей Васильевич, — надо ее теперь записать на пластинку. Я это организую, — твердо заключил он и сдержал свое слово. «Белолицы» записаны на грампластинку ведущей американской фирмой «Виктор». Рахманинов, на редкость обязательный человек, прочитав мемуары Плевицкой, искренне похвалил их, обещал помочь напечатать, что позднее и осуществил. Первая часть мемуаров Плевицкой вышла в издательстве «Таир», хозяйками которого были дочери Рахманинова — Татьяна и Ирина, внявшие его совету содействовать литературному таланту Плевицкой.

Рахманинов считал ее всесторонне одаренной. С удовольствием аккомпанировал певице на самых больших концертах в Америке. На их концерте в отеле «Плаза» присутствовал молодой русский скульптор С. Т. Коненков, впоследствии вспоминавший:

«Как-то я попал на концерт исполнительницы русских народных песен Плевицкой, пользовавшейся громкой славой, как прежде — в России, так и после, в эмиграции, в Америке. Аккомпанировал ей Рахманинов. Можете представить, какое это было чудо! Одета Плевицкая в русский сарафан, на голове кокошник, весь в жемчугах. Рахманинов в черном концертном фраке, строгий и торжественный. У Плевицкой, выросшей в русской деревне, жесты женщины-крестьянки, живые народные интонации, искреннее волнение в голосе. Всем зрителям хотелось, чтобы она пела вечно, чтобы никогда не умолкал ее проникновенный голос. Эмигрантам ее пение душу переворачивало. Голос Плевицкой казался им голосом навсегда потерянной родины. Плевицкая еще в России знала меня как скульптора. Согласилась позировать. Работал я самозабвенно. Мне тоже хотелось, чтобы всегда звучал ее голос, чтобы образ красивой русской женщины-певицы не исчез из памяти народа. Ведь она первой вывела русскую народную песню на большую эстраду...»

Скульптурный портрет Плевицкой стал одним из лучших созданий Коненкова. Он и сейчас стоит в Москве, в музее-квартире скульптора.

Участие в концертах Плевицкой хорошо известного в России культурного и общественного деятеля князя Оболенского и, прежде всего, всемирно признанного пианиста Сергея Рахманинова привлекло к творчеству Плевицкой особое внимание. «Был заботлив и чуток ко всем, — писал о Рахманинове его современник. — Сердце его было мягкое и доброе. Выразить любовь, в чем-то помочь человеку было для него большой радостью». Жена Рахманинова Наталья Александровна отмечала в характере мужа:

«Он был очень строг не только к друзьям, он требовал от себя того же, что и от друзей... Он был очень нетерпелив, и если надо было что-нибудь сделать, то он хотел, чтобы это было исполнено немедленно... Был необычайно аккуратен. Ни на поезда, ни на концерты, ни на приглашения в гости никогда не опаздывал... не делал из себя гранд-сеньора, заставляющего себя ждать. Был скромен в разговорах и поведении, но держал себя с достоинством. Не думаю, что он когда-нибудь забывал нанесенную ему обиду, хотя никогда не говорил о ней потом».

И действительно, Рахманинов ни разу в разговорах с Плевицкой не вспомнил о том, что был ненужным большевикам и, чтобы заработать на жизнь, поехал с концертами в Стокгольм, а оттуда уже попал в Америку. Плевицкая была очарована его скромностью, честностью, прямотой и святым отношением к творчеству. Она сожалела, что не может полностью посвятить себя работе, как Сергей Васильевич. Они увиделись в 1924 году, а во второй ее приезд, в 1926 году, пути их не сошлись, то ли случайно, то ли оттого, что эмигрантские круги и, вероятно, Рахманинов были шокированы ее поступком — за один из своих концертов она отнесла гонорар в Советское посольство для передачи детям-беспризорникам. Стало известно, что через отделения Торгсина в Штатах она послала подарки в Россию брату Николаю и своему крестнику, отправила, не боясь, что ЧК установит их связь с родственницей-эмигранткой и подвергнет преследованию.

И если в начале 1926 года после концерта в Элиад Холле театральный обозреватель «Нового русского слова» журналист Ступеньков пишет о Плевицкой:

«Пела та, которая шаг за шагом прошла с нами весь Крестный путь изгнания с его лишениями и печалями»,

то уже в октябре того же года другая эмигрантская газета — «Русский голос» — приглашает своих читателей посетить концерт «рабоче-крестьянской» певицы

Н. В. Плевицкой. Возмущение белоэмигрантского мира выразил журналист «Нового русского слова» Л. Камышников в статье «Глупость или измена?», повторив название нашумевшей в свое время статьи П. Н. Милюкова; тогда один из членов монаршей семьи подозревался в предательстве родины.

В марте 1927 года у Плевицкой берет интервью журналист Ильин.

— Я читал дневник Николая II, — говорит он, — вы знаете, что царь описывал в дневнике каждый свой день... Пока не был расстрелян.

Плевицкая краснеет.

— О дневнике не слышала.

— Он существует и хранится в Гуверовской библиотеке, в Станфорде. Там есть такая запись: «Был на концерте Плевицкой. Очень понравилась». Вы, кажется, пели лично царю?

— Пела. Но не лично царю, а ему и его приближенным, свите, охране, офицерству... Пела и красноармейцам, когда находилась на территории, захваченной ими. Я — вне политики. Я пою для народа.

— Выходит, и для народа, расстрелявшего царя и его семью.

Певица смущается.

— Значит, правильно пишет «Русский голос», что вы рабоче-крестьянская певица? — продолжает интервью журналист.

— Я родом из крестьянской семьи. Мне негоже забывать, где я родилась, — наигранно произносит певица.

— Вы поете: «И будет опять Россия», а также «Замело тебя снегом, Россия, запушило седою пургой, и холодные ветры степные панихиды поют над тобой». Россия советская есть. В эмиграции — другая Россия, которой вы пропели панихиды. И получается, что опять может быть только та Россия, что сейчас в эмиграции. Так или нет? — ставит вопрос ребром журналист.

— Вы меня запутали. Я — известная певица, но душой и мыслями крестьянка. Не больно грамотная. Я не все понимаю, что вы говорите. Я — вне политики. Это я знаю точно. А тонкости ваши, учености... Куда мне до них, крестьянке? — прикидывается несмышленой Плевицкая. — А насчет детей беспризорных, которым я помогла, скажу, что они бедные, голодные дети, где бы ни находились. Может, и мой крестник, не приведи Господь, где-нибудь мерзнет от холода и пухнет от голода? — Глаза певицы краснеют. — Расстроили вы меня, грешную, своими вопросами. Ох, как расстроили! Хотите душу вывернуть наизнанку у несчастной и чистой женщины! — пытается прекратить интервью Плевицкая, и это ей удается.

Эмиграция не удовлетворена ее ответами, вести о поведении Плевицкой доходят до Парижа, до Врангеля, и он отстраняет Скоблина от командования корниловским полком. Но тяга эмигрантов к памяти об утерянной родине, к русской песне настолько велика, что они приходят на концерты Плевицкой в Детройте и Филадельфии. Среди зрителей есть русские, выехавшие из России еще до революции, они симпатизируют победившей на родине власти рабочих и крестьян, не разбираясь в сути происходящего; некоторые из них собираются вернуться домой. После концерта Плевицкой в Филадельфии воодушевленное памятью о родине собирается местное землячество и решает обратиться к советскому посольству с просьбой разрешить основать колхоз на родине — на Тамбовщине. Откровенно рады русские американцы, получив разрешение на это, и едут домой, захватив с собой сельскохозяйственную технику и оборудование сырозавода. Им выделяют землю в Кирсановском районе, они работают на ней отменно, с американскими деловитостью и размахом, и вскоре основанный ими колхоз имени Ленина становится миллионером. Но, увы, ненадолго. В 1938 году почти всех мужчин колхоза репрессируют как американских шпионов.

Плевицкая и Скоблин не спешат покинуть Штаты, проводят там весь 1926 год и первые месяцы 1927 года, хотя за это время Плевицкая дает там лишь несколько концертов. Скоблин в финансовых отчетах завышает суммы сборов за счет денежных подарков от четы Эйтингонов. Уже скоплена необходимая сумма для покупки виноградника под Ниццей, о чем они мечтали, не скрывая этого от друзей и знакомых. Что же задерживает их в Америке? Новизна жизни? Возможность совершенствовать свое творчество? Но встречи с Рахманиновым прекратились. И Шаляпин, видимо, не жаждет встречи со своим «жаворонком», иначе бы нашел для этого время. Попадается в руки газета с отзывом о его концерте в Харбине:

> «Люди неистовствовали. Зал, переполненный бедно одетыми эмигрантами, вел себя истерически... Выкрики... Рыдания. Стены и пол сотрясались от хлопков». Шаляпин зарабатывает хорошо, но жалуется, что «горек хлеб на чужбине», признается в том, что «рыскает по свету за долларами, и хотя не совсем, но по частям продает душу черту», утешает себя тем, что «спектакли и концерты переполняются публикой», что его пение нравится «всем, без различия вероисповедания».

В том же 1927 году, 26 августа Постановлением Политбюро ВКП(б) Ф. И. Шаляпин лишается звания народного артиста республики. «А Собинов нашел точки соприкосновения с новой властью, — думает Плевицкая, — Леонид Витальевич наверняка помнит обо мне, преданный человек... Если будет нужно, то не откажет в помощи».

Он пригласил ее на юбилей, посвященный двадцатилетию со дня его дебюта в Большом театре. Это было при Временном правительстве в апреле 1917 года. Он тогда получил большое количество поздравлений. Одно запомнилось Плевицкой:

Стал небосвод прозрачно чист,
Сердца поют — пришла свобода.
И ты — любимейший артист
Его величества народа!

Аплодировал зал, доброжелательно хлопал юбиляр. На афишном столбе у театра висело объявление о благотворительном концерте Рахманинова. Сбор поступал в пользу воюющих с немцами войск. На улицах царило праздничное оживление. Собинов как комиссар Большого театра присутствовал на Государственном совещании, выслушал речи представителей различных партий о великом будущем народа, реформах, достойных эпохи Петра I, об учредительном собрании. Больше всех аплодисментов досталось Керенскому, аплодировал ему и Собинов, а потом стал показывать друзьям четверостишие, показавшееся странным Плевицкой:

На совещанье имя славное Петра
Бросали партии, как мячики, в друг дружку.
В России и теперь достаточно добра.
Зачем же во главе поставили Петрушку?

То ли Собинов на самом деле считал таким министра-председателя, то ли, как человек дальновидный, предугадывал его крах и победу большевиков. «Может быть, за ними будущее не только в России, но и во всем мире», — думала Плевицкая, по крайней мере, обещали они много и всем людям, и лично ей с мужем.

Большевистские разведчики буквально наводнили Францию. Отказываться от сотрудничества с ними было глупо. Уходила молодость, сценический успех тоже не вечен. Реальной стала покупка виноградника на юге Франции. Реальной и весьма весомой была денежная помощь Эйтингонов.

И казалось реальным возвращение в Россию, в Винниковскую усадьбу.

В Америке образовался «Союз возвращения на родину», такая же организация уже давно существовала во Франции. Плевицкая дала концерт в парижском центре «Союза», но в контакты с его членами не входила, зная, что за его деятельностью внимательно следит французская полиция. И новый шеф дядя Вася вел переписку с членами этого «Союза» через Ирму Доннер. Студентка Сорбонны, скромная, ведущая приличный образ жизни девушка была вне всяких подозрений у полиции. Заходила на две-три минуты к Плевицкой, в «Союз», наверное для того, чтобы поздороваться, формально пообщаться с бывшими соотечественниками, и потом спешила на лекции. А на то, что стала одеваться лучше, никто не обратил внимания. Французы не завидуют материальному достатку других. Зато русские эмигранты заметили, что Плевицкая и Скоблин стали останавливаться в лучших, чем прежде, гостиницах. Певица сшила себе новые концертные платья европейского стиля. У нее появились дорогостоящие украшения. Этот факт Плевицкая объяснила газетному интервьюеру: увеличились сборы на концертах. Никто же не станет проверять доходы ее семьи. Ну и что, что муж не работает. Нельзя забывать, что она знаменитая певица, а знаменитости всегда зарабатывают немало. Плевицкая предвидела, что подобные разговоры о ней возобновятся среди эмигрантов после ее возвращения в Париж, и не спешила туда.

Что же Плевицкая с супругом делали в Америке весь 1926 год и начало 1927-го? Можно только предполагать. Дело Плевицкой и Скоблина, переведенное из архива госбезопасности в архив управления разведки, закрыто до сих пор. Известно лишь, что в Америке Плевицкая и Скоблин часто общались с супругами Коненковыми. Они были знакомы еще в России, когда Коненков был холост, вел веселый образ жизни, вечерами кутил в «Стрельне» и «Яре», где и слушал певицу.

Молодой Коненков влюбился в свою будущую жену по фотографии, увиденной в руках друга доктора Бунина; он вырвал у него фотографию и долго рассматривал ее, пораженный красотой оригинала. При встрече девушка, а звали ее Маргарита, показалась ему еще более привлекательной, чем на фотографии. Гибкая стройная фигура, миловидное лицо и черные роковые глаза пленили юношу. Первый же вечер они провели в «Стрельне», где им пели цыгане, лилось рекой шампанское, и кто-то из друзей Коненкова, видя безумно увлеченного скульптора, крикнул: «Горько!» Они поцеловались, сильно, страстно, с трудом оторвавшись друг от друга. Через несколько дней скульптор отправился в Саратов просить руки Маргариты у ее родителей. Однако люди степенные, верующие, строгих нравов, они не восприняли модного столичного юношу и отказали ему в женитьбе на дочери. Он показался им вертопрахом из чуждой легкомысленной артистической среды. Мужем дочери они предпочитали увидеть человека более серьезного — солидного чиновника или офицера.

Отец Маргариты очень переживал увлечение дочери и, наверное, поэтому заболел и через год скончался. А еще через год Коненков и Маргарита, сочетавшись браком, уехали в Америку, где мужу предложили временную работу на художественной выставке, организованной меценатом искусства, владельцем фабрики по изготовлению сантехники Крейном, тоже выходцем из России. Там, в Америке, их застало известие о революции на родине. Временное пребывание в Америке затянулось на сорок лет. Но не революция превратила чету Коненковых в эмигрантов. Они оба были завербованы советской разведкой. Сделал это Крейн, симпатизировавший новой власти на бывшей родине, или кто-либо из работников Советского посольства, или другой профессиональный разведчик, сейчас установить невозможно, не заглянув в дело «майора Лукаса», под именем которого Маргарита Ивановна числилась в документах советской госбезопасности, тоже закрытых на неопределенный срок.

Подробности нашумевшего дела «майора Лукаса» всплыли случайно, после того как в конце девяностых годов на аукционе «Сотби» были проданы девять писем великого ученого Альберта Эйнштейна к своей бывшей возлюбленной Маргарите Ивановне Коненковой, которую он называл кратко — Марго.

Началось с того, что Сталин узнал о том, что американцы проектируют небывало грозное оружие — атомную бомбу. Довольно ограниченный в знаниях, вождь Советского Союза решил, что создателем этого оружия является величайший ученый современности Альберт Эйнштейн. К нему была подослана молодая художница из известного семейства Поленовых, но увлечь ученого и проникнуть в его разработки ей не удалось.

Иные обыватели считают, что разведчиц готовят из женщин легкого поведения, точнее — из проституток. Об этом говорил на сравнительно недавней встрече с писателями один из генералов КГБ. Однако, по его утверждению, лучшими разведчицами становятся актрисы, художницы, переводчицы, женщины с гуманитарным образованием, умеющие поддержать интеллектуальный разговор и при этом не вызвать у объекта разведки никаких подозрений. Обладание яркими внешними данными при этом, конечно, обязательно. По этим параметрам Маргарита Коненкова была идеальной разведчицей. И неудивительно, что стареющий Эйнштейн влюбился в нее до беспамятства. Убедившись, что ученый не имеет никакого отношения к созданию атомной бомбы, Марго покинула его. Она направилась поближе к городку Лос-Аламос, где под руководством американского ученого Роберта Оппенгеймера разрабатывался проект «Манхэттен» — кодовое название программы по производству атомной бомбы.

С Оппенгеймером она уже была знакома. Существует фотография 1935 года, на которой стоят вместе улыбающиеся Эйнштейн, Марго и совсем еще молодой Оппенгеймер. Здесь Марго ожидала удача. Выполнив задание, она с мужем вернулась в Москву 12 сентября 1945 года. И возможно, о подвиге «майора Лукаса» люди вообще не узнали бы, если бы до них не дошли девять писем Эйнштейна, в которых ученый тосковал и недоумевал, почему брошен любимой.

...Ранней весной 1927 года Плевицкая и Скоблин поднимались по трапу лайнера, держащего путь в Европу. Их никто не провожал. Яркие солнечные лучи успешно пробивали легкие облака, придавая праздничность происходящему. Лицо генерала, несшего небольшой саквояж, содержимое которого должно было обеспечить ему и жене беспечную жизнь во Франции, было бесстрастно. Шляпа с длинными полями скрывала усталость на лице Плевицкой. Она теперь редко обращала взор к зеркалу. Но она была неплохой актрисой, еще оставалась актрисой, и резким движением сбросила шляпу с головы, подставив лицо щадящему весеннему солнцу и теплому легкому ветерку, нежно ласкавшему ее уже немолодое лицо.

Глава семнадцатая

Смена стран, новые события

Путешествие на пароходе до берегов Франции было долгим, нелегким, хотя холодный океан лишь слегка покачивал пароход, словно устав от зимних штормов и бурь. Плевицкая редко выходила из каюты. Только в ресторан. Старалась не глядеть по сторонам, чувствуя на себе взгляды некоторых пассажиров, узнавших ее. Знакомиться и тем более вступать в беседы с ними ей не хотелось.

В Америке она обрадовалась, узнав, что там организовано множество русских землячеств. Разыскала выходцев из Курской губернии, они с радостью встретили ее и мужа, лица земляков светились гордостью от того, что царь назвал Плевицкую «соловьем». Перед концертом в Детройте преподнесли ей хлеб и соль. А после... после ее похода в советское посольство отменили встречу с нею, намеченную в помещении землячества.

В американских газетах мелькали фамилии русских артистов, художников, врачей, ученых, изобретателей, добившихся успехов в новой для них стране. Плевицкая нашла русского поэта, еще с конца прошлого века жившего в Америке, попросила его перевести несколько ее песен на английский язык. Ей хотелось стать понятной для американцев, но поэт переводить отказался.

— Не поймут здесь вас, госпожа Плевицкая, — отрицательно мотнул он головой, — слишком грустно поете. Американцы живут веселее и просто не поймут, почему солдат должен служить в армии двадцать пять лет, почему невеста и ее подружки перед свадьбой заливаются слезами, наконец, почему замерзает ямщик, не обзаведшийся чистым и надежным тулупом. Смешно, сударыня, для американцев смешно будет, когда они услышат, что среди массы свободной земли затерялось небогатое село. Они подумают, что в России живут лодыри и пьяницы. За несколько лет до вас сюда приезжал поэт Сергей Есенин. Встречали такого?

— Знала, — сказала Плевицкая, — он бывал у меня дома.

— Чудак-человек, — ухмыльнулся поэт, — хотел удивить американцев не стихами, а своим сельским нарядом. Я еле уговорил его сменить поддевку на нормальный костюм. Послушался. А то бы не женился на американке. Она тоже была малость чудная. Родом из Сан-Франциско. Дочь солидного инженера, но решила стать танцовщицей в кабаке. Выходила на сцену босая и порхала по ней, как птица. Кому это надо? В кабаке? Что за удовольствие американскому мужчине глядеть на ее голые и грязные ступни? Если бы чего повыше оголила да трясла бы не руками, а задом, то, возможно, понравилась бы хмельной публике. А так... Гнали ее со сцены... Ни копейки не зарабатывала. А Есенину понравилась, видимо. Хотя трудно утверждать это наверняка. Он ей пообещал в России черт знает чего. И успех, и деньги. И все оттого, что она не танцует, как американские танцовщицы, и в Америке не признана. Заставил ее учить по-русски «Интернационал» и «Марсельезу». Она стала говорить ему, что танцовщица, а не певица. Он ей в ответ поставил синяк под глазом: «Жрать захочется, петь будешь!» Она ничего не понимала по-русски и думала, что он случайно попал ей в глаз, а он — умышленно, и мне сказал: «Пусть привыкает к русскому мужику!» Уехали они в Россию. Не знаю, что у них там получится. Вряд ли что-нибудь путное. В искусстве главное творчество. Можно хорошо танцевать, хорошо зарабатывать и не зная «Марсельезу». Разве я не прав? А вам, госпожа Плевицкая, советую петь русские песни, и не только для русских, но для всех, включая самых важных буржуев, хотя вы отныне рабоче-крестьянская певица, — не без иронии заметил поэт.

Плевицкая вспоминала этот разговор. И каждый раз нервничала, чувствуя правоту собеседника. В Америке произошел срыв, она совершила то, чему всю жизнь противилась. Она была всегда далека от политики и сейчас вовсе забудет о ней.

Весенний Париж встретил ее свежим бодрящим воздухом, нежными красками пробудившейся природы. Уже 4 июня Скоблин организовал первый концерт в зале Гаво. Она пела в сопровождении балалаечного оркестра Денисова. Зал был неполон, но концерт прошел с громадным успехом.

Истинные и верные поклонники Плевицкой не забыли свою любимицу. 4 июля она пела в обществе офицеров-галлиполийцев. На бис исполнила «Замело тебя снегом, Россия». Зрители буквально заставили ее спеть эту песню, в сердцах многих из них еще теплилась надежда на возвращение в прежнюю Россию. Но следующие концерты не собирают достаточного количества зрителей (даже для оплаты аренды залов) и отменяются. Плевицкая в отчаянии. Она явно чувствует отчуждение эмигрантов.

К сожалению, для Плевицкой круг эмигрантов во Франции довольно узок, и слухи о ее поведении в Америке дошли до них, будоражили сознание монархически настроенных людей, начинающих замечать фальшь в ее жизни. Самые рафинированные интеллигенты отворачиваются от певицы, игнорируют ее концерты, смакуют даже старые малозначительные скандалы, связанные с ее именем, связи с мужчинами до замужества со Скоблиным. Чем она может ответить недоброжелателям? Только песней, своим блистательным исполнением русских песен. Не получается петь в больших залах, начинает выступать в парижском ресторане «Эрмитаж» у Рыжикова в общей программе с самыми известными артистами: Юрием Морфесси, Люсьен Буайе, Александром Вертинским, Тамарой Грузинской... Зрители встречают ее с интересом, понятливо перемигиваются, мол, это та Плевицкая... Но покоренные ее талантом кричат «Браво!», «Бис!». Она пытается петь в русском салоне на улице Колонель Боннэ, где собирается литературный и художественный эмигрантский мир, ее встречают там настороженно, и хотя и в вежливой форме, но отказывают в выступлении. Даже доступ туда ей запрещен, как и на другие литературно-эстрадные вечера в залах «Сосьете Савант», «Ласказ», «Плейель». Там выступают Тэффи, Одоевцева — лучшие литераторы России, но там обходятся без лучшей русской певицы, скомпрометировавшей себя отношениями с большевиками.

Плевицкая расстроена, выплескивает накопившуюся нервозность на мужа, обвиняя его в плохой организации ее концертов. Он понимает состояние жены и молча выслушивает ее упреки. Но не сидит без дела и, проявив незаурядную деловитость, в том же 1927 году договаривается о ее выступлениях в Прибалтике. Первый концерт — в Таллине. Ему сопутствует невероятный успех, как и в прошлые годы в лучших парижских залах. Свидетельница выступления Плевицкой в русском городке Печоры, оказавшемся в составе Эстонии, Нина Рауман записала: «Я помню последний концерт Плевицкой в Печорах. Мне было тогда 18 лет. Впечатление незабываемое. Я никогда не слушала такое задушевное пение. Зал замирал, внимая ей. После концерта, проводившегося в помещении гимназии, молодежь вынесла ее в кресле к машине».

В конце 1927 года неприятная новость облетает эмиграцию, вторая такого рода после убийства в 1920 году начальника штаба командующего генерала Ивана Павловича Романовского. Тогда убийцей был офицер-монархист поручик Хорузин, в связях с большевиками не замеченный. А тут была явная работа чекистов. Ведомый ими катер протаранил яхту генерала Врангеля

«Лукулл», стоявшую на рейде Константинополя и затонувшую через две минуты после нападения. Врангеля спасла интуиция. В тот день он чувствовал себя плохо, говорил подчиненным о грозящей ему опасности, не уточняя какой, и неожиданно для всех уехал в город, где особых дел у него не было. Он вспомнил, что незадолго до покушения получил телеграмму от генерала Слащёва с убедительной просьбой не покидать Константинополь. Врангель был напуган случившимся. В 1923 году он организовал и возглавил РОВС и понимал, что стал для большевиков мишенью номер один. Он уезжает в Англию, в Лондон, оставляя вместо себя генерала Кутепова.

Англия представлялась Врангелю страной с прочными и гуманными законами, где для разгула большевистских агентов весьма неподходящие условия. Еще во время Крымской кампании, в самый опасный для Доброволии момент, британское правительство сочло целесообразным предложить генералу Деникину сложить оружие в случае, если Советы пообещают населению Крыма и личному составу Добровольческой армии полную амнистию. В случае согласия генерала Великобритания брала на себя инициативу обращения к Советам, а лично «Деникину и его ближайшим сотрудникам обещала гостеприимное убежище».

Деникин, посоветовавшись с Врангелем и другими генералами, даже не ответил на предложение англичан. А сейчас Врангель все-таки решил воспользоваться их «гостеприимным убежищем». Врачи обнаружили у него чахотку в стадии, плохо поддающейся лечению. Возникло подозрение, что болезнь привили ему советские агенты, работающие в Париже в русских клиниках и больницах, связанных с «Союзом возвращения». По неосторожности Врангель обращался туда за медицинской помощью, впрочем, как и некоторые другие эмигранты. Редкие улучшения в здоровье Врангеля сменялись тяжелым кашлем и удушьем. Он и лучшие французские врачи как могли боролись с трудноизлечимой болезнью. Была ли привита чахотка Врангелю советскими агентами, проникли ли они в число врачей, лечивших его, — без документов секретных архивов установить невозможно. Связанные с этим документы лежат в самых секретных архивах ГРУ и будут ли когда-нибудь открыты — не знает никто. Нельзя быть уверенным, что они не уничтожены.

С декабря 1924 года великий князь Николай Николаевич, двоюродный брат Николая II, временно принял от заболевшего Врангеля руководство всеми русскими военными зарубежными организациями, которые к этому времени состояли в РОВСе. И после смерти Врангеля в 1928 году целый год до назначения Кутепова официально руководил всем. Он обладал военным опытом, будучи верховным главнокомандующим русской армией в Первую мировую войну, с первого ее дня до 15 августа 1915 года.

Барон Врангель Петр Николаевич 25 апреля 1928 г. скончался в Брюсселе от скоротечной чахотки (похоронен в Белграде. — *В. С.*). Место главы РОВСа занял генерал А. П. Кутепов — наиболее достойный из возможных преемников. Генерал Скоблин, разделивший с Кутеповым мытарства в Галлиполии, пользовался благоволением нового начальника РОВСа. 8 июля 1928 года по приказу великого князя Николая Николаевича генерал Скоблин был восстановлен в должности командира Корниловского полка, а Надежда Васильевна Плевицкая снова стала матерью-командиршей. Их семейный дуэт вновь занял видную роль в эмиграции. На галлиполийских праздниках Николай Васильевич выступал с патриотическими речами, затем на сцену выходила Надежда Васильевна, пела русские песни, мысленно возвращая военных к своей родине, и оптимистически заканчивала концерт звучащей маршево и победно песней: «И будет Россия опять...»

Исполняя эту песню, Плевицкая не сомневалась, что родина вернется к ней, правда, не уточняла, каким образом. Она торжествовала: Эйтингоны оплатили издание ее мемуаров, Ремизов написал к ним оригинальное предисловие, выраженное в церковно-христианском стиле, о чем она не могла даже мечтать. В книге она правдиво изложила свой жизненный путь, даже пребывание в монастыре, на секунду замешкалась, подумав — смогла бы сейчас посмотреть в глаза матери-настоятельнице монастыря, но отбросила мысли об этом: жизнь удалась, крестьянская девочка стала известной всей стране певицей. Плевицкая специально немало места уделила в книге встречам с царем и его семьей, чтобы эмигранты, отвернувшиеся от нее после малозначимого, с ее точки зрения, подарка большевикам в Америке, снова поверили в ее преданность и любовь ко всему истинно русскому. Она, однако, не учла, что на место Врангеля пришел человек очень решительный. Короткая черная бородка, в меру залихватские офицерские усы, умные, проникновенные и полные энергии глаза выдавали в нем волевого человека. В приказе по РОВСу, подписанном им, говорилось: «Пусть каждый воинский чин помнит, что раз поднявши меч, опустить его не может, ибо меч наш карает неправду, насилие и зло, царящие в России». Он, как и Врангель, не мечтал о походе на Совдепию, считал, что большевики долго не продержатся, что их свергнет народ, но Врангель, разочаровавшийся в этом после провала Кронштадского мятежа и Антоновского движения, по существу превратил РОВС в клуб ветеранов, вспоминающих былые битвы и славные дни, а Кутепов собрался возродить РОВС как боевую организацию, способную помочь любому сопротивлению большевикам внутри России.

В январе 1923 года заместитель председателя ОГПУ Иосиф Станиславович Уншлихт предложил создать для ведения активной разведки специальное бюро по дезинформации. Политбюро одобрило его предложение. Через статьи и заметки в периодической печати, разные фиктивные материалы в эмиграции создавалось впечатление о наличии в России активного сопротивления советской власти. По всей видимости, эта дезинформация не обошла и генерала Кутепова. Он начал создавать террористические группы через отделы РОВСа во Франции, Болгарии и Югославии, поддерживаемые некоторыми иностранными разведками. В ОГПУ посчитали генерала Кутепова и его действия самыми опасными для молодой Республики Советов.

Скоблин и Плевицкая стараются не привлекать к себе внимания эмиграции. В 1928 году они покупают виноградник под Ниццей. Казалось, мечта их о безбедной жизни сбылась. Но виноградник не плодоносит. Причина этого то ли неудачно выбранный сорт винограда, то ли время, не способствующее его плодоношению. Денег у них нет, они вложены в покупку виноградника. Концерты организовать не удается — эмигранты знают ее репертуар наизусть. Слышали по многу раз. Молодежь ее творчество не интересует. И сама она чувствует, что постарела и нет в ее песнях былого темперамента. И подозрение к ней после поездки в Америку сохранилось. Правда, несколько выручает помощь Эйтингонов, хотя она не может оградить их от бедности. Но есть во Франции люди, от которых они будут иметь достаточные для благоденствия деньги — и всего лишь за сведения, к которым допущен в РОВСе Скоблин.

— Ну что же, Коля, — решает Плевицкая, — иного выхода у нас нет. Чего они сейчас требуют от тебя?

Скоблин мнется, бледнеет.

— Ну, говори! — подстегивает его Плевицкая. — Каких таких сведений требуют, что ты языком не ворочаешь? О новой дислокации частей РОВСа? Она не изменилась...

— М-да, м-да, — недовольно мычит Скоблин, — о человеке, верящем мне... О самом Кутепове, о его поездках, передвижениях, понимаешь? — таинственно и тихо произносит Скоблин, заставляя Плевицкую задуматься и опустить голову.

— Ну и что? — помолчав, изобразила удивление Плевицкая. — Их интересует наш начальник. Это понятно...

— А в Москве убили Якова Александровича! Амнистированного! Получившего пост! Как ты это объяснишь?

— Судя по газете, — запнувшись, проговорила Плевицкая, — это была месть некоего Каленберга за убийство Слащёвым в Крыму его брата.

— Но не где-нибудь, а во флигеле, где жил Слащёв и другие преподаватели... В Москве идут аресты среди спецов — в основном бывших белых офицеров. Их расстреливают, высылают в Сибирь.

— Не волнуйся, Коля, — нервно произносит Плевицкая, — слава богу, мы живем здесь.

— Но ты стремишься вернуться туда, — с упреком говорит Скоблин.

— В Винниково, — улыбнувшись, уточняет Плевицкая. — В Париже свободно работает «Союз возвращения на родину», его не закрывают, его членов не преследуют.

— Его членов... А ты знаешь, кто они? В большинстве? Такие же, как и мы? Почему не уезжают? А выявляют тех, кто хочет уехать, кто действительно симпатизирует красным... И потом... Где Наум Эйтингон? Где человек, заменивший его? Снова посылает ко мне эту девчонку (Ирму Доннер. — *В. С.*). Снова переговаривается со мною записочками.

— Но симпатические чернила долго не держатся, записки становятся чистой бумагой, — успокаивает мужа Плевицкая, — наш шеф очень занят, я случайно встретила его с совершено незнакомыми людьми.

— Они что-то замышляют. И весьма серьезное! — вздрагивает Скоблин.

— Если серьезное, то мы об этом скоро узнаем. Без нас это серьезное вряд ли обойдется! — поднимает голову Плевицкая и прямо смотрит в глаза мужа.

— Ты права, ты как всегда права, Надя, — сникает под ее взглядом Скоблин, — но на душе моей неспокойно. Ты видела с шефом новых людей. Сколько их?

— Ты спросил бы еще, кто они, — усмехается Плевицкая. — Не сомневайся — нашего полку прибыло!

— Сегодня нашего, а завтра... Убийство Слащёва не выходит из головы...

— Пусть выйдет, — командует Плевицкая. — Ты сегодня говоришь, словно ни жив ни мертв, а ты жив!

Слухи, дошедшие до Плевицкой, об арестах и расстрелах военных специалистов в России из числа бывших эмигрантов были правдой. Судьбы многих из них, к примеру бывшего генерал-лейтенанта Евгения Ивановича Мартынова, служившего в Красной Армии с 1918 по 1921 год, до сих пор неизвестны. Все они стали жертвой теории Сталина об усилении классовой борьбы. Плевицкая понимала, что карающая рука Совдепии может добраться и до членов РОВСа, но что она могла поделать с этим, как спасти себя и мужа, уже войдя в плотные контакты с агентами советской разведки. Пожалуй, только одним способом — крепить связи с ними, выполнять любые их требования. Чтобы замаскировать свои действия перед другими эмигрантами, она стала чаще, чем прежде, вспоминать о своих добрых и славных встречах с членами императорской фамилии и не возражала против участившихся бурных застолий мужа не только с друзьями-галлиполийцами, но и вообще с бывшими военными.

Гуляли в дешевых ресторанах, один из которых в своей книге «Курсив мой» описывает писательница-эмигрантка Нина Берберова:

«На столиках с грязными бумажными скатертями стояли грошовые лампочки с розовыми абажурами, треснутая посуда, лежали кривые вилки, тупые ножи. Пили водку, закусывали огурцом, селедкой. Водка называлась «родимым винцом», селедка называлась «матушкой». Стоял чад и гром, чадили блины, орали голоса, вспоминались Перекоп, отступление, Галлиполия.

Подавальщицы скользили с бутылками и тарелками между столиками. Это все были «Марьи Петровны», «Ирочки», «Тани», которых знали все чуть ли не с детства, и все-таки после пятой рюмки они казались полузагадочными и полудоступными, вроде тех, которые дышали туманами и духами в чьих-то стихах (а может быть — в романсе?) когда-то... черт знает когда и где!»

Плевицкая прежде, бывало, боялась, что ее сомнет толпа, а сейчас сама хотела бы затеряться в толпе, стать ее невидимой частью, но разве ускользнешь от зорких глаз эмигрантов и тех, кто следит за нею и мужем? Разве ускользнешь от самой себя, от Плевицкой, имя и образ которой она сделала памятными? И пытаться нечего. Мужу легче. Погулял с друзьями и отвлекся от дурных, калечащих душу мыслей.

— Коля, пей, но не перепивай, — иногда замечала ему она, когда он «на бровях» возвращался домой.

— Слушаюсь! — пытался он принять стойку «смирно», но, сраженный водкой, падал на кровать, находя успокоение в пьяном забытьи.

Глава восемнадцатая

Похищение генерала Кутепова.
Восхождение Скоблина

Январским днем, похожим на глубокую российскую осень, когда снежинки таяли на подлете к земле и слабый сырой ветерок едва колыхал голые ветви деревьев, в центре Парижа, на улице, был похищен руководитель РОВСа Александр Павлович Кутепов.

В том, что Плевицкая и Скоблин были причастны к этому похищению, сомневаться не приходилось. Но, конечно, не они лично подошли к Кутепову на улице, ударили его по голове твердым предметом или приложили к его лицу тряпку, пропитанную хлороформом, и потерявшего сознание генерала втащили в заранее подготовленную автомашину. Это сделали люди, которых Плевицкая случайно увидела рядом со своим шефом, по просьбе Ирмы Доннер называемого нами дядей Васей. Опытный разведчик, уже давно руководивший диверсионной деятельностью и по приказу начальника Особого отдела ВЧК Менжинского убивший лидера Организации украинских националистов Кановальца, был вынужден заслугу в ликвидации Кутепова разделить с другим советским разведчиком Яковом Серебрянским.

Вячеслав Рудольфович Менжинский руководил советской разведкой со дня ее образования, с 18 сентября 1923 года. Через некоторое время он создает Особую группу при председателе ОГПУ — самостоятельное и независимое от Иностранного отдела подразделение, цель которого — подготовка диверсионных операций и внедрение своих агентов во вражеские организации.

На первый взгляд назначение Якова Серебрянского главой этой группы выглядит странным. Бывший эсер, он впервые был арестован в 1909 году за убийство начальника минской тюрьмы. Отделался высылкой, возможно, по возрасту, ему тогда было только семнадцать лет. Работал электромонтером на Витебской электростанции, с 1912 года находился в армии. После революции служил в Особом отделе Красной Армии в Персии (ныне Иране), а в 1920 году попал в центральный аппарат ВЧК в Москве. После окончания войны опять примкнул к эсерам, на квартире одного из них был арестован и просидел в тюрьме несколько месяцев. В марте 1922 года президиум ГПУ освободил его из-под стражи «со взятием на учет и лишением права работы в политических, розыскных и судебных органах». Кажется, его официальной карьере в советских органах пришел конец, тем более что вскоре его арестовывают за получение взятки на нефтетранспорном предприятии. Но, по всей вероятности, люди такого авантюрного склада требовались советской власти, особенно для работы в карательных органах. Даже их основатель — Феликс Эдмундович Дзержинский не всегда был железным... В 12 лет погибает его сестра Ванда, кто-то из братьев — Станислав или Феликс — случайно нажал тогда на курок охотничьего ружья. Мать детей, Елена Игнатьевна, сделала все, чтобы случившееся осталось тайной. Она рано ушла из жизни, Станислав был убит бандитами в родном хуторе Дзержиново в 1917 году. Оставшийся единственным свидетелем Феликс эту историю никогда не вспоминал. В специальном музее сохранилась фотография юного Феликса Дзержинского, на которой улыбается щеголь с кокетливо закрученными усами, в модном костюме, с полосатым шелковым галстуком на шее, с длинной сигарой в зубах. Под фотографией цитата из самого Феликса Эдмундовича: «Аксетизм, который выпал на мою долю, так мне чужд». Верится. Этот малообразованный человек, выгнанный из восьмого класса Первой мужской виленской гимназии, весьма пришелся ко двору первого советского правительства, на самую кровавую должность. Кто-то поддержал этого юного карьериста, способного лгать и, как показала практика, беспощадно убивать людей.

О Якове Серебрянском вспомнил тоже бывший эсер, убийца немецкого посла Мирбаха Яков Блюмкин. По его ходатайству Серебрянского посылают на нелегальную работу за границу: в Бельгию, Францию, Соединенные Штаты... Самой удачной его акцией явилось похищение генерала Кутепова в центре Парижа, за что разведчик награждается орденом Красного Знамени, а через несколько лет — орденом Ленина, очень редким тогда орденом. После чистки на Лубянке, арестованный в 1938 году Серебрянский, приговоренный к расстрелу, избегает гибели. В 1956 году Серебрянский умирает в Бутырской тюрьме, а на один из его предыдущих постов выдвигается Наум Эйтингон, проникший в Париж незадолго до похищения Кутепова.

В ликвидации Кутепова участвовала группа из 60 человек (сорок нелегалов). Среди них — Сергей Яковлевич Эфрон, бывший белый офицер, муж поэтессы М. И. Цветаевой. Пожалуй, дело Кутепова — первое в его жестокой террористической деятельности. Знала ли Марина о работе мужа? Конечно, знала. Вообще, в начале эмиграции ей было материально трудно, а потом Сергей Яковлевич стал помогать. Она не нуждалась, она не жила в нищете, у нее был свой угол, там, под Парижем... О работе Сергея Яковлевича она знала, но тогда они были уже друг другу чужие. Сергей Яковлевич запутался... произошло «дело Рейса». Один советский агент-невозвращенец был убит в Лозанне (убит С. Я. Эфроном. — *В. С.*). Тогда Сергей Яковлевич, по сути, предрешил свою гибель, потому что организация решила устранить нежелательного свидетеля советской работы за границей. И большевики его расстреляли.

Военный прокурор рассказывал дочери Марины Цветаевой Ариадне:

> «Эфрон вел себя очень мужественно. Его вызвали к Берии, он наговорил ему грубостей, будто даже на него накричал. Его оттуда выволокли и тут же застрелили, в прихожей».

Вот рассуждения на эту тему одного опытного, знающего повадки большевиков и близкого к литературе человека: «Для Сталина Цветаева — нуль. Как рассказывал один из его «дружков», у Сталина к литературе был чисто политический подход: Демьян Бедный, Горький, Пастернак — да, а другие — нет. Были «наши» и «не наши», а также «возможно, наши», например Маяковский... Какова же была цель завлечения Цветаевой на родину? Как и других «иностранцев», возможных причин было только две: вербовка или уничтожение. Известно, что для Цветаевой кончилось уничтожением... Не исключено, что была и неудавшаяся попытка вербовки...»

Цель захвата «иностранца» генерала Кутепова — уничтожение. О вербовке вряд ли могла идти речь. Скорее — о выдаче им секретов РОВС.

Генерал Кутепов являлся одним из самых видных русских эмигрантов во Франции, основным генератором идей деятельности РОВС и признанным вождем эмигрантского офицерства. На банкете, устроенном в его честь политическими и общественными организациями белой эмиграции в Париже, он призывал не придаваться излишнему оптимизму и не ждать, когда «все свершится как-то само собою». Он уверенно заявляет: «Нельзя ждать смерти большевизма, его надо уничтожать». Выступая перед казаками — кубанцами в Сербии, откровенно признался: «Сигнала «поход» еще нет, но сигнал «становись» должен быть принят по всему РОВС».

В свои 48 лет, полный энергии и решимости, веры в святую правду белого дела Кутепов уверенно поднимался к пику своей военной карьеры.

25 января 1930 года случайный прохожий видел, как неподалеку от дома генерала трое человек, один из них в форме полицейского, посадили в машину не очень пожилого человека. По всей видимости, это был Кутепов.

— Человек сопротивлялся? — спросили в полиции у прохожего.

— Не обратил внимания. Но видел, что его держали за руки. Помогали сесть или насильно втаскивали в кабину — точно сказать не могу.

В полиции ждали, что генерал объявится, но он исчез, словно испарился.

У полиции возникли вопросы: кто вызвал Кутепова из дома? Кто-то из друзей или подчиненных? Вероятно, кто-то из хорошо знакомых или тех, кому он верил. Если крепкий сильный человек, во время боевых действий участвовавший в рукопашных схватках, не оказал сопротивления, то он к моменту захват, был оглушен или невменяем.

Эмигрантские газеты, в первую очередь, и местные французские издания стали публиковать самые различные версии и домыслы. Похитителей видели то там, то здесь. Проверяли людей, похожих на тех, что описал свидетель захвата, но у них было алиби. Пало подозрение на Плевицкую. Одна из газет вспомнила ее «сочувствие» советским беспризорникам в Америке, дружбу с подозрительной семьей русского скульптора, приехавшего на время в Штаты, но неожиданно раздумавшего уезжать в Россию. Скоблин, защищая супругу, напоминал, что перед гастролями в Америке она провела благотворительный концерт в пользу эмигрантской учащейся молодежи.

Сама Надежда Васильевна давать интервью отказывалась, говорила, что она не в форме и вообще уже не та, чтобы фотографироваться и часто появляться на публике. Она, Плевицкая, свое еще не отпела, но должна отдохнуть. Особенно сейчас, когда тревожно на душе, когда разыскивают бедного Александра Павловича, друга их семьи. Куда он мог запропаститься?

Позднее известный публицист Владимир Львович Бурцев, издатель газеты «Общее дело» в Париже, заметит, что «до похищения Скоблины бедствовали, а потом у них появились деньги. Скоблин вел бухгалтерию семьи осмотрительно, включая в ведомость завышенные гонорары жены, а также денежные подарки Эйтингона, тоже завышенные». Бурцев обвинил Скоблина в двойной игре и вызвал на публичную встречу в одной из газет с присутствием журналистов. Скоблин на его предложение не ответил. Какую именно роль сыграли Плевицкая и Скоблин в похищении генерала Кутепова — общественности не известно, поскольку дело их закрыто в лубянских архивах. Но эмигрантский Париж не сомневался, что он был украден агентами ГПУ. Эмигрантскую печать поддержала французская. И конечно, советская печать дала резкую отповедь империалистическим клеветникам, утверждавшим, что Кутепова похитили и убили агенты Москвы.

3 февраля 1930 года газета «Известия» половину первой полосы посвятила истории с Кутеповым:

«Эта нелепая история в излюбленном, бульварном, детективном жанре специально инсценирована с провокационной целью. «Таинственное исчезновение» Кутепова послужило сигналом для неслыханной по разнузданности кампании, направленной против СССР и советского полпредства. «Исчезновение» Кутепова изображается как дело рук Чека, агенты которой якобы «похитили» Кутепова среди бела дня на улицах Парижа. Продолжение французским правительством его тактики пассивности, потворства и косвенного поощрения давления на дипломатическое представительство Советского Союза невольно создает впечатление, что правительство поддается на провокации русской белогвардейщины и следует ее указке... Мы вынуждены были со всей серьезностью поставить перед французским правительством вопрос: предпочитает ли оно сохранению дипломатических отношений с Советским Союзом сотрудничество с белогвардейской эмиграцией? Совершенно очевидно, что нормальные дипломатические отношения несовместимы с такими фактами».

Статья вышла без подписи. Передовая дополнялась другими «фактами». Собственный корреспондент «Известий» в Амстердаме с ссылкой на «достоверные сведения, исходящие из кругов, имеющих отношение к правым элементам», писал «что виновниками исчезновения Кутепова являются сами белогвардейцы, а именно та часть русских белогвардейцев, которая добивалась отстранения Кутепова и замены его своим кандидатом. Есть прямые данные, указывающие на то, что г. Кутепов, отчаявшись в борьбе с этой частью белогвардейцев и не видя другого выхода, решил уйти с политической арены. Он 26 января выехал незаметно в одну из республик Южной Америки, взяв с собою солидную денежную сумму». А корреспондент ТАСС передал из Берлина, что газета «Монтагс пост» написала о «большом количестве дутых чеков, подписанных Кутеповым и циркулировавших в Париже».

Вся эта шумиха, поднятая в Советском Союзе вокруг Кутепова, была рассчитана не столько на соотечественников, сколько на кабинет министров Франции, который мог погасить скандал в эмигрантских изданиях, уменьшить рвение французской полиции в расследовании дела.

И это Советам удалось. Находящийся в эмиграции, во Франции, поэт Владислав Фелицианович Ходасевич пишет своей возлюбленной Нине Берберовой:

«С Кутеповым что-то осложняется, ибо сегодня прочитал в газетах, что кабинет Тардье пал. Пал он по второстепенному финансовому вопросу, но накануне запроса о Советах. Коммунисты, социалисты, рад.-соц. И радикалы соединились так, как я предсказывал.

Ты надо мной смеялась. Все «поражены неожиданностью», а я не поражен. Посмотрим, что будет дальше. Вся эта публика оказалась умнее, чем я думал: свалила кабинет накануне интерпелляций...»

Действительно, французская полиция стала уделять расследованию дела Кутепова меньше внимания, чем вначале. А без помощи полиции эмиграция не могла добиться ничего существенного в раскрытии преступления и наказания его виновников. Генералу Евгению Карловичу Миллеру, ставшему преемником Кутепова на посту председателя РОВСа, оставалось давать возмущенные интервью парижским журналистам:

> «Гипотеза о бегстве Александра Павловича безусловно исключается. Недавно женившийся и имеющий горячо любимого им сына, генерал Кутепов всегда был образцовым мужем и отцом. С другой стороны, вообще не существовало каких-либо причин, которые могли бы подвигнуть Кутепова на бегство. Остается «гипотеза» о похищении генерала».

Как именно закончил свой земной путь председатель РОВСа Кутепов, в иностранном отделе ОГПУ знали немногие. Одни из них лишь высказывали мнение о том, что генерал заслуживал смерти. Другие знали о его кончине доподлинно.

Одни говорили, что Кутепова приказали доставить в Москву, потому что генерала-вешателя, руки которого по локоть в народной крови, следовало судить и повесить. Его как будто бы под видом пьяного матроса отвезли в Марсель и там посадили на пароход, где Кутепов вроде бы впал в депрессию, отказывался от еды, не отвечал на вопросы. Весь рейс он провел в состоянии странного оцепенения и пришел в себя, лишь когда судно приблизилось к Дарданеллам и Галлипольскому полуострову.

Кутепов, как сказал своим сотрудникам начальник иностранного отдела, умер от сердечного приступа на судне, когда до Новороссийска оставалось сто миль, умер от страха. А сотрудники этого отдела перешептывались, что Кутепова убили прямо в Париже, в машине, где он оказал сопротивление, а труп растворили в ванне с кислотой. Это похоже на правду. Таким же образом, но с помощью гашеной извести в свое время пытались уничтожить останки членов царской семьи. Об одном умалчивают авторы версий кончины генерала, если его убили не сразу, — о проводимых ими допросах и, возможно, с применением пыток. Но ясно, что генерал ничего не ответил им, даже, вероятно, высказал им в лицо то, что думает о них, и они, разъяренные этим, прикончили его, выбросив труп в море или растворив в ванне с кислотой.

Председатель ОГПУ Менжинский доложил Политбюро ЦК КПСС, что операция по ликвидации головки РОВСа проведена успешно, что похищение и уничтожение генерала Кутепова сильно ослабило военную эмиграцию. По предложению Менжинского Политбюро наградило участников операции в Париже орденами, именным оружием и ценными подарками.

Наверное, вошли в число награжденных и Плевицкая, и Скоблин. Однако чем они были награждены? Вероятно, ценными подарками, скорее всего — денежными, и с целью конспирации получили их из рук Эйтингона.

Глава девятнадцатая

О чем знала Плевицкая

Последним светлым событием в жизни Плевицкой был выход ее мемуарных книг — «Дежкин карагод» и «Мой путь с песней».

Праздничное настроение охватило душу Надежды Васильевны, когда она держала в руках первые, еще пахнущие типографской краской книги. Хотелось обнять весь свет, и в первую очередь друзей, помогших издать книги: чету Эйтингонов, Сергея Васильевича Рахманинова и его дочерей Татьяну и Ирину. Великий пианист и композитор искренне любил ее, восторгался ее талантом, а «она всякий раз и много пела Сергею Васильевичу» (из воспоминаний биографа Рахманинова О. Сатиной. — *В. С.*). Бунин писал о нем:

> «При моей первой встрече с ним в Ялте произошло между нами подобное тому, что бывало только в романтические годы молодости Герцена, Тургенева, когда люди могли проводить целые ночи в разговорах о прекрасном, вечном, высоком искусстве».

Плевицкая не раз вспоминала общения с Рахманиновым в Америке, неизменно дружественные и творческие. Как-то он прочитал ей стихи Майкова:

Я в гроте ждал тебя в урочный час.
Но день померк; главой качая сонной,
Заснули тополя, умолкли гальционы:
Напрасно! Месяц встал, сребрился и угас...

Наверное, он хотел написать романс и подарить певице, но стихи показались ей высокопарными, далекими от любимых ею сельских песен. Она сказала: «Прекрасные стихи» — и не попросила их положить на музыку, о чем потом очень сожалела. Наверняка Сергей Васильевич хотел расширить ее романсовый репертуар за счет текстов высокой поэзии, а она этого не поняла, и честно говоря, была к этому не готова и не сделала новый шаг в творчестве, чего долго не могла себе простить, тем более что другой подобной встречи с Рахманиновым Бог ей не подарил.

Хотелось с вечной благодарностью подарить эти книги Шаляпину, Собинову, критикам С. Мамонтову, А. Кугелю... Она знала, что Собинову, столько сделавшему для нее, в первые годы советской власти пришлось весьма несладко. Приехавший из России в Париж его знакомый рассказывал Плевицкой, что в конце 1920 года Леонид Витальевич заведывал подотделом искусств в Севастополе. Знакомый признался Собинову, что в Москве его уже несколько раз похоронили, на что Леонид Витальевич горько улыбнулся:

> «Я иногда думаю, как жалко, что это неправда... Гол как сокол... Сердце побаливает, и приходится прибегать к каплям. Кому сейчас нужны оперные тенора? Говорят, что Ленин собирается закрыть Большой и Мариинский...»

Плевицкая не знала, что действительно 12 января 1922 года вышло «Постановление Политбюро ЦК КПСС о закрытии Большого театра», а 17 января — «О возможности его сохранения», что потом именно в противовес преданному анафеме и ошельмованному «невозвращенцу» Ф. И. Шаляпину стали оказывать внимание Собинову — в 1933 году наградили его орденом Трудового Красного Знамени, а через год торжественно похоронили, введя в комиссию по организации похорон «двух актеров ГАБТ (из них один народный артист)».

Первый сигнальный экземпляр она в тот же день отнесла и подарила Ивану Сазонтовичу Лукашу — сотруднику парижской газеты «Возрождение», литературному редактору «Дежкиного карагода», а второй — автору оригинального предисловия к ее книге Алексею Михайловичу Ремизову. Писателя забыли в России, хотя до революции вышли 30 томов его сочинений.

Книга вернула Плевицкую к дням детства, к первым успехам, к встречам с интереснейшими людьми и, конечно, в Винниково, где она построила для себя русский дом-терем, крепко сложенный, из которого, казалось, никакой ветер, даже ураган, не выдует, не вытеснит милую ее сердцу жизнь.

Эйтингоны издали ее книги, за что им нельзя не поклониться до земли, помогли им с мужем жить сносно, материально хорошо, но поставили в зависимость от брата Марка Эйтингона — Наума, человека жесткого, обещавшего благодать им и всему человечеству. А возможно ли это — всему человечеству? Помог бы ей вернуться в Винниково, что сулил неоднократно, но требовал за это необходимые ему сведения. Неужели каждое доброе дело, сотворенное кем-то для тебя, требует взамен зло?

Семья Эйтингонов обрадовалась книге, жена Марка вслух прочитала посвящение: «Нежно любимому М. Я. Эйтингону». О Науме семья не обмолвилась ни словом.

— Где сейчас брат? — как бы невзначай поинтересовалась Плевицкая.

— Вроде собирался поехать в Испанию, но зачем — не знаю, — ответил Марк. Он на самом деле не знал о причине поездки Наума в эту солнечную страну. Хотя история этой поездки весьма интересна; о ней недавно подробно рассказал писатель и журналист Владимир Батшев, ныне проживающий в Германии.

В Испании Наум Эйтингон сошелся с красивой женщиной — Каритад Меркадер, у которой было трое сыновей. Одного из них — Рамона — Эйтингон забрал из диверсионного отряда и стал готовить для более важного поручения. В чем оно заключалось, рассказ впереди.

Сталину не давал покоя бывший наркомвоенмор Лев Троцкий, который за границей издал книги «Уроки Октября», «Преданная революция», разоблачавшие сталинские репрессии и вообще тоталитаризм. Сталин считал Троцкого врагом номер один и часто повторял: «Хороший враг — это мертвый враг». В 1939 году он посчитал, что пора покончить с этим врагом.

Рамон Меркадер успешно внедрился в окружение Троцкого, как жених его бывшей секретарши. 24 августа 1940 года Эйтингон и Каритад привезли Рамона на соседнюю с домом Троцкого улицу. Рамон простился с ними и вышел из машины. Жак Морнар (под таким именем действовал Меркадер) должен был принести ему свою статью. Троцкий ожидал его. Войдя в кабинет и выбрав удобный момент, Меркадер ледорубом нанес Троцкому удар по голове. Охрана, услышав шум, поспешила в кабинет и задержала убийцу. В свою очередь, услышав шум в доме, Эйтингон, сидевший в автомобиле, дал газ, и машина сорвалась с места. Через день он услышал, что Троцкий умер в больнице. Задание Сталина было выполнено. Еще несколько месяцев Наум Эйтингон находился в США, где ликвидировал Вальтера Кривицкого — своего бывшего и прославленного коллегу, ставшего невозвращенцем, а до этого сыгравшего немалую роль в судьбе Плевицкой и Скоблина, на чем мы остановимся подробно. Сталин высоко оценил действия Наума Эйтингона, на аудиенции, устроенной ему в Кремле, в присутствии Берия наградил агента орденом Ленина, сердечно обнял его и заверил, что пока он, Сталин, жив, ни один волос не упадет с его головы, и вскоре назначил Эйтингона заместителем генерала, именуемого в книге дядей Васей — в то время уже руководителя в НКВД отдела диверсий, покушений и убийств.

Судьба выделила Плевицкой несколько радостных месяцев, связанных с выходом книги. Она чувствовала себя именинницей или даже счастливой матерью выстраданного и честного потомка, которого не стыдно будет оставить людям, который переживет ее и сможет рассказывать другим поколениям о ней, о жизни, не покореженной дикой стихией.

Она подарила свою книгу Рощиной-Инсаровой. Старая актриса выглядела странно в одежде молодой героини — в сарафане с вырезом на груди, в чепце, модном пару десятков лет назад. Она сильно нуждалась. Постоянного русского драматического театра в Париже не было. Актеры собирались на два-три спектакля, не более, кое-что зарабатывали, а потом еле сводили концы с концами.

— Вы здесь и меня вспоминаете? — с удивлением сказала Рощина-Инсарова, принимая книгу. — Я тогда была знаменитой. На всю Россию... Звезда Малого театра! Интересно, что вы обо мне пишете?

— О том, как нас с вами дурачили жулики, выманивая деньги. У меня — якобы по вашей просьбе, — сказала Плевицкая.

— Ох, какое было прекрасное время! — неожиданно для Плевицкой воскликнула актриса. — Я была настолько известна в России, что мое имя многое значило! Даже для жуликов! И сейчас я живу, хотя и мучаясь, живу лишь потому, что было мое время! Было! Спасибо за книгу!

Плевицкая желала бы подарить эту книгу поэтам, навещавшим ее в России, — Есенину и Клюеву. Имя Есенина промелькнуло в Париже, но поэт, видимо увлеченный Айседорой Дункан, даже не удостоил певицу телефонного звонка, а может, считал это для себя уже ненужным, ведь Плевицкая в России — богиня русской песни, а в Париже — исполнительница эмигрантских песенок и интересная лишь узкому кругу стареющих эмигрантов. Она еще при первой встречи в Москве почувствовала в показном поведении поэта определенную фальшь, хотя верила Клюеву, что его коллега божественно талантлив. Позднее Плевицкая прочитала в парижской газете воспоминания о Есенине поэта Г. В. Адамовича, чересчур резкие, как ей показалось, но, возможно, с большой долей правды:

> «...В Петербурге Сологуб отозвался о нем так, что и повторить в печати невозможно, Кузьмин морщился, Гумилев пожимал плечами, Гиппиус, взглянув на его валенки в лорнет, спросила: «Что это на вас за гетры такие?» Все это заставило Есенина перебраться в Москву, и там он быстро стал популярен, примкнув к «имажинистам». Потом начались его скандалы, дебоши, «Господи, отелись», приступы мания величия, Айседора Дункан, турне с ней по Европе, неистовые избиения ее, возвращение в Россию, новые женитьбы, новые скандалы, пьянство — и самоубийство...»

Вот Клюев — чистый человек, смиренный и честный, хотя, быть может, и не божественно талантливый. Он непременно навестил бы Плевицкую, будучи в Париже. Такие люди, как Клюев, друзей не забывают, тем более добрых и помогших им, пусть и давно. Но о нем — ни слова в газетах. И книжки его, если они есть, до Парижа не дошли. Справился ли он с диким ветром? Укрылся ли от него или пошел ему наперекор? Плевицкая ничего не знала о жизни Клюева при большевиках, но в честность и правдивость поэта верила и не обманулась в этом, Клюев своей творческой линии не изменил, подпевать большевикам не стал. Иван Михайлович Гронский, в начале 30-х годов главный редактор «Известий», позже рассказывал о том, как пытался наставить на путь истинный крестьянского поэта Николая Алексеевича Клюева, а тот не желал вести себя так, как было положено советской властью.

— Неужели вы не видите разницы между царскими «душеньками солдатскими» и революционными борцами за свободу народа?! — вопрошал Гронский.

— Не вижу, — горестно отвечал Клюев, — все для меня одинаково несчастные — убиенные.

— Но ведь революционные победили царских! — убеждал поэта Гронский.

— На небесах они в разных обителях, — вздыхал Клюев, — кто — в раю, кто — в аду.

— Революционные, по-вашему, ясно где! — негодовал редактор «Известий». — А на земле-то, на земле революционные солдаты побили царских! Это факт! Этого отрицать вы не будете?

— Не буду, — соглашался Клюев. — Друг дружку побили братья и отцы. Какая тут радость? Беда и печаль. А насчет того, что больше полегло царских солдат, ваша правда, изнемогли они, измучились от долгой и кровавой войны с германцами, защищая царя и отечество. И защитили. А ваши пошли с германцами на похабный мир, обесчестивший отечество.

Разгневанный Гронский прекратил спор.

«Тогда, — вспоминал он, — я позвонил Ягоде и попросил убрать Н. А. Клюева из Москвы в двадцать четыре часа.

Ягода меня спросил:

— Арестовать?

— Просто выслать из Москвы.

После этого я информировал И. В. Сталина о своем распоряжении, и он его санкционировал».

Николая Клюева расстреляли в Томской тюрьме в октябре 1937 года.

Надежда Васильевна Плевицкая не знала об этом и о многом другом, касающемся ее друзей, но волновалась, думая о жизни. Дошла до последней страницы мемуаров:

«Вскоре после похорон матери приснился мне сон, такой яркий, что, и пробудясь, я не верила, что это сон.

Будто стою я на колокольне нашей деревенской церкви и далеко видны пашни и поля. И вдруг я увидела, как в воздухе летает в смятении белый голубь, гонимый стаей черных птиц.

Голубь метался, и черные птицы его настигали, а я с тоской кричала: «Заклюют, заклюют бедного голубочка!»

Голубь метнулся и пал в когти черной птицы и повис без дыхания.

Тогда я увидела мать, идущую со стороны кладбища. Увидя ее, я крикнула кому-то вниз с колокольни, чтобы мать ко мне не подымалась, что ей трудно по лестнице ходить, а я сама к ней прибегу.

И я побежала вниз с колокольни.

Обыкновенно эта лестница шаткая, но теперь была устлана ковровой дорожкой.

Я сбежала вниз и обняла мать. А она держит в руках крылышко белое; подала мне и сказала:

— Вот тебе, Дежечка, крылышко голубочка, которого вороны заклевали.

Голос матери был печален и нежен.

Я взяла крыло и проснулась.

Тогда я этот сон разгадать не сумела, и только теперь его, кажется, поняла...

Сейчас, когда я дописываю эти строки, над моим окном, в густой шелковице, поет птичка, заливается.

Не привет ли это с родимой стороны?

Не побывала ли она теплым летичком в Мороскине? И не пела ли пташечка на сиреневом кусту у могилы моей матери?

Спасибо, милая певунья. Кланяюсь тебе за песни. У тебя ведь крылья быстрые, куда вздумаешь летишь. У меня одно крыло.

Одно крыло, и то ранено.

Кло-де-Пота
5.XI.1929»

Плевицкая дочитала последнюю страницу своей книги и удивилась, что к ней с удивительной ясностью вернулись воспоминания жизни, какие обычно возникают у человека, чувствующего приближение конца. А она собиралась еще жить и жить и увидеть наяву свое Мороскино, постоять у могилы матери, навестить могилы Плевицких, что похоронены в Винникове. Не ссорилась она с ними. Рассталась с первым мужем по-доброму. Десять лет жизни... Не вычеркнешь... Володю Шангина вспомнила, и сердце забилось — до чего красив и страстен был, и весел, и нежен... Несправедливой судьба оказалась к нему, рано увела от любви и земного бытия...

Добрые и приятные сердцу воспоминания должны успокаивать человека, но Плевицкая, закрыв книгу, ощущала, что в душе ее растет тревога, которую не уймешь никакими лекарствами и увещеваниями.

Глава двадцатая

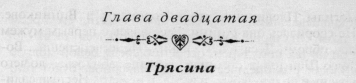

Трясина

Руководство московских чекистов изучало своих подчиненных, и не только столичных. Оно знало, что в Харькове работает бывший чекист Петр Ковальский, умеющий расположить к себе людей, прекрасный собеседник, способный найти подход почти к любому человеку и поэтому вполне способный справиться с ролью агента-вербовщика.

В конце января 1930 года из Иностранного отдела была направлена телеграмма начальнику контрразведывательного отдела ГПУ Украины:

«Подготовьте «Сильвестрова» к поездке за кордон. Пришлите его в Москву. По приезде в Москву он должен связаться с нами по телефону 5-18-00 и договориться о месте свидания. Сообщите о дате приезда «Сильвестрова». Пом. нач. ИНО ГПУ Горб».

Пока Ковальский, сидя в гостинице, ждал вызова в ОГПУ, его начальник Вячеслав Рудольфович Менжинский проводил специальное совещание с сотрудниками иностранного отдела, касавшееся положения в парижском РОВС после ликвидации Кутепова.

— Мы должны знать все, что происходит в основных центрах белой эмиграции. Сейчас РОВС фактически обезглавлен. Кто заменит Кутепова? — спросил Менжинский. — Есть сведения?

— Да, есть, — сказал начальник ИНО, — бывший генерал-лейтенант Евгений Карлович Миллер. За три недели до своего исчезновения, — криво улыбнулся докладывающий, — Кутепов сам назначил его преемником. Он старше Кутепова, ему шестьдесят шесть лет, и он не так популярен, особенно среди белой молодежи, как его предшественник. Наверное, будет опираться на старый генералитет.

— У нас, к сожалению, в окружении Кутепова не было очень близких к нему людей, мы не знали о всех его планах. Надо исправить эту ошибку, подвести к Миллеру нашего человека, которому он доверял бы и который мог бы оказывать на него нужное нам влияние. Есть такой человек?

— Подыщем, — уверенно произнес начальник ИНО, надеясь на способности Ковальского, предоставившего два густо исписанных листка с фамилиями знакомых ему офицеров Добровольческой армии, находившихся в эмиграции.

Первым в списке Ковальского значился генерал Кутепов («Мы познакомились с ним в общежитии Красного Креста в Новочеркасске, где собиралось ядро Доброволии. Встречались часто, но были довольно далеки»), но он уже не интересовал ОГПУ.

«Генерал Скалон — бывший «императорский стрелок», познакомились с ним в Кременчуге, когда он был назначен начальником обороны района. Были большими друзьями, часто пьянствовали, вместе отступали в Польшу, где спали в Щелковском лагере. Жили в одном бараке, часто пьянствовали и там. Последний раз виделись в 1920 году».

По сведениям резиндентуры ОГПУ в Праге галлиполиец Скалон был ярым врагом советской власти, вел переписку с террористической организацией «Братство Русской Правды» в Париже, занимался заброской листовок в СССР и готовил кадры для активной работы против Москвы. Его кандидатура, как слишком известная, вызывала много сомнений и была признана маловероятной для удачной вербовки.

«Генерал Шатилов — познакомились на Царицынском фронте, часто встречался с ним в штабе

Врангеля, близко знаком не был», — сообщал Ковальский.

Генерал от кавалерии Павел Николаевич Шатилов в 1919 году был начальником штаба у Врангеля, ту же должность занимал в Русской армии в Крыму. С 1921 года находился в эмиграции, был активным деятелем РОВСа, но шапочное знакомство с ним Ковальского исключало непосредственную вербовку. Остальные приятели Ковальского, с которыми он когда-то служил, или напивался, или сидел в лагере, были мелкими сошками, кроме одного, который сразу привлек к себе внимание руководства ИНО ОГПУ.

«Генерал Николай Владимирович Скоблин. Мы познакомились в 1917 году при формировании Отдельного ударного отряда 8-й армии. Мы были большими приятелями. Почти год служили в одном полку — Отдельный ударный отряд, Корниловский ударный полк, Славянский ударный полк. После ранения один раз гостил у него в Дебальцево, другой, и последний раз, кутили в Харькове в «Астрахани» в 1919 году. Член совета правления галлиполийцев и командир сводного Корниловского полка».

Прочитав досье Ковальского на генерала Скоблина, руководители ИНО переглянулись:

«Этот!» — решили сразу, но Ковальскому не сказали, что Скоблин уже помогал их парижским агентам однако заметили, что генерал нуждается в деньгах, имея женой известную певицу, что соблазнителен для вербовки, находясь в близкой дружбе с Миллером, что сопровождает жену в гастролях по Франции и может знать интересные данные о работе отделений РОВСа в провинции.

Петр Ковальский прибыл в Париж 2 сентября 1930 года и первым делом выяснил, что сборы на концертах у Плевицкой небольшие, имеют тенденцию к снижению, так как старые эмигранты ее слышали по нескольку раз, а молодых она мало интересует. Ее заработки — единственный доход семьи Скоблиных. Покупка виноградника оказалась неудачной, он был приобретен в год, неурожайный для посаженного в нем сорта винограда. Их домик в Озуар-ле-Фурьер куплен в рассрочку на 10 лет, и ежемесячно они выплачивают за него 800 франков. Перспектив улучшить свое материальное положение у них нет. Эйтингоны помогают, но в последнее время все меньше и меньше. Даже Ковальский не знает, что помощь им от друзей урезана умышленно, по совету советского разведчика Наума Эйтингона, чтобы облегчить Ковальскому давление на Скоблина и его жену.

Ковальский приходит к другу по военной юности без предупреждения, с коньяком в сумке, идет навстречу ему с распростертыми объятиями.

— Узнаешь, Коля?

— Петя! Ты! Какими судьбами? — раскрывает объятия Скоблин.

— Судьбы у нас одни! — восклицает Ковальский, обнимая Скоблина.

— Надя, это Петя, Петр Ковальский, мой закадычный друг! — представляет Скоблин Ковальского жене.

Накрывается стол. На столе коньяк, фрукты. Поднимаются тосты за старую нержавеющую дружбу, за вечную молодость, и, конечно, Ковальский застолье начинает с тоста за жену, хозяйку дома и великую русскую певицу, гордость России.

— Что вы? — краснеет и смущается Плевицкая. — Кто меня помнит в России?

— Все! Все любители русской песни! — твердо объявляет Ковальский.

— Неужто, так ли на самом деле? — не верит ему Плевицкая. — Не может этого быть. Столько лет прошло, как я покинула Россию. Пора бы там забыть меня. Здесь еще кое-кто меня помнит и ценит. А там... Наверное, полное забвение.

— Ваши слушатели живут в России! — гнет свою линию Ковальский. — Вас там хорошо помнят и знают!

А приедете — встретят замечательно! Поверьте мне! Вы дочь крестьянина, и власть сейчас в России ваша — рабоче-крестьянская! К вам отнесутся совсем иначе, чем к дворянам.

— У меня была усадьба в Винникове.

— Но вы же не были помещицей. Пели и заработали на постройку дома. Получите его обратно. Зачем вам распевать горе по местным кабакам. Ваши здешние зрители стареют, разбредаются по миру.

— Я тоже не молодею, — замечает Плевицкая.

— Выглядите прекрасно! — не унимается Ковальский; ему надо было непременно завербовать Плевицкую — ведь от ее решения зависит поведение мужа. — Вам не подвластны даже годы! Тем не менее они уходят, никуда от этого не денешься, надо спешить!

— Я не могу поехать одна, — подумав, говорит Плевицкая, понимая, что Ковальский зашел к ним не для того, чтобы навестить друга, что он послан к ним по совету советских разведчиков, с которыми они уже общались. — Я не могу поехать одна, — повторяет Плевицкая, — а только с Коленькой. Что с ним там сделают? Его же расстреляют. Непременно.

— Вашего мужа? — разыгрывает удивление Ковальский. — Стоит ему дать согласие служить Советскому Союзу и тем самым замести прежние грехи, и его безопасность гарантирована! Поверьте мне! За нашу дружбу, за наши успехи! — поднимает бокал Ковальский.

Плевицкая и Скоблин молча, со скорбными лицами поднимают свои бокалы.

— Французское вино пьется легко, легче, чем наша водка, — натужно улыбается Скоблин, — а помнишь, Петя, сколько мы ее выпили, и не брала она нас, матушка, только бодрила и веселила! Какие времена были?

— Отличные! — подхватывает его воспоминания Ковальский. — И будут еще! Поверь мне. Надежда Васильевна, как и прежде, накроет нам стол на террасе своей усадьбы в Винникове. А на нем огурчики малосольные!

Помидорчики! Зеленый лучок! Осетринка! Ведерко с икрой!

— Я читала в газетах, что в России сейчас голодно, — опускает глаза Плевицкая.

— Временно! Временно! Кстати, спасибо вам, Надежда Васильевна, за помощь нашим беспризорникам. Просили передать. Скоро пойдут пятилетки. Одна за другой. Жизнь наладится! — бодрится Ковальский и, уходя, снова обнимает Скоблина, учтиво целует руку Плевицкой.

Хозяева обескуражены его приходом. Скоблин убирает со стола посуду, боясь посмотреть в глаза жены. Он считает себя виноватым в приходе нежданного гостя, понимая, что в первую очередь он, генерал РОВСа, интересует советскую разведку.

— Надо идти до конца, — вдруг произносит жена таким жалобным голосом, что Скоблин вздрагивает, из его рук выскальзывает тарелка, но, попрыгав по полу, остается целой. — Видишь, Коля, не будет нам счастья... Но сворачивать некуда и нельзя. Убьют нас, Коля! — со слезами в голосе заключает Плевицкая.

— Что ты, родимая?! — испуганно говорит Скоблин. — Слащёва из-за мести кто-то убил... Я проверял... — выдумывает он, чтобы успокоить жену.

— И нас — из-за мести... Тебя как белого генерала... Как Кутепова... Вешателя народа. Меня как твою жену и буржуйскую певицу, ублажавшую царя-кровопийцу... Впрочем... Извини, Коля... Хандра порой одолевает. Все зависит от нас с тобой. От того, как мы им поможем. Я права, Коля?

— Конечно, милая. Мы постараемся. Миллер во мне души не чает. Говорил, что такая чудесная певица, как ты, могла полюбить только чудесного человека. Он готов слушать тебя без конца. Говорил, что слушая и видя тебя, воочию представляет нашу родину, свободную и привольную, освобожденную от большевиков. Так-то, Надежда, а ты расхныкалась!

— Ладно уж, прокурор, уймись. Пусть Миллер мечтает. А я уверена, что через РОВС на родину не вернусь. Я пойду отдохну, — говорит Плевицкая мужу. — Попытаюсь не заснуть.

— Почему? — удивляется он.

— Сны меня замучили, Коля. Разные. В последний раз приснилась мне пропасть с черным дном, и кто-то неведомый столкнул нас в эту пропасть.

— Разбились? — испугался Скоблин.

— Не-а, — качает головой Плевицкая, — на дне была трясина, мы не убились, а завязли в ней, попытались выбраться, но чем больше старались, тем больше увязали.

— Что же тогда делать? — растерянно спрашивает Скоблин.

— А ничего, Коля, — вдруг уверенно и спокойно вымолвила Плевицкая, — не сопротивляться тому, на что решились. Чтобы не сбылся сон и мы не ушли с головой в трясину. Я больше, чем Миллеру, верю твоему другу. Подожди. Чего это он оставил на кушетке? Ага, забыл деньги...

— Оставил, — тихо уточнил Скоблин.

Супруги думали, что обязанности, наложенные на них советскими разведчиками, будут по-прежнему несложными, в целом осведомительного характера, не станут для них опасными и, мало того, улучшат их материальное положение. Эта мысль внесла успокоение в их жизнь.

Петр Ковальский передал завербованного им генерала Скоблина под опеку резидента ОГПУ в Вене, срочно переславшего в Москву телеграмму № 1415:

«Центр. ЕЖ-10 вернулся из Парижа в Вену. Жена генерала согласилась работать на нас. Генерал пошел на все и даже написал на имя ЦИК просьбу о персональной амнистии. По моему мнению, он будет хорошо работать.

Подписка Скоблина написана симпатическими чернилами «пургеном» и проявляется аммоняком (летучая щелочь). Беда в том, что когда аммоняк улетучивается, то снова письмо теряется. Пусть его проявят у нас какой-нибудь другой щелочью после первого чтения. Визитная карточка служит паролем. Генерал будет разговаривать с любым посланным от нас человеком, который предъявит такую визитную карточку. Прошу срочно указаний. Месячное жалование, которое просит генерал, около 200 американских долларов. Вацек».

Вскоре в ЦИК поступило заявление от генерала Скоблина с просьбой об амнистии. На заявлении заместитель начальника Иностранного отдела ГПУ поставили резолюцию: «Заведите на Скоблина агентурное и рабочее дело под псевдонимом «Фермер» — ЕЖ-13».

Тут же в Вену улетела ответная шифровка:

«Вербовку генерала считаем ценным достоянием в нашей работе. В дальнейшем будем называть его «Фермер», жену — «Фермерша». На выдачу денег в сумме 200 американских долларов согласны. Однако деньги ему надо выдавать не вперед, за следующий месяц, а за истекший, так сказать, по результатам работы. Пять тысяч франков на уплату долга выделены. Однако прежде, чем мы свяжем «Фермера» с кем-нибудь из наших людей, нужно получить от него полный обзор его связей и возможностей в работе. Пусть дает детальные указания о людях, коих он считает возможным завербовать, и составит о них подробную ориентировку. Возьмите у него обзор о положении в РОВС в настоящее время и поставьте перед ним задачу проникновения в верхушку РОВС и принятия активного участия в его работе. Наиболее ценным было бы, конечно, его проникновение в разведывательный отдел организации. При переговорах с «Сильвестровым» «Фермер» говорил о том, что генерал Миллер одно время предлагал ему работу по разведке. Нет ли у него возможности активизации в этом отношении?

Запросите через «Сильвестрова», может ли «Фермер» выехать в какую-либо страну по нашему указанию вместе с «Сильвестровым», для встречи с нашими людьми?

Теперь в отношении «Фермерши». В докладе «Сильвестрова» упоминается о том, что она тоже дала согласие. Однако мы считаем, что она может дать нам гораздо больше, чем одно «согласие». Она может работать самостоятельно. Запросите, каковы ее связи и знакомства, где она вращается, кого и что может освещать. Результаты сообщите. В зависимости от них будет решен вопрос о способах ее дальнейшего использования».

Плевицкая сказала «Сильвестрову» (Петру Ковальскому), что лично знакома почти со всеми руководителями РОВСа, что они чтут ее как актрису и женщину, что ей в непринужденном разговоре будет легко выяснить нечто секретное, но при этом только с помощью наводящих вопросов, не более, спросить у них что-либо впрямую она не решится, так как за нею еще тянется неприятный шлейф похода в советское посольство в Америке, расцененный некоторыми эмигрантами как предательство.

Присутствующий при этом разговоре генерал Скоблин отверг предложение жены, считая, что ей неприлично выпивать с другими генералами, что это унижает его как мужа. Ковальский с ним согласился. Тогда Плевицкая сказала, что сможет некоторые сведения передавать в песнях из ее репертуара. Ждать долго не придется. Благотворительный концерт организовать нетрудно. Надо только заранее обусловить шифр. Наиболее важные места она может не петь, а произносить речитативом. Ковальскому эта затея понравилась, но он посчитал ее ненужной, поскольку Скоблина и ее никто и ни в чем опасном не подозревает; при переговорах с ними он использует самый примитивный шифр, не сомневаясь, что его корреспонденция не перехватывается и не попадется в руки разведчика — специалиста в шифрах. А вот насчет того, чтобы восстановить в эмигрантских кругах репутацию Плевицкой как истинной патриотки старой России, следует помозговать и посоветоваться с опытными людьми.

Скоблина покоробил выбранный для него в Москве псевдоним.

— Почему я «Фермер»? Я боевой генерал. Командир полка!

— Хорошо, — улыбнулся Ковальский, — назовем тебя «Генералом» и укажем, что руководишь Корниловским полком.

Скоблин, недовольно сопя, разговор на эту тему прекратил, хотя издевку в присвоении ему псевдонима «Фермер» почувствовал, и это соответствовало действительности.

Чекисты с некоторым пренебрежением относились к своим агентам, работающим не за идею, а за деньги.

При определении псевдонимов генералу и его жене начальник ИНО ОГПУ поинтересовался:

— А чем они сейчас занимаются во Франции? Жена поет мало. Генерал занят общественной работой?

— Приобрели виноградник. Хотят делать вино.

— Значит, фермеры, — с усмешкой произнес начальник. — Так и назовем их — «Фермер» и «Фермерша».

Глава двадцать первая

◆━◆━❖━◈◈━❖━◆━◆

Двойной агент

6 мая 1932 года в Париже был убит президент Франции Поль Думер. Убийцей оказался белоэмигрант бывший офицер П. Горгулов. На следующий день после убийства на собрании 78 эмигрантских организаций во Франции был принят текст обращения к председателю Совета министров А. Тардье, в котором авторы обращения — митрополит Евлогий, В. А. Маклаков, В. Н. Коковцев, генерал Миллер, А. В. Карташов и другие лидеры эмиграции единодушно отрекались от Горгулова. Редактор газеты «Возрождение» Ю. Ф. Семенов 10 мая того же года сообщил последние данные об убийце, согласно которым он являлся «чекистом и большевистским агентом».

Еще в канун 1932 года бывший врангелевский генерал фон Лампе, автор «Дневников Белого движения», писал из Берлина, что к власти в Германии неуклонно идут наци. Вскоре от имени РОВСа фон Лампе вступает в переговоры с руководством нацистской партии «по вопросу о совместных действиях против большевиков». В октябре 1933 года начальник восточного отдела нацистской партии (возможно, А. Розенберг. — *В. С.*) выразил настоятельное желание получить от РОВСа план его действий «в направлении усиления при помощи немцев внутренней работы в СССР... а потом и возможной интервенционной деятельности в широком масштабе» (*фон Лампе — Миллеру. Совершенно секретно из Берлина. 26 октября 1933 года*).

В Берлине руководители РОВСа установили контакты с японской разведкой. После встречи с неким Томинагой представитель РОВСа генерал Шатилов понял, что японский генштаб пытается выявить силы РОВСа и других белоэмигрантских организаций в Европе для активной борьбы с большевиками (*Шатилов — фон Лампе. 28 октября 1934 года*). Уже в 1933 году у видных белоэмигрантов возникло мнение, что «Германия, сохранив дружественные отношения с СССР, в то же время разрабатывает планы расчленения и эксплуатации России».

Но Иностранный отдел ОГПУ и советское правительство не волновали «домыслы» эмигрантов о возможности нападения на СССР «дружественной» Германии. С Гитлером был заключен пакт о ненападении и разделе Европы. Все силы ОГПУ бросило на борьбу со своим главным врагом — белой эмиграцией и особенно рассчитывало в этой борьбе на действия своих новых разведчиков — Скоблина и Плевицкую. Скоблин докладывал Ковальскому: «Дорогой Петя! 20 ноября генерал Миллер выезжал в Болгарию. Поездка серьезная. Кроме посещения болгарского отдела РОВС свидание с царем Борисом. Цель поездки — восстановить планы Кутепова.

Руководство РОВС занято сейчас Дальним Востоком, где активизируется белоэмигрантская работа.

В Париже открываются высшие курсы, на которые собраны лучшие офицеры Доброволии — 100 человек. Цель курсов — подготовить офицеров к засылке в СССР или к отправке на Дальний Восток. На курсах, насколько мне известно, знакомят с положением внутри СССР, с современным состоянием Красной Армии. Главную роль во всем РОВС играет генерал Шатилов, который, пользуясь своим влиянием на генерала Миллера, держит все и всех в своих руках.

Практически РОВС — это он. Миллер лишь председательствует. Среди эмигрантских организаций Шатилов не пользуется симпатией. Опирается на нас (корниловцев). Личная встреча дала бы мне возможность сделать подробный доклад о всех группировках и предложить ряд идей, которые надо приводить в исполнение. Излагать в письме все очень трудно и слишком громоздко. Твой Николай Скоблин».

В этом письме проглядывает зависть Скоблина к власти Шатилова в РОВСе и, вероятно, преувеличивается угроза РОВСа по отношению к Советскому Союзу, хотя генерал Миллер провозгласил основной задачей РОВСа только «политическую борьбу с большевиками». Скоблин пытается повысить свою роль в разоблачении агрессии РОВСа, а заодно желает лично увидеться с кем-либо из ОГПУ кроме Ковальского, уяснить, насколько важны он и жена для советской разведки, не подведет ли она их и выполнит ли свои обещания.

В свою очередь Ковальский, понимая ухищрения Скоблина, требует от генерала еще большей активности в сборе интересующей его информации. Он осторожно намекает на то, что генерал не отрабатывает те деньги, что получает. А Скоблин в ответ высказывал некоторую обиду по поводу недостаточной оценки своих услуг и снова настаивал на встрече с представителями Москвы:

«Дорогой Петя! Ты прав, браня меня, но я не могу сразу сориентироваться в этой работе, тем более что необходимо проявлять сугубую осторожность. Я особенно стремлюсь к предстоящему свиданию, так как некоторые затронутые тобою вопросы настолько обширны, что ответить письменно, да еще шифром, для меня на первый раз трудно. Необходимы вообще периодические встречи».

Скоблин, вероятно, следует наказу жены «идти до конца», в их представлении — радужного, по крайней мере сохраняющего им жизнь. Он сам проявляет инициативу и предлагает устроить ловушку для генерала Абрама Михайловича Драгомирова, председателя общества офицеров Генерального штаба РОВСа. По задуманному Скоблиным плану Драгомиров может выдать своих законспирированных в Советском Союзе агентов и готовых к переходу через границу боевиков РОВСа. Резидент Ковальского сомневается в искренности Скоблина — чересчур уж он активен и предприимчив — и полагает, что генерал может быть двойным агентом и вести игру с советской разведкой по указке того же Драгомирова и с разрешения Миллера.

В ИНО ОГПУ верили в потенциальные возможности Скоблина и Плевицкой, но не спешили впутывать их в сложные комбинации. Ковальский не сумел достаточно искусно скрыть от них свою внезапную настороженность.

Улучив момент, когда рядом с Ковальским не было никого чужого, Надежда Васильевна с обидой на лице стала выговаривать ему:

— Колечку нервирует ваше недоверие. Поймите: он — солдат. Политикой раньше не занимался и вообще хотел уйти в отставку. Но вы помешали этому. Сейчас он всецело предан вам. Но требовать от него слишком много вы не должны. Он может дать только то, что знает. И не заставляйте его много писать. Он этого не любит, да и не обладает даром слова. Иное дело я...

— Знаю, — сказал Ковальский, — о ваших мемуарах, которые с удовольствием читают эмигранты. И даже то, что вы записываете донесения Скоблина, которые он только подписывает. Это было легко определить по почерку. Но это неважно. Вы с мужем работаете в одной связке. Ваши донесения, как и мемуары, умны и логичны. А вот Антон Иванович Деникин бесконечно говорит о германской угрозе России, призывает Красную Армию готовиться к защите своей страны, дать отпор немцам, а потом повернуть свои штыки против большевиков и свергнуть их. Чистейший бред! Ему вторит еще один идиот и неврастеник — Керенский. Кстати, он сейчас живет в Париже. Мы выкрали его архив. Бредни в стиле Деникина. Вся опасность нашей с вами родине идет от РОВСа.

— Кстати, Николай Владимирович, — обратился Ковальский к подошедшему Скоблину, — ваши офицеры находятся в различных городах Европы. Поддерживайте с ними постоянную связь, пусть докладывают вам обо всем, чем занимаются. Особенно нас интересуют планы генерала Туркула. Воинственный генерал! Жаль, что он в Болгарии, далековато от вас. Нельзя ли перетянуть его в Париж?

— Можно и нужно, — согласился Скоблин, — советую вам завербовать генерала, можно найти к нему подход через жену, ежели не пожалеете денег.

— Мы одобряем вашу идею, — сказал Ковальский, зная, что командир дроздовского полка генерал Антон Васильевич Туркул очень интересовал ОГПУ. — Напишите ему хорошее письмо. Пригласите в Париж. Если Шатилов и РОВС не помогут ему переехать в Париж, то мы через вас дадим ему необходимую для этого сумму. Ведь объединение бывших добровольческих офицеров в Болгарии держится только на его усилиях.

Вызванный Скоблиным на рекогносцировку в Париж Туркул с удовольствием согласился переехать во Францию. Он придумал открыть на паях со Скоблиным бензоколонку, чтобы все русские таксисты — а их было немало — заправлялись только у него. Шатилов выдал Туркулу 1200 франков на переезд в Париж. Руководству РОВСа хотелось иметь рядом с собой такого активного человека. Резидентура советской разведки, со своей стороны, обещала Скоблину около 1000 долларов на покупку бензоколонки. Впоследствии советская разведка пожалеет о нахождении Туркула в Париже. Он оказался куда более воинственным генералом, чем Миллер, горел желанием «всколыхнуть застоявшееся эмигрантское болото», но тогда рвение Скоблина в переводе Туркула в Париж было высоко оценено советской разведкой.

Ковальский и его резидент Костров поверили в искреннюю преданность Скоблина и Плевицкой. По этому поводу у них дома устроили небольшую пирушку, во время которой Костров тихо, но торжественно объявил, что ЦИК СССР персонально амнистировал Скоблина и Плевицкую, а все их прошлые преступления против советской власти и родины им великодушно простили. Скоблин и Плевицкая поклялись выполнять любые задания Москвы. «Хорошо, — кивнул им головой Костров и освободил от скатерти место на столе, — вам еще нужно здесь кое-что написать», — сказал он и положил на стол несколько листочков чистой бумаги. Скоблин, а потом Плевицкая под его диктовку написали следующее:

«Постановление Центрального Исполнительного Комитета Союза Советских Социалистических Республик о персональной амнистии и восстановлении в правах гражданства мне объявлено. Настоящим обязуюсь до особого распоряжения хранить в секрете. 21.1.31 г. Берлин. Б. генерал Н. Скоблин».

Второй документ был серьезнее и ответственнее, но супруги, решившие идти до конца в начатом ими деле и обрадованные тем, что оно оформляется документально и перестает иметь голословный характер, подписали его без раздумий.

«Подписка.

Настоящим обязуюсь перед Рабоче-Крестьянской Красной Армией Союза Советских Социалистических Республик выполнять все распоряжения связанных со мною представителей разведки Красной Армии безотносительно территории. За невыполнение данного мною настоящего обязательства отвечаю по военным законам СССР. 21.1.31 г. Берлин. Б. генерал Николай Владимирович Скоблин».

Чистый листочек пододвинули и Плевицкой, и она дала точно такое же письменное обязательство.

Решения новоявленных советских агентов сохранились.

Когда я начинал работать над книгой о Плевицкой, то через Союз писателей Москвы обратился в ФСБ РСФСР с просьбой ознакомить меня с делом этой разведчицы. Через месяц мне позвонили оттуда и сказали, что ее дело передано в архив ГРУ (Главное разведывательное управление). В ГРУ поинтересовались, что меня интересует непосредственно, и в трубке раздался голос немолодого архивиста:

— На ваше письмо и просьбу Союза писателей Москвы отвечаем, что дело Надежды Васильевны Плевицкой закрыто.

— А как же Млечин? — спросил я. — Он же, судя по его выступлениям и печатным работам, знаком с этим делом.

— Знаком, — не отрицал архивист, — мы ему показали это дело в девяностомутном году.

Я понял архивиста. Это был год начала перестройки, на Лубянке царил переполох, шли слухи, и весьма достоверные, о коренных изменениях в деятельности этого карательного органа, во главе его стал новый для госбезопасности человек — Батурин, выступивший по телевидению с резкими упреками в адрес своих подчиненных. «Таких страшных людей я еще не видел, — сказал он, — в кабинете у меня говорят одно, соглашаются выполнять мои приказы, а выйдя из кабинета, поступают наоборот». Его скоро выжили из ФСБ, или он ушел сам, и жизнь там устоялась. Открытые при переполохе дела вновь обрели гриф «секретно».

— Так что же мне делать? — спросил я у архивиста.

— Следуйте тому, что написал Млечин, — посоветовал мне архивист.

Судьба свела меня с Леонидом Млечиным в редакции одного из московских центральных издательств. Смелый, талантливый писатель и публицист, шагающий, словно по лезвию ножа, в своем нелегком труде расследования сложных и зачастую ранее ложно представленных дел, он проявил и проявляет удивительное умение сохранить свою передачу на телевидении, чего лишились многие из его не менее способных коллег: Киселев, Парфенов, Шендерович и другие.

Полагаю, что он что-то не договорил, а вернее, мог и не знать факты, не устраивающие ГРУ. Об этом мне неожиданно поведал сам Млечин: «Учтите, — сказал он, — нет никаких документов о двойной игре генерала Скоблина, о его работе на советскую и германскую разведки. Даже комиссия по реабилитации, проверявшая дела Тухачевского и других командармов, расстрелянных Сталиным якобы по фальшивке, подсунутой ему Скоблиным, по указанию немецкой разведки, не нашла этому подтверждения». Я не стал спорить с Леонидом Млечиным, зная, что порой самые важные документы ЧК, ОГПУ (НКВД, КГБ, ФСБ) уничтожались по приказу свыше, и весьма тщательно.

Я продолжал изучать историю жизни русской певицы, которая, увы, пошла кувырком, не сомневаясь, что со временем многие ее поступки станут понятными и найдут документальное подтверждение. Расписки Скоблина и Плевицкой с обязательствами беспрекословно выполнять задания советской разведки пусть в виде ксерокопий, но уже есть. Где-то должны быть свидетельства о работе Скоблина на фашистскую разведку, если она действительно велась.

Генерал Миллер назначает Скоблина руководителем отдела РОВСа по связи с его периферийными организациями; Скоблин осведомлен обо всем, что планировалось в кругах эмиграции, даже о совместных операциях с участием разведок Румынии, Польши, Болгарии и Финляндии. Жена охотно помогает мужу, который по-прежнему сопровождает ее в гастрольных поездках. Пусть их стало значительно меньше и они зачастую носят благотворительный характер, но проводятся в периферийных отделениях РОВСа, о деятельности которых Скоблин теперь имеет полное представление. Плевицкая копирует документы Общественного союза, приносимые домой мужем. Зная нелюбовь его к работе с пером и бумагой, она пишет под его диктовку агентурные донесения, выполняет роль связной, когда это по какой-либо причине нельзя поручить Ирме Доннер. Парижский резидент советской разведки докладывает в центр:

«Начальнику иностранного отдела ОГПУ СССР. Докладная записка.

Завербованные полтора года назад «Фермер» и его жена стали основными источниками информации. Человек материально независимый, отошедший одно время от основного ядра РОВС, он, будучи завербован, не вошел и не может войти в аппарат руководства РОВС, но занимает как командир одного из полков заметное положение среди генералитета и, пользуясь уважением и достаточным авторитетом, стал активно влиять на общую политику РОВС. Так и на проведение боевой работы.

Основные результаты работы «Фермера» сводятся к тому, что он:

во-первых, ликвидировал боевые дружины, создаваемые Шатиловым и генералом Фоком;

во-вторых, свел на нет зарождавшуюся у Шатилова и Туркула мысль об организации террористического ядра;

в-третьих, прибрал к рукам Завадского, основного агента французской контрразведки, и, помимо передачи информационного материала, разоблачил агента-провокатора, подсунутого нам французами и работавшего у нас 11 месяцев;

в-четвертых, сообщил об организации, готовившей убийство наркоминдела тов. Литвинова во время визита в Швейцарию.

Разоблачил работу РОВС из Румынии на СССР (дело Жолтковского)».

Возможно, шпионские донесения Скоблина преувеличиваются, но вместе с тем поднимается авторитет его непосредственного руководства. Генерала регулярно поощряют денежными премиями; орденом наградить не решаются, но решили подготовить ему в подарок серебряный «портсигар с надписью и монограммой и показать его ЕЖ-13, но не давать сейчас в руки, а заявить, что он будет пока храниться в его личном деле как награда. Мы исходили здесь из того, что лишние ценные вещи могут сейчас возбудить большое подозрение. Центр».

Судя по всему, благосостояние четы разведчиков растет. Они давно уже живут отнюдь не на доходы Плевицкой от концертов. Могли ли они пойти еще дальше в желании разбогатеть? Мог ли Скоблин стать двойным агентом, даже тройным, выполняя одновременно задания советской и немецкой разведок? И, разумеется, разведки РОВСа?

В своем заключительном слове на XXII съезде партии Никита Сергеевич сказал, что Гитлер, готовя нападение на нашу страну, через свою разведку (возможно, с помощью разведки РОВСа. — *В. С.*) ловко подбросил Сталину фальшивку о том, что Тухачевский и другие высшие командиры Красной Армии — агенты немецкого генерального штаба.

Тухачевский бывал в Германии шесть раз, не считая плена в Первую мировую войну. У немцев остались документы, подписанные им. Ранней весной 1936 года Тухачевский, возвращаясь с похорон британского короля Георга V, завернул на обратном пути в Берлин, где встречался с рейсхверовскими генералами и мог где-то оставить свои подписи.

Именно эти, оставленные Тухачевским подписи, вероятно, использовали немецкие спецслужбы, готовя для Сталина красную папку с фальшивками. Эту версию подтвердил руководитель гитлеровской разведки Вальтер Шелленберг, ссылаясь на Райнхарда Гейдриха, своего начальника, возглавлявшего Главное управление имперской безопасности. Гейдрих говорил Шелленбергу, что «в середине декабря 1936 года бывший царский генерал Скоблин, работавший как на советскую, так и на германскую разведку, сообщил, что группа высших командиров Красной Армии во главе с заместителем наркома обороны маршалом Тухачевским готовит заговор против Сталина и при этом поддерживает постоянные контакты с генеральным штабом вермахта». Поддельное досье Тухачевского переправили в Москву через тогдашнего президента Чехословакии доктора Бенеша, который поддерживал доверительные отношения с советскими руководителями. Досье, о котором писал Шелленберг, не было найдено ни в советских, ни в немецких архивах, что вовсе не означает, что оно не существовало, что в этом деле не участвовал Скоблин. Бумажка, исписанная симпатическими чернилами, могла и не сохраниться.

Кому было выгодно уничтожение лучшего красного маршала?

Более всего Гитлеру, уже вынашивавшему планы нападения на Россию. Сталин предоставляет Германии аэродром под Липецком, где открывается немецкая летная школа под руководством Геринга и где ас люфтваффе Гесс обучает советских летчиков. В газете «Правда» появляются статья об этом и фотография наших летчиков, сидящих в обнимку с немецкими. Играется первая свадьба немецкого летчика с русской девушкой. В гражданском браке с русской женщиной состоит Геринг. Интересно, что во время войны на Липецк не упадет ни одна немецкая бомба — своеобразная память немцев о прекрасно проведенном здесь времени. Сталин заключает с Гитлером пакт о ненападении и о разделе Европы. Задолго до этого немецкие танки проходят учения на выделенном им в России лучшем танкодроме, а за год до начала войны немецкие офицеры будущей альпийской дивизии «Эдельвейс» под видом туристов осваивают горы Кавказа... Но уже через год коварство Гитлера повергнет в шок Сталина; начнется отступление Красной Армии, лишенной своего лучшего маршала и лучших боевых генералов и офицеров.

Ослабление большевистской России было выгодно белой эмиграции, и в первую очередь РОВСу, готовому поддержать любое антибольшевистское движение в стране. У руководства РОВСа накопилась личная неприязнь к маршалу Тухачевскому, задушившему крестьянское восстание во главе с бывшим милиционером города Кирсанова Антоновым, вызванное грабительской продразверсткой и грозившее стать общенародным. Применяя пулеметы, артиллерию и горчичный газ, Тухачевский истребляет участников восстания. О его смелости, жесткости и умелом ведении войны хорошо помнят в РОВСе.

И как ни покажется парадоксальным, сам Сталин недолюбливает маршала, завидует ему, опасается его как соперника, видя в нем умного и талантливого военачальника. Поручик царской армии Михаил Николаевич Тухачевский, перейдя на сторону большевиков, в 1935 году получает звание маршала вместе с наркомом Ворошиловым, командующим Особой Дальневосточной армией Василием Константиновичем Блюхером, инспектором кавалерии Семеном Михайловичем Буденным, лихо танцевавшим перед Сталиным гопак, а также с начальником Генерального штаба Александром Ильичом Егоровым. Трех из пяти Сталин расстреляет, оставив в живых Ворошилова и Буденного, готовых воевать по-старому — шашкой и винтовкой, умственно серых, но верных вождю и ни на что более, чем он укажет, не претендовавших.

В противоположность им Тухачевский, первый заместитель наркома обороны Ян Борисович Гамарник и командующий Киевским военным округом Иона Эммануилович Якир были сторонниками внедрения новой военной техники, создания крупных моторизованных и воздушно-десантных частей. Но политического спора между военачальниками не было, велась деловая дискуссия, и вообще Тухачевский был чужд политики. Но тем не менее Тухачевского объявляют немецким шпионом. В январе 1937 года бывший руководитель ИНО НКВД Артузов в письме наркому Ежову сообщал, что в архивах Иностранного отдела имеются донесения закордонных агентов об антисоветской деятельности Тухачевского. Не исключено, что среди донесений было обстоятельное показание агента ЕЖ-13, возможно, основанное не на фактах, а на измышлениях, инспирированное немецкой разведкой при помощи разведки РОВСа.

Вскоре газета «Правда» с санкции Ежова печатает статью, в которой, как может, доказывает, что Скоблин был агентом гестапо. Связь Скоблина с советской разведкой, несомненно, существовала. Известно, что будучи извещен о разговорах Тухачевского с генералами рейсхвера (при возвращении из Лондона в Москву через Берлин), информацию об этих встречах Скоблин через немецкое коммунистическое подполье немедленно передал в советское посольство в Берлине, что не ускользнуло от глаз гестапо. Вышло ли оно после этого на Скоблина и завязало ли с ним отношения — весьма сомнительно. Для рейхсвера было вполне достаточно работы Скоблина через РОВС на немецкую разведку.

12 июля 1936 года зафиксирована встреча советского военного атташе в Великобритании К. Путны и генерала Скоблина. В мемуарах Шелленберга имеются такие подзаголовки: «Тухачевский под подозрением», «Продажа дела Тухачевского Сталину». Сыграл ли решающую роль Скоблин в компрометации Тухачевского и вообще какую-либо, можно будет узнать только после открытия его дела и дел его подельников по советской разведке (Шпигельгласса, Кривицкого и др.), а также дел руководителей госбезопасности, уже давно ликвидированных сталинским режимом.

В результате по делу Тухачевского и троцкистского блока в рядах Красной Армии были репрессированы 34 бригадных комиссара из 36, 221 комбриг из 397, 136 комдивов из 199, 25 корпусных комиссаров из 28,

60 комкоров из 67, 15 армейских комиссаров второго ранга из 15, 2 флагмана флота первого ранга из 2, 12 командармов второго ранга из 12, 2 командарма первого ранга из 4, 2 армейских комиссара первого ранга из 2, 3 маршала Советского Союза из 5.

Надежда Васильевна видит, что муж испытывает непосильные нервные нагрузки, его преследуют головные и сердечные боли, но кроме теплых слов и внимательного ухода за ним ничем не может помочь. Иногда ситуации, в которые он попадает, настолько сложны и запутанны, что он сам не в силах в них разобраться, даже толком не может объяснить происходящее жене. Он жалуется в Центр:

> «Обращаю ваше внимание на то, что к ЕЖ-13 Миллер и Шатилов продолжают относиться с полным доверием. Когда Миллеру донесли, что полковник Федосеенко уверяет, что провокатор не кто иной, как Скоблин, Миллера передернуло и он предложил немедленно исключить Федосеенко из списков Корниловского полка».

Тем не менее слухи о сотрудничестве Скоблина с большевиками проникли в печать. Полковник Федосеенко написал об этом подробный рапорт и передал его начальнику 1-го отдела РОВС генералу Ивану Георгиевичу Эрдели, который усмотрел там многое, похожее на правду. Через две недели статья Федосеенко появилась в газете «Возрождение». Тогда генерал Миллер на собрании офицеров Марковского полка обратился ко всем членам РОВС с просьбой не верить «темным силам», стремящимся сеять раздор среди руководителей РОВСа, и осудить провокатора, чернящего генерала Скоблина.

Миллер всегда защищает генерала. Не потому ли, что они связаны одной тайной — подброшенной фальшивкой на Тухачевского?

Здоровье Скоблина ухудшается. Время от времени он ощущает рези в животе. Врачи говорят, что у него развивается малокровие. Ему впрыскивают какую-то новую патентованную сыворотку. Самочувствие не улучшается. Скоблин подозрителен, делится с женой своими сомнениями о правильности лечения. Врачи русские. Он лежит в русской больнице, контролируемой «Союзом возвращения на родину», находящейся под надзором большевистского резидента, но поговорить с ними открыто Скоблин не решается. После восемнадцатого укола он чувствует, что силы покидают его. Надежда Васильевна настаивает на операции, требует прекратить уколы. Врачи срочно перевозят его в операционную. Видимо, у него начался перитонит, и никакого малокровия не было. Хирурги сказали Плевицкой, что опоздай они на час, у пациента возникло бы общее заражение крови. Скоблину повезло — он выжил. И еще повезло, что резидент советской разведки по договоренности с генералом не виделся с ним месяц, а то мог бы столкнуться в больнице с генералами Шатиловым, Фоком, Витковским и офицерами-корниловцами, регулярно навещавшими больного.

Выздоровление шло быстро, но от случившегося в душах Скоблина и Плевицкой остался неприятный осадок.

Глава двадцать вторая

❦ ⋯⟡⟐❦⟐⟡⋯ ❦

Последнее задание

Скоблин настолько вошел в роль разведчика, что принимал задания беспрекословно. В это время он начисто забывал, что является командиром Корниловского полка, одним из лидеров Белого движения, даже не задумывался, что подрывает его, что служит совершенно чуждой ему системе. Премия за выполнение того или иного задания оговаривалась заранее, но получал он ее только после окончания операции. Идеи советской власти он не принимал, даже не сочувствовал им, поэтому ему легко работалось в РОВСе и, приходя к Миллеру, он не чувствовал к нему вражды, разговаривал с ним мирно, спокойно, как с коллегой.

Скоблин понимал, что последнее задание будет непростым, но вполне выполнимым и безопасным. Его детали он подробно обсудил со специально приехавшими из Москвы резидентами, разведчиками высшего класса. Помимо не раз уже упоминавшегося нами дяди Васи, в разработке операции принимали участие заместитель начальника ИНО НКВД Шпигельгласс, приехавший в Париж в июле 1937 года, уже тогда легендарный разведчик Вальтер Кривицкий, Петр Ковальский и другие. Одни из них станут невозвращенцами, не рискнут вернуться на родину, зная, что их там ожидает расправа, как ненужных свидетелей заграничных операций Лубянки. Но это не спасет их от гибели, их прикончат на Западе, в том числе бывшего руководителя всех советских западных агентов Игнация Рейса, которого найдут застреленным в его машине на дороге в Лозанну. Но это еще только будет. А в данное время многочисленную группу советских агентов заботит ликвидация генерала Миллера.

В доверительной беседе, проходившей в кабинете Миллера, Скоблин сказал ему, что один немецкий дипломат предлагает главе РОВС Миллеру взаимовыгодные условия для сотрудничества.

— Правда, есть одно «но», — замечает Скоблин.

— Говорите, в чем состоит это «но», надеюсь, что это не секрет, — улыбается Миллер.

— Немцы желают говорить только с вами, — разводит руками Скоблин. — Они знают в Париже только вас и только с вами хотят вести переговоры.

Миллер бросает взгляд на Скоблина, глаза его спокойны и приветливы.

— Ну ладно, — соглашается Миллер, не чувствуя подвоха. — Я готов к встрече. Но при этом надо учесть мое официальное положение, нас вместе не должен никто видеть. Французы могут что-либо заподозрить, к тому же вы знаете, они народ ревнивый, подумают, что мы с немцами что-то задумали сделать без их участия. Потом мне придется объясняться с ними. Зачем?

— Не волнуйтесь, Евгений Карлович, — уверенно произносит Скоблин, — я нашел подходящее место для встречи.

— На какой день она назначена?

— Сейчас уточню, — разыгрывает Скоблин поиск в кармане блокнота с датой, которую знал прекрасно. — 22 сентября. Запомнили, Евгений Карлович? 22 сентября.

В этот день Миллер пришел на работу в РОВС, на улице Колизее, 29, около десяти утра. В кабинете стал просматривать бумаги, требующие решения. В начале первого сказал начальнику канцелярии генералу Павлу Кусонскому о том, что у него назначено деловое свидание в 12.30, после чего он вернется в РОВС.

После истории с Кутеповым Миллер вел себя осторожно и, уходя куда-нибудь, оставлял дома или на письменном столе в кабинете пакет, который следовало вскрыть в случае его неоправданно долгого отсутствия. В пакет он вкладывал записку с указанием того, где, когда и с кем он собирался встретиться. Это же он проделал 22 сентября, о чем Скоблин и Плевицкая не догадывались.

Утром в ресторане на бульваре Монпарнас Шпигельгласс встретился с Вальтером Кривицким, приведшим с собой двух агентов, которые должны были сыграть роли немецкого офицера Штромана и чиновника германского посольства Вернера. Эти фамилии Миллер указал в записке, не подозревая, что с помощью этих людей Скоблин похитит его. Но благодаря этой записке французская полиция точно установила, что именно 22 сентября делали Скоблин и Плевицкая. А журналист Владимир Бурцев позднее подробно опишет все происшедшее в книге «Большевистские гангстеры в Париже. Похищение генерала Миллера и генерала Кутепова».

Но вернемся к материалам следствия. Утром 22 сентября Скоблин и Плевицкая стали обеспечивать себе алиби. Они поехали в русское кафе на рю Лоншан, где пробыли полчаса, до половины одиннадцатого. Из кафе Скоблин отвез жену в модный магазин «Каролина» на авеню Виктора Гюго и оставил ее там, обещав вернуться за ней через час-полтора — после встречи с Миллером. Посетители кафе потом должны были подтвердить, что все утро видели Скоблина и Плевицкую за одним из столиков. Не обратить внимания на эту пару они не могли. Кафе было русским, и там отлично знали и певицу и генерала. Из магазина они собирались поехать на Северный вокзал, чтобы проводить в Брюссель Н. Л. Корнилову-Шаперон — дочь покойного генерала Лавра Георгиевича Корнилова. В магазине «Каролина» Плевицкая стала примерять платья, а Скоблин быстро сел в машину и уехал. С Миллером он встретился на углу улиц Раффе и Жасмен. Здесь их ждал еще один человек. Втроем, о чем-то переговариваясь, они пошли по улице Раффе к калитке дома, который с 1936 года был снят советским полпредом Владимиром Потемкиным за тридцать тысяч франков в год. В этом доме находилась школа детей советских сотрудников и летом пустовала. Здание сторожила одна безграмотная женщина.

Следствие найдет свидетеля последних минут свободной жизни генерала Миллера. Это был бывший офицер Добровольческой армии, который стоял на террасе дома, расположенного в паре десятков метров от школы советских сотрудников. Офицер прекрасно видел у входа в дом двух хорошо известных ему генералов — Миллера и Скоблина, а между ними стоящего спиной к нему какого-то человека плотного сложения. Скоблин в чем-то убеждал Миллера и показывал на калитку, явно настаивая на том, чтобы он вошел в дом. Но Миллер колебался. Его, наверное, смущал третий мужчина, похожий на борца или грузчика. Что произошло потом, свидетель не видел, в этот момент его позвали внутрь дома. Только на другой день, прочитав в газетах о похищении генерала Миллера и исчезновении Скоблина, он догадался, чему был свидетелем, и рассказал о виденном французской полиции.

Пожилого генерала не составило труда втолкнуть в дом, где находились оперативники главного управления государственной безопасности. Третий мужчина обхватил Миллера мощными руками и швырнул в открытую дверь. На лицо генерала бросили тряпку, пропитанную хлороформом. Он пытался освободиться от нее, с перекошенным от ужаса лицом что-то хотел сказать Скоблину, но не успел. Тряпку снова набросили на его лицо, рот заткнули кляпом, а ноги и руки перевязали тугим жгутом.

Через несколько минут к дому, расположенному в пустынном, редко посещаемом людьми месте, подкатил большой восьмицилиндровый грузовик компании «Форд», приобретенный советским постпредством. В грузовик погрузили тяжелый ящик, который осторожно несли вчетвером.

Передав Миллера оперативной группе, Скоблин поехал за Плевицкой в «Каролину», но опоздал, она уже ушла оттуда, боясь не успеть на вокзал. Скоблин догнал ее только на вокзале. Он сказал дочери Корнилова, что ехал вместе с Надей, но пришлось отогнать машину на стоянку и провести исправления в моторе. Позднее экспертиза покажет, что мотор машины, купленной на деньги НКВД, работал идеально.

С вокзала Скоблин и Плевицкая отправились в здание Галлиполийского собрания — пить чай. Еще одна точка, где их могли видеть вместе. Затем Скоблин завез жену в гостиницу «Паркс», а сам вместе с полковником Трошиным и капитаном Григулем, своим бывшим адъютантом, собрался заехать на квартиры Деникина и Миллера, чтобы поблагодарить их за участие в прошедшем накануне банкете корниловцев, посвященном двадцатипятилетию полка. Газета «Возрождение» поместила заметку об этом вечере: «Заключительную речь произнес генерал Скоблин, в прошлом начальник корниловской бригады, а потом и дивизии. Генерал Скоблин состоит в полку с первого дня его основания; он — один из совершенно ничтожного числа уцелевших героев-основоположников. В его обстоятельной и сдержанной речи были исключительно глубокие места. Глубокое волнение охватывало зал, склонялись головы, на глазах многих видны были слезы. На вечере, как всегда, пленительно пела Н. В. Плевицкая».

Насколько искренни были генерал и его жена? На все сто процентов. Они не играли в патриотические игры. Они искренне делали то, во что верили. В тот вечер они были корниловцами, а на следующий — их врагами, агентами советской разведки. Они еще не понимали, что стали преступниками. И еще их действиями руководил страх. Опасаясь разоблачения, они выглядели такими и поступали так, как этого хотели их хозяева.

Разумеется, не застав дома генерала Миллера, Скоблин, нисколько не смутившись, попросил жену передать «уважаемому и любимому Евгению Карловичу сердечную благодарность от преданных белому делу офицеров-корниловцев».

Ближе к вечеру Скоблин и Плевицкая поехали домой, чтобы покормить кота и собак. Они решили вести себя как обычно, чтобы ни в чем не нарушать заранее обусловленное алиби. Но нервное напряжение все же сказывалось, им трудно было усидеть на одном месте, и они вновь отправились в Париж. Плевицкая осталась ночевать в гостинице «Паркс», где иногда останавливалась после поздних концертов, а сильно нервничающий Скоблин еще раз заехал в Галлиполийское собрание, где пропустил несколько рюмок с друзьями, говорил громко, жестикулировал, словно хотел, чтобы его запомнили, и только среди ночи присоединился к жене.

Миллера уже искали. В половине одиннадцатого вечера генерал Кусонский, встревоженный долгим отсутствием генерала, вскрыл оставленный им пакет:

> «У меня сегодня в 12 ч. 30 м. свидание с генералом Скоблиным на углу улиц Жасмен и Раффе. Он должен отвезти меня на свидание с немецким офицером, военным атташе в Балканских странах Штроманом и с Вернером, чиновником здешнего германского посольства. Оба хорошо говорят по-русски. Свидание устраивается по инициативе Скоблина. Возможно, что это ловушка, а потому на всякий случай оставляю эту записку. 22 сентября 1937 года. Ген.-лейт. Миллер».

Потрясенный прочитанным, Кусонский позвонил Кедрову, заместителю Миллера. Кедров попросил послать домой к Скоблину офицера Асмолова, постоянно жившего в помещении штаба и исполнявшего, помимо прочих заданий, обязанности ночного сторожа.

Асмолов дома Скоблина не застал и вернулся в РОВС, где некоторые руководители поговаривали, что, наверное, Миллер последовал за Кутеповым...

— Ну, если Скоблин пропал, то Надежда Васильевна должна быть дома, — резонно заметил кто-то из присутствовавших. — Почему ее нет? Что с ней-то могло приключиться? Кстати, я знаю, что они иногда ночуют в гостинице «Паркс»?

В гостиницу немедленно был послан полковник Мацылев, ничего не знавший о записке Миллера.

Николай Владимирович пробудился, протер глаза и стал медленно облачаться в форму. Лицо его посерьезнело, он собирался лично возглавить поиски Миллера и, хотя бы временно, взять на себя исполнение его функций.

Но события развивались не так, как планировали Скоблин, Плевицкая и резиденты НКВД.

На улице Колизее, в штабе РОВС Скоблина сразу спросили:

— Где Миллер?

— Я не знаю, — спокойно ответил Скоблин. Тогда ему показали записку, оставленную Миллером. Адмирал Кедров и генерал Кусонский предложили ему вместе с ними отправиться в полицию.

Скоблин понял, что операция рухнула, что в полиции его арестуют, и лицо его исказилось от страха. В одно мгновение с него слетел генеральский лоск, голова опустилась между плеч, забегали глазки. Он лихорадочно искал выход из положения, как обыкновенный преступник. Ни чувства собственного достоинства, ни офицерской чести нельзя было узреть в этом мечущемся человечке. Выбрав удачный момент, когда внимание руководителей РОВСа было отвлечено от него, он, тихо ступая, бочком выскользнул из комнаты. Погоня не дала результатов. Скоблин словно сквозь землю провалился. А на самом деле, как написала писательница-эмигрантка Нина Берберова,

> «...он не сбежал вниз (как полагали и его искали на улице), но укрылся в верхней квартире, где жил эмигрант Т., советский агент, который через микрофон слушал все происходящее внизу, и, когда Скоблин ворвался к нему, чтобы у него укрыться, дверь Т. была уже открыта».

Кто же был этот Т.? Берберова точно указала заглавную букву его фамилии. Сергей Николаевич Третьяков был одним из крупнейших русских промышленников. В октябре 1917 года возглавил экономический совет при Временном правительстве. В ночь с 25 на 26 октября его арестовали вместе с другими членами Временного правительства и посадили в Петропавловскую крепость. Усилиями Красного Креста его удалось перевести в тюремную больницу, где не было красногвардейцев, и оттуда ему посчастливилось выехать из Петрограда, попасть к Колчаку, стать министром его правительства, а потом бежать в эмиграцию, где он оказался в совершенно безденежном положении. Поэтому легко согласился работать на советскую разведку и запросил за это двести долларов ежемесячно и двадцать пять тысяч франков единовременно.

Советскому разведчику, который его вербовал, требуемая сумма показалась несуразной. Генералу Скоблину, члену верхушки РОВСа, он платил меньше. Торговались за каждый доллар. Наконец договорились. Третьякову дали псевдоним «Иванов». Работал в Париже. В ОГПУ хотели, чтобы Третьяков писал своим знакомым, оставшимся в России, и предложил им сотрудничество, за которое хорошо заплатят. Подход был такой же, как и к генералу Скоблину. К Скоблину Третьяков относился неплохо, как к работающему на советскую разведку подобно ему, тоже за деньги. Поэтому и помог бежать. Ночью в кабинете Миллера установил подслушивающую установку. Узнав, что Скоблину грозит опасность, открыл ему дверь, и сбил погоню за ним со следа.

Рано утром, при первых проблесках рассвета, Скоблин ушел от Третьякова к своему родственнику полковнику Воробьеву. Хотел одолжить у него денег. Но не застал Воробьева дома. 200 франков Скоблину одолжил бывший однополчанин Кривошеев — владелец книжной лавки. Затем Скоблин в основном по ночам, скрываясь от полиции, начал разыскивать советских разведчиков, которые в случае провала операции обещали вывезти его из Франции. Хотел перед отъездом хотя бы увидеть жену, любил ее больше жизни, ради жены, ради того, чтобы она себе ни в чем не отказывала, пошел на предательство. Все деньги всегда отдавал жене. Покидая Париж, утешал себя тем, что их с женою денежные сбережения остались у нее. Не думал, что они станут одним из доказательств его вины.

Увы, дело Скоблина закрыто, и если верить слухам, то генерала вывезли в Испанию, где шла гражданская война, и он был убит при бомбардировке Барселоны немецкими самолетами. В 5-м отделе ГУГБ НКВД были уверены, что его устранил глава Представительства НКВД в Республике Испания Александр Орлов. Кое-кто из чекистов утверждал, что Скоблина хотели использовать в пропагандистских целях по разоблачению РОВСа, но поскольку вышел приказ о расстреле всех, кто участвовал в похищении генерала Миллера, то пулю в затылок пустили и ему.

После исчезновения мужа Надежда Васильевна стала понимать, что произошло что-то непредвиденное и ужасное. Адмирал Кедров вновь послал к ней полковника Мацылева:

— Николай Владимирович не вернулся?

Она растерялась, стала задавать неосторожные вопросы:

— Где мой муж? Он ведь ушел с вами. Что вы с ним сделали? Вы его в чем-то подозреваете?

На следующий день эмигрантские газеты вышли с крупными заголовками: «Загадочное исчезновение ген. Е. К. Миллера». В подзаголовке говорилось: «Глава РОВС в среду, в 12 ч. 30 м. дня покинул управление на рю Колизее и с тех пор не появлялся».

Плевицкая, захватив с собою деньги, попыталась найти мужа или кого-нибудь из парижской резидентуры советской разведки, но поиски были безуспешны. Муж укрывался, и, вероятно, надежно, а адреса резидентов она не знала. Чтобы обезопасить ее, муж обычно сам поддерживал с ними связь. Она бродила по парижским улицам как безумная. Ночь Надежда Васильевна провела у знакомых. Утром позвонила Эйтингонам, но их служанка ответила ей, что они уехали из Парижа два дня тому назад. К кому обратиться за помощью? С кем посоветоваться — как вести себя? Она спешит в Галлиполийское собрание, надеясь найти там сочувствие у галлиполийцев, которым пела часто и много, но там ее уже ждут. Полицейский объясняет ей, что она арестована. При аресте у нее находят семь с половиной тысяч франков, полсотни долларов, столько же фунтов стерлингов. Сумма немалая для бедной эмигрантки. Эти деньги станут на суде свидетельством ее вины. А их могло быть значительно больше, если бы они с мужем успели получить расчет за последнее выполненное ими задание.

Бывший штабс-капитан, а затем советский разведчик, вербовавший Скоблина и Плевицкую, Петр Георгиевич Ковальский был расстрелян еще в 1937 году. Последнее место его работы — бухгалтер конторы Главхлеб в Ворошиловграде. Был обвинен в разведывательной деятельности в пользу Польши. Когда московским чекистам потребовались опытные вербовщики, то они стали разыскивать Ковальского. Поиски оказались тщетными. Следственное областное управление Ворошиловграда не сообщило в Центр о расстреле Ковальского. Решавший в Москве судьбу и действия Плевицкой нарком внутренних дел генерал-полковник госбезопасности Николай Иванович Ежов будет арестован 7 декабря 1938 года и погибнет в один год с Плевицкой.

Сергей Яковлевич Эфрон формировал интербригады во время гражданской войны в Испании, участвовал в наблюдениях за Троцким, его сыном — Седовым, в похищении генерала Миллера, в убийстве бывшего советского разведчика Рейса-Порецкого. Из Франции бежал в Россию под чужим именем (Андреев). 19 июня 1939 года к нему в Болшево, где находились казенные дачи госбезопасности, приехала М. И. Цветаева с сыном Муром. Вскоре С. Я. Эфрон был арестован. В октябре 1941 года расстрелян в пересыльной Орловской тюрьме.

После возникновения дела о похищении генерала Миллера что-то расстроилось в работе дяди Васи. Он перестал улыбаться и отправил в Москву жену, исполнявшую поручения подобные тем, что поручались Эльзе (Ирме). Произошел провал, грозивший разоблачением всей его группе.

— Надо срочно эмигрировать в Россию! — приказал он своим подчиненным. Один из них — француз Даниэль — ехать наотрез отказался. Вскоре он погиб в автомобильной катастрофе. Таким образом, в конце 1937 года Эльза оказалась в чужой стране. Шеф дал ей новое имя — Елена Борисовна и новую национальность — украинка. Это потом спасло ее от гибели, когда НКВД стало освобождаться от своих агентов-эмигрантов. Удачнее всех сложилась судьба у Наума Эйтингона. Он дослужился до звания генерал-майора, но во времена антисемитизма, когда евреев убирали с руководящих постов, ему предъявили обвинение в растратах казенных денег и посадили во внутреннюю тюрьму на Лубянке, затем он перекочевал во Владимирский централ, где в то время сидела известная певица Лидия Андреевна Русланова.

— Вы знаете, я хорошо знал Надежду Васильевну Плевицкую! — однажды прошептал он Руслановой. Та шарахнулась от него в сторону, посчитав за провокатора.

В 1965 году Наум Эйтингон вернулся в Москву и стал работать редактором в издательстве иностранной литературы. Он владел шестью языками, но ни на одном старался не рассказывать о себе. После его смерти в его архиве нашли несколько пластинок Плевицкой и передали их в музыкальную библиотеку.

Глава двадцать третья

Повороты истории

Конец сентября в Париже похож на бархатный сезон в Крыму, откуда генерал Миллер в феврале 1920 года вынужденно отбыл в эмиграцию. Теперь ему предстояло возвращение на родину, которую он покинул.

Когда генерала начали разыскивать, машина с Евгением Карловичем уже неслась вдаль от Парижа. Связанного генерала, усыпленного хлороформом и упрятанного в большой ящик, везли в портовый город Гавр. В книге В. Бурцева пересказываются материалы судебного следствия о похищении генерала Миллера.

Советский пароход «Мария Ульянова» находился на стоянке в Гавре, на разгрузке бараньих кож (5522 тюка на общую сумму в девять миллионов франков). В пять часов утра 22 сентября к борту парохода подъехал грузовик, принадлежащий советскому полпредству. Прежде чем таможенники смогли приступить к его осмотру, матросы вытащили из кузова грузовика большой тяжелый ящик и погрузили его на пароход. Капитана парохода таможенникам разыскать не удалось. При первой возможности пароход отчалил от берега.

Портовый маклер был единственным свидетелем прибытия грузовика и выгрузки из него ящика. Позже полиция выяснила, что этот грузовик видели на бульваре Монморанси в пятидесяти метрах от метро «Жасмен», куда генерал Миллер прибыл на свидание.

Полиция обратилась в советское посольство с просьбой связаться по известным ему коротким волнам с пароходом «Мария Ульянова» и потребовать немедленного возвращения его во Францию. Ответ советского посольства был невнятен, пароход не вернулся, и, чтобы не портить по такому поводу отношения с СССР, французское правительство постепенно прекратило расследование. К тому же ему объяснили, что в ящике находилась дипломатическая почта, не подлежащая таможенному досмотру.

29 сентября «Мария Ульянова» пришвартовалась к причалу Ленинграда, а на следующий день Миллера доставили в Москву. Он содержался во внутренней Лубянской тюрьме под другим именем. Миллер Евгений-Людвиг Карлович, родившийся 25 сентября 1867 года в городе Динабурге, происходивший из дворян Санкт-Петербурга, на допросах вел себя с достоинством, стоически и был расстрелян в Москве 11 мая 1939 года.

Надежде Васильевне Плевицкой было предъявлено обвинение в «соучастии в похищении генерала Миллера и насилии над ним». Из здания судебной полиции на набережной Орфевр ее отправили в женскую тюрьму Птит-Рокетт.

Поначалу следователь задавал ей простые вопросы:

— Как провели четверг? Что делали? С кем встречались? Не видели ли мужа?

— Если бы я его увидела! — истерически воскликнула Плевицкая со слезами на глазах. — Я вцепилась бы в него, не отпустила, на эшафот с ним пошла бы, чтобы он ни сделал... Но я не нашла Николая, моего Коленьку...

— Где же вы были целый день? — продолжал допрос следователь.

— Искала Коленьку... — отвечала она, всхлипывая, — ходила, бродила, брала такси, ездила в Булонский лес, в Сен-Клу, еще не помню куда... Коленька мне всюду мерещился, но это были галлюцинации...

Я даже думала, не у Миллера ли он... Приезжала к нему домой, но не застала. Я слышала, что генерал пропал. Вот несчастье какое! — зарыдала она, и допрос прекратили.

На суде она вела себя более расчетливо, следуя придуманному плану, притворялась несмышленой, ничего не знающей и плохо понимающей по-французски, в нужные ей моменты выглядела невменяемой. Вот как описывает поведение Плевицкой на суде Нина Берберова:

«Здание суда, в самом центре Ситэ, было одно время местом, которое я хорошо знала... И вот я опять в этом зале и слушаю вранье Надежды Плевицкой, жены генерала Скоблина, похитившего председателя Общевоинского союза («Рюсс Блан») генерала Миллера. Она одета монашкой, она подпирает щеку кулаком и объясняет переводчику, что «охти мне, трудненько нонче да заприпомнить, чтой-то говорили об этом деле, только где уже мне, бабе, было понять-то их, образованных грамотеев». На самом деле она вполне сносно говорит по-русски, но она играет роль, и адвокат ее тоже играет роль, когда старается вызволить ее, — но ей дают пятнадцать лет тюремного заключения. (Позднее 20 лет каторжных работ. — *В. С.*) А где же сам Скоблин? Говорят, он уже давно расстрелян в России. И от того ужас и скука, как два камня, ложатся на меня. Через десять лет — после смерти Плевицкой в тюрьме Рокетт — ее адвокат скажет мне, что она вызывала его перед смертью в тюрьму и призналась ему во всем, то есть что она в похищении Миллера была соучастницей мужа. Куда бежать от этих игр, шуток и тайн, от центральной фигуры, не могущей встать и сойти с полотна картины, шагнуть в серое парижское небо, по которому идут трамваи, в вечернюю глубь освобождения от одиночества?

В перерыве я бегу вниз, в кафе, где гудят голоса адвокатов и журналистов (среди них хроникер Марк Александрович Алданов — будущий известный писатель. — *В. С.*), в кафе, похожее на вокзальный ресторан — по старой моде он обшит деревом, он неуютен, грязноват, и здесь на ходу говорят только о «деле», не о делах, а о деле, которое слушается наверху... Репортер коммунистической газеты уверяет двух молодых адвокатов, что генерала Миллера вообще никто не похищал, что он просто сбежал от старой жены с молодой любовницей.

Старый русский журналист повторяет в десятый раз:

— Во что она превратилась. Боже мой! Я помню ее в кокошнике, в сарафане, с бусами... Чаровница! «Как полосоньку я жала, золоты снопы вязала...»

Знаменитый французский адвокат, стройный, красивый седеющий человек, автор книг, друг министров и послов, сидит один и с отвращением ест пирожное с кремом. Его окружают: что вы думаете, мэтр, какое ваше мнение? Виновата?

Он говорит свое мнение, подбирая ложкой крем с тарелки.

— «Ах, утомилась, утомилась, утомилась я!» — напевает про себя русский журналист.

«Человек человеку — бревно», — сказал Ремизов, написавший предисловие к книгам Плевицкой, наблюдая, как эмиграция безоговорочно оплевывает своего еще недавнего кумира.

Плевицкая не сдается. У нее впереди шанс на спасение, на который она очень рассчитывает. Это встреча с женой Миллера, о которой она просила. Ей сначала отказали, но потом разрешили увидеться. Плевицкая просит оставить их вдвоем. (Разговор приводится в описании жены Миллера.)

Жена Миллера. Скажите, Надежда Васильевна, при такой дружбе, какая была у нас, как вы могли, зная, что я потеряла мужа, не позвонить мне?

Плевицкая (*рыдая*). Вы же знаете, как я вас любила... и Евгения Карловича тоже... Разве могла бы так поступить, если бы знала... Разве мог бы Евгений Карлович так подумать обо мне? Да я первая донесла, если б знала... Вы верите мне? Почему молчите? Сделайте так, чтобы меня выпустили. Очень прошу. Вы не пожалеете об этом... Наоборот.

Жена Миллера. Что наоборот? Что вы станете делать, коли вас выпустят?

Плевицкая. Я поеду в Россию, к мужу.

Жена Миллера. Вы уверены, что он там?

Плевицкая. Уверена.

Жена Миллера. Как вы его там найдете?

Плевицкая. Не сомневайтесь. Найду. У него в России остались два брата. Я знаю их адреса, имена. Найду!

Жена Миллера. Но его там расстреляют, если он что-нибудь скажет в защиту моего мужа. И вас заодно...

Плевицкая. Не расстреляют. Он скажет. Я велю ему, и он ответит на все, о чем я его попрошу. Я дам вам знать, где Евгений Карлович. Только освободите меня!

Жена Миллера. Это невозможно. Никоим образом!

Обескураженная Надежда Плевицкая в отчаянии обхватывает голову руками и ругается, что никогда не позволяла себе раньше. На этом их свидание заканчивается.

На суде в качестве свидетеля выступал Антон Иванович Деникин, говорил о бескорыстной службе России генералов Кутепова и Миллера и кивнул в сторону сидящего в зале Керенского:

— Вот — Александр Федорович! Мы с ним расходились по вопросу участия в руководстве армии советов солдатских депутатов. Но не могу не признать, что, будучи военным и морским министром, он ни одной нашивки, ни одной копейки не потребовал за службу родине! А предавать своих, да еще за деньги, самое пакостное дело!

Французская полиция поначалу рассматривала три версии: Миллер похищен агентами ОГПУ, или агентами гестапо, или агентами Франко. Но участвовал ли

Миллер совместно с германской разведкой в составлении фальшивки о заговоре высших советских офицеров против Сталина? Вопросы остались вопросами. Верными были признаны показания адмирала Кедрова, возглавившего РОВС:

> «Скоблин привез Миллера на свидание с немцами, втолкнул его в виллу на бульваре Монморанси, там его убили, тело положили в ящик и на пароходе «Мария Ульянова» увезли в Россию».

Следствие пришло к следующим выводам:

> «Скоблин на французской территории совместно с сообщниками, оставшимися неразысканными, совершил 22 сентября 1937 года покушение на личную свободу генерала Миллера, учинил грубое насилие над генералом, сделал это с заранее обдуманным намерением и, воспользовавшись для своих целей, завлек генерала Миллера в западню.
>
> Надежда Винникова, по сцене Плевицкая, а по мужу — Скоблина, на французской территории, 22 сентября и в последующие дни проявила себя участницей названного выше преступления, совершенного Скоблиным и неразысканными сообщниками, оказав им сознательную помощь в подготовке, облегчении и осуществлении задуманного дела».

В показаниях французской полиции и эмигрантов говорилось, что Плевицкая, будучи намного старше мужа, имела огромное влияние на него. Она была в курсе всех его начинаний, получала на свое имя шифрованные письма и документы политического содержания, причем в некоторых из них даже указывалось, что содержание их не должно быть сообщено мужу. Некоторые свидетели прямо называли ее «злым гением Скоблина».

Последний вопрос председателя суда к Плевицкой звучал так:

— Считаете ли вы своего мужа виновным в похищении генерала Миллера?

— Не знаю. Разве он мог бросить меня? Значит, случилось что-то невероятное. Но записка генерала Миллера и то, что он бросил меня, — против него.

— Скажите правду, — настаивал председатель суда, — очень прошу — скажите правду.

— Не знаю. Я говорю правду. Я ничего ровно не знаю.

Суд приговорил Плевицкую к двадцати годам каторжных работ. Прокурор сказал, что не мог применить к Плевицкой более жесткого наказания.

Эмиграция единодушно осудила Плевицкую, ее некогда популярная песня была перефразирована:

«Замело тебя снегом, Россия»,
В вашей песне пустые слова.
Русь сильна, ей не страшны стихии,
«Замело», а Россия жива.
Вы по ней панихиды пропели,
Вы, Надежда, без веры, любви,
Вы по трупам прошли к своей цели.
Смерть иудам: их руки в крови.

Плевицкая отбывала каторжные работы в тюрьме города Рейн. Поблекла, плечи ее поникли, глаза казались безжизненными. Пела печальные песни в тюремном хоре, в положенные сроки встречалась с оставшимися друзьями, с адвокатами, священником, но все это не могло ни скрасить, ни оживить ее состояние. Проблеск надежды на освобождение возник в мае 1940 года, когда Плевицкая исповедалась священнику и рассказала специально вызванному представителю «Сюрте Насиональ» об обстоятельствах, скрытых на суде.

Однако надежда на пересмотр дела рухнула, поскольку во Францию уже вступили войска вермахта и местному правосудию было не до осужденных эмигрантов. Эти «скрытые на суде обстоятельства», возможно, объясняли весьма странный факт, поведанный родственницей Плевицкой, прекрасным прозаиком

Ириной Евгеньевной Ракша. Она по своим каналам выяснила, что в 1940 году, после прихода немцев во Францию, могила Плевицкой была эксгумирована. Что искало гестапо в останках умершей? Может быть, следы яда? Может быть, немцы считали, что певица в тюрьме была отравлена советскими агентами, так как еще могла выдать какую-нибудь опасную для них тайну, возможно, связанную с фальшивкой, погубившей весь цвет Советской армии?

Жаль, что до сих пор закрыты дела и Скоблина, и Плевицкой, в подшивках старых газет и журналов пылятся статьи о ней, и правду о великой русской певице приходится собирать по крохам. На ее концерте успела побывать еще совсем юная Клавдия Ивановна Шульженко:

> «С детства запомнила спетые ею песни. Для меня, как очевидно, для многих Плевицкая открыла очарование русской песни, сделала ее по-своему близкой и понятной. Я ожидала увидеть ее в народном костюме, сарафане, кокошнике и чуть ли не в лаптях. Такое впечатление сложилось после ее пластинок, а на сцену вышла стройная женщина в длинном сером с зеленым вечернем платье со шлейфом, в серебряных туфлях, с очень крупными «булыжными» бриллиантами, гладко зачесанными волосами, уложенными на затылке в большой пучок. Вот она запела, и все исчезло — и зал, и сцена, и сам театр, осталась только магия невероятно красивого грудного мягкого голоса, заставляющего внимать каждому его звуку».

Однажды мне позвонил композитор Оскар Строк и предложил написать текст шуточной песенки к юбилею ресторана «Украина». Было это давно, где-то в начале 60-х, когда я еще был автором эстрады. Я в любезной форме отказал ему в просьбе, считая такую работу слишком мелкой и не интересной для себя.

— Дадут двадцать пять рублей и хорошо покормят, — донесся до меня немолодой хрипловатый голос. Потом я узнал, что Оскар Строк в свое время был самым популярным автором ресторанной музыки, широко исполнялись его танго, румбы, фоксы и другие модные тогда танцы и песни, а отсидел он срок за Плевицкую, за то, что аккомпанировал ей.

— За кого? — переспросил я, впервые услышав незнакомую фамилию. Потом вышел большой диск Оскара Строка, и я прочитал в его воспоминаниях: «В 20-е годы мне много пришлось гастролировать с выдающейся певицей Н. В. Плевицкой. Мою песню «Простая любовь» о переживаниях крестьянки, потерявшей на войне мужа, она исполняла так трогательно, что я каждый раз не мог аккомпанировать ей без волнения».

У Шаляпина в России остался друг — драматический артист и конферансье Александр Менделевич, о котором великий певец часто вспоминает в своих книгах. Они переписывались даже тогда, когда это было опасно для Менделевича. Кажется, в 1958 году меня познакомили с ним в ЦДКЖ, где он вел концерт, и очень своеобразно. Говорил шутку типа объявления на воротах старой кондитерской фабрики: «Требуются десять рабочих. Пять — в завертку. И пять — в начинку», а затем представлял артистов. Без особой подводки, без перечислений званий и заслуг. Я осторожно заметил Менделевичу, что на это артисты могут обидеться.

— Могут, — согласился он, — зато Плевицкая не обиделась бы. Чего ее объявлять? Ее знала и любила вся страна! Чего можно было говорить перед Шаляпиным? А теперь надо уговаривать зрителя, чтобы он послушал того или иного артиста!

Повороты истории обладают полезным и добрым свойством — возвращать нам имена незаслуженно забытых людей. Даже в годы повального осуждения Плевицкой французской эмиграцией княгиня Лидия Леонидовна Васильчикова уверяла знакомых в том, что певица работала сиделкой в госпитале Ковно, давала концерты раненым, поражала всех трудолюбием, об императоре говорила: «Мой хозяин и батюшка» и, конечно, пела бесподобно, как вольная голосистая птица.

Не будем ждать очередного поворота истории и скажем:

«В истории России встречалось немало более опытных, ловких и удачливых шпионок, чем Надежда Васильевна Плевицкая, но такой выдающейся русской певицы не было».

БИБЛИОГРАФИЯ

Н. В. Плевицкая. Мемуары: Дежкин карагод. Мой путь с песней. М., 1993.

Н. Берберова. Курсив мой. М., 1983.

Л. В. Собинов. Автобиография. М., 1973.

Ф. Н. Шаляпин. Жизнь и душа. М., 1990.

В. Буруев. Советские гангстеры в Париже. Париж, 1938.

В. Слащев-Крымский. Автобиография. М., 1991.

Белое движение. М., 1999.

ОГЛАВЛЕНИЕ

Серия «Знак судьбы»

Стронгин Варлен Львович

**НАДЕЖДА ПЛЕВИЦКАЯ.
ВЕЛИКАЯ ПЕВИЦА И АГЕНТ РАЗВЕДКИ**

*Взгляды авторов серии
не всегда совпадают с мнением редакции.*

Редактор *Г. Дзюбенко*
Дизайн серии, обложка *Т. Кудрявцевой*
Художественный редактор *З. Буттаев*
Макетирование и техническое редактирование *Л. Стёпина*
Корректор *С. Липовицкая*
Компьютерная верстка *А. Осьмакова*

ИД № 04467 от 09.04.2001.

Подписано в печать 16.06.2005. Формат 84×108/32.
Печать офсетная. Бумага газетная. Гарнитура «Ньютон».
Печ. л. 9,0+цв. вкл. 0,5. Тираж 5000 экз. Заказ №15296.   С-143.

Общероссийский классификатор продукции
ОК-005-93, том 2 — 953000.

Санитарно-эпидемиологическое заключение
№ 77.99.02.953. Д.006135.10.04 от 21.10.2004 г.

ООО «АСТ-ПРЕСС КНИГА».

107078, Москва, Рязанский пер., д. 3.

Отпечатано с готовых диапозитивов
на Саратовском полиграфическом комбинате.
410004, Саратов, ул. Чернышевского, 59.

Стронгин В. Л.

С86   Надежда Плевицкая: Великая певица и агент разведки — М.: АСТ-ПРЕСС КНИГА, 2005. — 288 с., 8 л. ил. — (Знак судьбы).

ISBN 5-462-00380-3

Надежда Васильевна Плевицкая... Имя этой великой русской певицы до 1917 года огромными буквами печаталось на афишах. Билеты на ее концерты стоили втридорога. Ее таланту поклонялись Федор Шаляпин и Леонид Собинов, Сергей Рахманинов и Иван Бунин. Сам Николай II называл ее «певицей, поющей для сердца». Но в жизни ее ждали не только богатство и слава. Судьба приготовила певице тяжелые испытания, самыми страшными из которых стали двадцать лет каторжных работ...

УДК 92
ББК 85.314